U0154202

傳家

秋

中國人的生活智慧

冬

秋風寂寥客思無窮
二〇一一年辛卯夏末蔡其篤畫并題

生活礼記

感謝　蔡其南老師惠予刊載〈秋思〉之畫作

祝福這個花頭多的孩子 　　顧正秋

　　妹妹名字中的「祥」字，顯群與我取自於陳誠夫人譚祥的名字。陳夫人秀外慧中，是當時婦女界的典範，我們希望女兒能沾些她的福氣。

　　妹妹急性子，早產一個多月，在保溫箱住了一個多月。不過她出這套書倒是挺有耐心的，忙進忙出費了五年多。書裡寫的許多小事是她七、八歲或十幾歲時發生的，沒想到會在她心裡埋下種子。有人說早產的孩子比較敏感，妹妹的確有顆容易感動的心，才能連生活的小事也記得那麼詳盡。五年前她開始構想這套書，之後就常常問東問西，要我回憶往事，或是考我有關我們以前怎麼吃，家裡怎麼擺設，或是我曾說過的一段什麼話；為了求證某個菜色拉我吃各種館子更是常事。她還自己做麵條麵包，種菜，種香菇，做豆腐乳、醬油、養雞下蛋，每次收到她送來的東西，我總懷疑她那個家怎麼生得出那麼多東西。

　　妹妹花頭真多，我總說她「十八般武藝，樣樣稀鬆」。她念初一時想向我學戲，我哪會教她這個生虎子，請了王克圖先生來幫她吊嗓子，這小姐還沒有進入狀況，就急著去學古箏，學了幾天又換了把吉他，最後定情於吉他。我問她要不要找老師學，她說不要，自己摸索著玩。過陣子，說學校找她表演，再過幾天又說電台找她上節目，再過一年，說要去「艾迪亞餐廳」駐唱，我一聽，可要管了，陪她去忠孝東路看那家西餐廳，雖然在大馬路邊，但光線陰陰的，哪能答應？她執意要去，並保證不耽誤功課，最後才答應她一星期去一次，哥哥八點送去，十點接她回來。再過幾月，說有人要幫她灌唱片，後來真的灌了兩張。接下來，山葉音樂要請她主持「跳躍的音符」節目，要做專輯……，妹妹玩什麼都非要玩出名堂才肯罷休。雖然她的古箏沒練好，但把古箏曲子〈陽關三疊〉改用吉他彈唱，也把南宋詩人陸游的〈釵頭鳳〉用吟唱的方式唱出來，再把鄭愁予的詩〈錯誤〉，劉半農的詩歌〈雨〉童謠〈紫竹調〉、〈小白菜〉等重新詮釋，倒也走出一條清新的路線。但我仍不同意她把歌唱當本業，最後她選擇服裝設計，一樣忙進忙出，今天發表會，明天服裝秀，今天要我陪她選扣子，明天要我看她陳列的櫥窗，搞得我眼花撩亂。後來也沒往那條路繼續走，倒是在珠寶設計上發揮了當年所學。

　　嫁給仁喜後，她突然變成個管理主管，我真替她捏把汗：自己都沒管好，還

要管別人？不會做帳，哪能管帳？只見她每天抱著電腦，說有新的程式可利用，常常弄到三更半夜。過一陣子，又做起室內設計，沒日沒夜的在工地監工，整個辦公室堆滿了材料。這小姐就是「不嫌多」，東西越多她玩得越來勁。一樣玩過換另一樣，每樣都玩得很盡興！我常常問她：「妳玩兒的過癮嗎？」

她帶孩子也像在玩。自己還像個孩子呢，帶著三個蘿蔔頭瘋進瘋出的，一下子夏令營，一下子做教具，接接送送忙不停。她與仁喜倒是非常認真的栽培三個孩子，做他們的孩子，是前世修來的福！現在孩子們大了，想想她體力上心力上，總該靜下來了吧，哪知她越來越忙：忙著讓孩子們知道我們中國人的好，忙著讓世人知道茶道、花道源自中國，屈原、孔子不是韓國人。

妹妹最不服氣咱們的好東西被外國人偷去，氣呼呼的說要出一套介紹中國生活文化的書。最近她把第三本「秋」的部分樣稿送來，我認真的讀她寫的文章，看她安排的場景與圖片的解說，幾年下來整理出的出版、成語、詩詞、戲劇等資料，分析她想承傳的東西，這才知道她這回玩的這麼認真，這麼廣泛。我說她像個記者，採訪的對象是「生活」和「中國」；也像做學問一樣的，每個主題都親身體驗、分析才下結論，居然完成這麼大一幅生活地圖。

我自己不擅於打理家務，從小灌輸妹妹要學會做家事，這方面她倒是個中好手。誰想到打理家務這等小事，她可以抬到檯面上來分析。妹妹偶爾寫點東西，我也沒想到她可以寫這麼多龐雜的資料；如今終於見識這個女兒現學現賣的能力，相信其中難免有一些錯誤之處，還請各方賢達不吝指點。

我知道那個打著燈籠找來的好女婿，是支持她完成這一套書的人，但仍感覺冥冥中好像有人陪著她策劃，抓著她的手寫稿。我問她，妳怎麼可能想得出來？她說：「媽媽，我體會人要發願，一旦發願，就有無形的助力！」我又問她，妳怎麼有這麼多時間？她說：「媽媽，做下去，時間就會出來的！」這孩子真像她父親，熱心熱情，有能力，勇往直前。我這個做母親的，祝福她完成心願，也祈禱上蒼賜福，一如我們為她取的名字，一切吉祥。

饒之秋

西元二〇一〇年三月

美的百科全書

白先勇

　　任祥女士是位有心人，她有一個大願望：希望曾經在我們生活中呈現過的傳統文化中各種美的面貌不要從我們記憶裡消失，因而下足功夫，編撰了這本《傳家》，這是一本美的百科全書，她把我們傳統文化映浮在日常生活中的花容月貌，用文字記載、用圖片定格，長久保留下來。

　　上世紀七、八十年代，台灣漢聲雜誌有一群有理想抱負的文化工作者，曾經深入民間，把民間藝術、民間習俗，用生動的文字及精美的攝影、圖畫，撮其精要，記錄下來，採擷範圍由台灣及於大陸各省。漢聲出版的書籍美不勝收，曾經影響了整一代的台灣人，尤其是兒童教育，更加深遠。漢聲的《中國童話》系列、《兒童小百科》，是當年許多台灣家庭必備之書。漢聲對於我們民族的文化薪傳，做出了很大的貢獻。但這項工作，在台灣近年來，似乎停頓下來了。任祥女士不惜工本，出版《傳家》，大概是想繼續漢聲當年文化薪傳的工作吧。

　　不曉得是從甚麼時候開始，我們這個民族的審美觀似乎出了問題，我們傳統文化中明明有很多很美的事物，我們不懂得欣賞了，而一些外來的東西，有的其實並不美，卻視為珍物從頭到腳穿戴起來。因為審美的混淆，我們日常衣食住行所表現出來的，也顯得有些混亂，缺乏一項文化上的審美標準。任祥女士的《傳家》對我們當今的混亂美學，可能起到一些示範作用。

　　大概很少人能夠像任祥女士那樣，肯花如此多的心血，每一項項目都能蒐集無窮的資料，精挑細選，然後以詳盡的圖表，標明分類，最後在文字解說上，附以精美影像，春夏秋冬，四季分明，光看書中圖片影像，已經飽餐秀色——連我們日常食用的米飯，竟也有說不完的故事、拍出米粒顆顆晶瑩的藝術照片來。翻閱《傳家》令人驚異的是，原來台灣民間對中國傳統文化的保存，竟如此豐富。大陸因為經過「文革」破四舊的運動，傳統文化有斷層的現象。但有的傳統文化傳到台灣，卻逢再造生機。例如佛教，因幾位高僧東渡，而在台灣再度興揚，又如大陸各種菜系在台灣另外開花結果。台北鼎泰豐的小籠包竟返轉原生地上海大出風頭。從歷史長遠的眼光看來，「中國傳統文化在台灣再造」，可能是台灣對

整個中華民族的一大貢獻。而任祥女士這本《傳家》卻有意無意的在很多細微的地方解說了這個現象。

　　任祥女士對傳統文化之美特別敏感，其來有自。她的高堂便是鼎鼎有名的台灣菊壇祭酒顧正秋老師。顧正秋老師的京劇藝術便充分展示了我們傳統文化美之極致。我在少年時期，有幸在台北永樂戲院觀賞過顧正秋老師的代表作《鎖麟囊》，一段〈流水〉迴腸盪氣，高遏行雲，至今縈繞難忘，任祥女士自幼耳濡目染，難怪能夠編撰出如此美輪美奐的圖畫書來，《傳家》起因於「家傳」。

西元二〇一〇年五月

祈願善行之心不斷延伸　　李連杰

　　我常在世界各地拍電影，看到許多人依然活在貧窮落後的地區，幼小的孩子不但沒有機會受教育，甚至因營養不良而死亡。我的內心對此深覺悲痛，並且深受震動，時常在想「我能為他們做些什麼？」二〇〇七年，我發願成立國際性公益組織「壹基金」，號召善心人士伸出援手，以小額捐款的方式聚沙成塔，幫助世界各地的弱勢者與急難者。

　　也因此，我與擁有資源的各國人士有了進一步切磋與溝通的機會；這也使我發現，許多外國人對於我們中國人的認識，大多僅止於表面。例如，他們看到我的功夫，卻看不到中國武術的紀律傳承；他們看到「壹基金」公益典範的作為，卻看不到我們仁愛大同的蘊底；他們熱愛中國食物的美味，卻看不到我們地大物博經緯線的涵蓋……。總之，中國的文化既深且廣，要向外國人介紹中國人生活中所涵蓋的文化，實在不是三言兩語所能說清楚的。

　　任祥編著的這套《傳家——中國人的生活智慧》，有著一張清楚的架構表，盡可能的涵括我們日常生活中的傳承；如能翻譯為外文出版，相信對中國文化有興趣的外國友人，當能對中國人有更進一步的了解。我由衷歡迎它的問世。

　　二十一世紀是中國人的世紀。交通與資訊比以前更為便捷，讓人與人之間能更快速的相互看見與了解。我很欣喜的見到，各地的中華兒女們用各種不一樣的方式在為我們的繁榮進步而努力。以這套《傳家——中國人的生活智慧》為例，任祥花了無數的時間收集與整合資料，從女兒、妻子、母親的三重角度，串連全套書的內容架構；以生活化的方式，敘述中國人生活中的文化面向，並配以各種精心設計的圖片，系統化介紹中國人的文化財產，內容深入淺出，文筆流暢易讀。這套生活文化教材，不但有利於外國人了解中國人，其中的很多傳統資訊，對我們這一代與年輕一代的中國人，相信也是大有助益的。例如對於節慶、食物等的詳盡介紹，「齊家心語」篇整理出來的成語、諺語、出版、戲劇、詩詞、格言、人物、繪畫、器物、音樂、歷史等，雖然有些是我們已熟悉的，但整合在一張清楚的圖表上，好比一張規劃完備的地圖，可以作為父母師長教育孩子的參

考。而「生活札記」篇裡述及的健康與有機環保等內容，對急速成長中的中國，也是極有助益的常識。

　　同時，我也看到這套書發願完成的初心是一件公益事業，因而備覺親切。

　　公益事業的基礎點，就是無私的把自己能奉獻的與人分享，讓他人受益。我自己作為公益事業的實踐者與宣導者，在中國、香港、美國、新加坡等地實踐與努力，希望發展典範型的合作慈善計畫，深知所有的公益行為都對社會具有正面的影響。《傳家——中國人的生活智慧》前兩版的所有收入，據知將捐助給聖嚴法師創設的法鼓大學建校之用；簡體版與繁體版的再版，任祥則選擇放棄版稅，力求普及傳統文化，宣揚家庭價值。她所做的雖與「壹基金」力倡的小額捐款類型稍有不同，但行善助人的宏願則無分軒輊，我樂見《傳家》前兩版為法鼓大學募得新臺幣七千二百萬元，簡體版上市一年以來，成功銷售近十萬套的佳績。

　　行善是一個習慣，善心善行能造就一個和善的社會，這是我成立「壹基金」的初衷。希望這層初心能不斷延伸，成為我們中國人迎向新世紀的巨大動力。

西元二〇一二年十二月

秋序～我與阿祥走過秋天

　　從小在陽明山上長大的阿祥說，他對陽明山秋天最鮮明的記憶是柿子快熟了，貪吃的小孩把生澀的柿子摘下來，裝進麻袋埋在溪澗裡。也不知是誰教的，總之他們知道青澀的柿子經過水的撞擊與漂洗，會逐漸熟成為橙色，變得香甜脆口，可以先吃為快。那時候，溪邊偶爾會漂來些柚子或虎頭柑，外表光滑無瑕，但他們知道那是水流漂洗不熟的，只撿起來當球玩。

　　阿祥還會在涼爽的秋日沿著小溪往上爬，爬到平等里的另外一個小山頭玩耍。孩子的認知總以為山頭那一堆高高的咖啡色樹木已經凋零，長大後才知道那是水杉，四季有不同的顏色層次。拍照那天，阿祥說他住陽明山近五十年，卻從不知道這角落的水杉有著耀眼的金質色彩。

　　秋天是金色的季節，「氣氛生活」以古生物水杉的身影拉開序幕。這樹型有如寶塔一般的高大水杉矗立在陽明山上，也許是被颱風吹彎了腰，到了深秋時節，傾斜的綠葉轉成淺咖啡色；中午的陽光灑在她身上，煥發著金黃色的光澤，阿祥捕捉到一種逼人的貴氣，非常華麗。

　　「歲時節慶」篇介紹秋天主要的中元節和中秋節。中元節俗稱普渡，是祭拜孤魂野鬼的日子，阿祥拍攝了放水燈的景象。中秋是團圓的節日，在台灣幾乎已演變成烤肉節，所以除了介紹月餅等各種團圓點心與台灣有名的鳳梨酥外，也應景的介紹了烤肉的技巧。農民曆的單元，則介紹了民間慣用的命相、命理習俗，並把古書《冰鑑》中所列的人物相貌以繪圖手法呈現出來。

　　「以食為天」，中國人的素食變化無窮，本單元介紹了特有的根莖類、葉菜類、豆腐、菇蕈、蛋奶素。文化食物則介紹有名的「九尖十圓」——大閘蟹的吃法，蟹粉的製作，並以一篇〈黃金好個秋〉記述我小時候跟長輩們吃蟹的記憶。〈風乾的角落〉、〈泡菜與小菜單〉介紹醃製與風乾的食物。零食部分，則介紹了我們從小吃到大的各類零嘴，還有把玩的童玩。

在「匠心手藝」篇，則以〈歡樂派對宴客〉為題，介紹派對氣氛的掌握方法、請帖的設計、口布小禮物的設計、蛋糕的佈置、插花的陳列手法等，希望能有個迥別於一般印象的派對氣氛。禮物篇，介紹了月亮肥皂禮、但願人長久蠟燭禮、蘋安團圓燭、月亮咖啡禮盒、柿柿如意禮與秋之果。除此之外，我整理出一些中國京劇的臉譜、服飾、道具等，以圖繪的方式表達，旦角的華麗頭飾，則以攝影方式呈現。

「齊家心語」篇，首先出現的是中國人的戲劇歷史長軸。我列出了中國人的劇碼約五百多齣，並以加粗的字體顯示重疊於不同劇種的一百四十多齣呈現於長軸上。〈我們的戲劇〉則透過民俗文學的角度，粗略介紹幾種不同的表演藝術及中國的京劇。

接下來是三篇敘述我家的長輩走過一個大時代的故事：〈讀我母親〉、〈讀我父親〉、〈讀我公公〉，以及一篇以現代眼光回看那時代的〈結痂的傷痕〉。這是一個沉痛的撰寫過程，希望後代子孫能夠了解自家與國家所走過的，是一條多麼曲折的路。

〈逃不過數嗎？〉是我親身體驗的中國數術，此外還有命理的故事跟歷史上記載的無字天書的介紹。「詩詞與格言」則是把中國的詩人列表於歷史長軸上，且把耳熟能詳的詩詞標示出來；此外把智者的生活格言整理出來，相信讀者一定能溫故也能知新。

在「生活札記」篇，〈我的菜園〉介紹豆芽菜。豆芽菜是修補細胞的食材，不分季節隨時可以種植，我養的豆芽像供養一個活的裝置藝術。當然也介紹了培養豆芽菜的方法。醬料在「中國女人的廚房」裡非常重要，這裡詳盡介紹了八十

種醬料的組合，及醋與醬油的製作過程。〈中國醫學〉，把中藥材依照病名體系做分類。「螃蟹宴」是秋天的宴客設計，八隻紙摺的螃蟹，裝載著當季珍貴的海粉。「家計」篇則分享家庭常用的資訊表格。

親愛的阿祥，我們一起走過多麼豐美的秋天啊！
遺憾的是，秋天裡有著我所無法遺忘的蒼涼！

姚任祥

西元二〇一二年十二月

氣氛生活

水杉下的下午茶

秋景

姚任祥

秋風始涼近午天
群鳥養羞寒蟬鳴
雲高氣爽無限意
初識水杉金縷衣

葉影疏微茶初熟
栗子金瓜色正濃
茶棋共賞半日閒
光陰難買一刻金

氣氛生活

歲時節慶

中元

農曆七月是民間俗稱的「鬼月」，而七月十五中元節則是祭祀「好兄弟」的重要節日，稱為「中元普渡」。

中國人篤信農曆七月是「鬼月」，初一鬼門關開，在陰曹地府的孤魂野鬼就會重返陽世找東西吃，直到三十鬼門關閉為止。這段時間可以說「諸事不宜」，不論購屋、喬遷、動土、嫁娶、旅遊、買車等活動，至今人們仍會刻意避開，以免沖煞。

　　農曆七月十五日的中元節，又稱「鬼節」、「七月半」，是鬼月最重要的節日。這一天，家家戶戶都要祭祀孤魂野鬼，稱為「普渡」，也就是我們耳熟能詳的「中元普渡」。

　　中元節是受到儒、佛、道教的交互影響所形成的。早在東周《禮記・月令篇》就記載「是月也，農乃登穀，天子嘗新，先薦寢廟」，意指七月秋收，天子以新穀祭祀祖廟，以表敬意。因此，七月祭祀應始於中國人慎終追遠、弘揚孝道的觀念而來；儒家並認為鬼神就是祖先。

　　農曆七月十五日也是佛教的「盂蘭盆節」。盂蘭盆的梵文為「ujlanbana」，字意為「救倒懸」，也就是將食物擺在盆中供養佛僧，仰仗他們的法力，幫助在地獄受苦的眾生，解除被倒懸不能進食的痛苦。

　　盂蘭盆節的起源就是大家耳熟能詳的「目連救母」故事。根據《盂蘭盆經》記載，目連是佛祖的第一弟子，他透過天眼通看見生前作惡的母親，死後墮入餓鬼道無飲無食，飽受折磨，於心不忍，於是以神通送食物給母親吃，但食物一到嘴邊即刻化為火炭。

　　目連悲痛不已，回去向佛祖請求解救他的母親。佛祖告訴他，必須借重十方眾僧的力量，並將百味五果置於盂蘭盆供養十方眾僧；目連依佛祖指示在七月十五日施行後，母親果真脫離一切餓鬼之苦。此後，七月十五日就形成盂蘭盆節。根據佛教的說法，信徒只要在這一天誠心供養佛僧，就會得到三寶之力，不但為現在的父母增福壽，也能使七世父母得以脫離苦海，得到幸福。

　　根據歷史記載，盂蘭盆節始於南北朝，篤信佛法的南朝梁武帝並親自舉辦了這個節目，鼓勵民眾行孝，因此在民間廣為流傳，也成為佛教固定的節日。

中元節的名稱其實源自於道教。道教有祭祀上元天官、中元地官、下元水官的三元習俗，農曆七月十五日就是中元地官的聖誕；地官會在這一天降臨凡間，判定善惡，為人赦罪。因此道教信眾都會在這一天祭拜地官大帝，以求赦罪，並普施孤魂野鬼。

因為儒、佛、道的影響，民間逐漸融合成為今日的中元普渡習俗。不過以台灣來說，原本步入農曆七月後，是大家輪流每天都要祭拜，但因為風氣日盛，演變成為一整月的流水席，過於鋪張浪費。因此，政府在一九五二年頒布統一在農曆七月十五日舉行普渡。不然，其實許多道教寺廟舉行普渡的日子，並非都在七月十五日。

中元節的主要習俗有：

普渡：就是要普遍渡化俗稱「好兄弟」的孤魂野鬼，以三牲五畜的隆重祭品，讓鬼門關出來的好兄弟吃飽，以免打擾人間；另一方面也是向神明請求渡化他們，蘊含慈悲的善良本質。

普渡在台灣一般分為「公普」、「私普」。顧名思義，公普是由地方寺廟、同業公會或氏族統一舉辦的普渡，聘請僧侶或道士來作法，通常會「豎燈篙」，也就是樹立長竹竿，頂端掛著寫有「慶讚中元」的燈籠，以招引好兄弟來享用祭品。

私普就是家戶各自進行的普渡。

放水燈：豎燈篙是為了招喚陸上的好兄弟，若是要邀請在水中的鬼魂，就要施放水燈。台灣民間篤信水鬼終年飽受水牢之苦，會設法拉一個活人下水來頂替；因此，放水燈也有超渡水鬼脫離苦海的用意。

台灣最知名的中元祭就是臨海的基隆，基隆中元祭的最高潮，就是在農曆七月十四日晚間放水燈。水燈是用竹蔑紮成，再以紙糊成房屋形狀，中間置蠟燭，下面則是有浮力的保麗龍板。另外還有「水燈排」，就像竹筏一樣的燈架，有數十甚至上百盞燈。

基隆放水燈陣仗甚為龐大，光是從市區列隊前往八斗子海邊，蜿蜒可長達數公里，各式樂隊、民俗陣頭以及汽車裝飾出來的「藝閣」於夜間遊行，好不熱鬧，已經成為台灣中元節慶最知名的民俗活動。

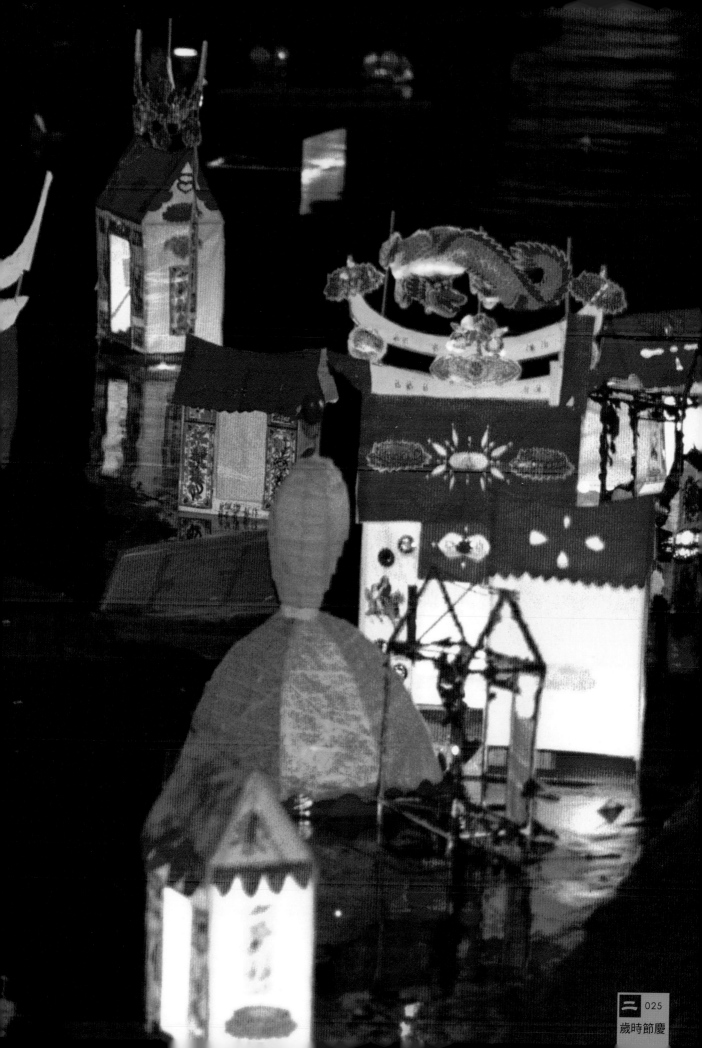

搶孤：搶孤是中國福建沿海、台灣等閩南語系地區特有的鬼月競賽活動，它除了蘊含祭祀孤魂野鬼的博愛精神，也有展現人無畏鬼的勇氣之意，通常於中元節當天先舉行「飯棚搶孤」的暖身賽，並在農曆七月「關鬼門」的最後一天，舉行盛大的搶孤儀式。

搶孤就是要攀上木搭的高台搶好彩頭的意思，台灣以宜蘭頭城搶孤最負盛名。頭城搶孤所使用的棚架分為「飯棚」、「孤棚」兩種；飯棚高約十八尺，是為了祭拜鬼魂，孤棚才是搶孤比賽的主要棚架，高約三十九尺，差不多有四層樓高，由十二根杉木搭建而成。孤棚的第一層是「倒榻棚」，棚上再設立十三座有如金字塔的「孤棧」，上面繫掛各種美食，頂端再插上一根「順風旗」。

搶孤採取分組競賽，五人一隊以疊羅漢的方式往上爬，誰先搶到順風旗就獲勝，但因棚柱抹有牛油，稍一不慎就會下滑甚至墜地。由於以往搶孤易造成傷亡，日據時代曾明令禁止，直到近年才恢復舉辦，並加強安全防護措施，已經成為知名的觀光民俗活動。

我們的拜拜

在台灣，常常看到很多拜拜的儀式，有時就在商家門口，一張桌腳可以折疊的小桌上放著供品，店裡的人手持一炷香對天祈禱，或蹲在一個燒金紙的鐵桶（俗稱金爐）前燃燒紙錢。我的外國朋友來台灣，看到這個特異的畫面總會問我：他們在做什麼？我回答：拜拜。他們又問：拜甚麼？我就答不出來了！同時也不禁有點慚愧了！這個時常發生在各城市大街小巷裡的儀式，我們有多少人就這樣輕易走過，從不知道這麼大一群同胞們在拜什麼？

於是我去請教了解民俗的長輩，關於特別日子所拜的神明，得到如下的答案：

農曆正月初一開正：玉皇大帝（即天公）

農曆正月初四接神：眾神明

農曆正月初九拜天公：玉皇大帝

農曆正月十五元宵節：天官大帝、眾神明、祖先、地基主

國曆四月五日清明節：祖先

農曆五月初五端午節：眾神明、祖先、地基主

農曆七月初七為七夕：七娘媽、床母

農曆七月十五中元節（普渡）：地官大帝、好兄弟（孤魂野鬼）

農曆八月十五中秋節：土地公、祖先、地基主

農曆九月初九重陽節：祖先

國曆十二月二十一日冬至：眾神明、祖先、地基主

農曆十二月二十四送神：眾神明

農曆十二月三十除夕：眾神明、祖先、地基主

小時候我最怕經過拜拜的場所。因為全隻動物都排在桌上，雖然煮熟了，看起來還是覺得怪嚇人的。

近年拜拜的場景已有改變，供品不再固守古早的三牲五畜，看起來比較祥和。我由衷的相信，天上的神都是慈悲為懷的，不希望看到那種全隻動物的場面。

拜拜最重要的其實是虔誠；有一顆虔誠的心，勝過一切凡俗的外在供奉。

中秋

農曆八月十五是中秋節，由於中秋月正圓，所以也象徵闔家團圓；「嫦娥奔月」是家喻戶曉的中秋節傳說。

農曆八月十五日是中秋節，因為八月位於秋季的第二個月，因此又有「仲秋」之稱；俗稱還有「八月節」、「八月半」。所謂「花好月圓人團聚」，由於中秋月正圓，象徵闔家團圓之意，因此也被視為「團圓節」。

　　古代帝王有春天祭日、秋天祭月的禮制。根據目前可考的歷史記載，「中秋」這個名詞最早出現在東周《禮記》：「中春，晝擊土鼓，吹豳詩以逆暑；中秋，夜迎寒，亦如之。」中秋遠在兩千多年前，就已經是文人儒士賞月的風雅活動。

　　到了唐代，中秋成為固定的節日，《唐書‧太宗記》即有記載「八月十五中秋節」；宋朝時期更已普及為民間習俗與休閒活動，《東京夢華錄》就有以下形容：「中秋前，諸店皆賣新酒，重新結絡門面彩樓。中秋夜，貴家結飾台榭，民間爭佔酒樓玩月。」

　　中秋節到了明清兩朝已成為僅次於春節的最重要傳統節日。元朝末年，蒙古人為怕漢人造反，不准民間私藏武器，還嚴密監視並規定每十戶共用一把菜刀，漢人苦無傳遞訊息的管道；相傳當時已經起義的朱元璋陣營想到一個計策，他們散播謠言，說今年冬季將有瘟疫，除非大家在中秋節買月餅吃，然後製作月餅，餡裡面藏著一張紙條寫著「八月十五殺韃子」，各地義軍紛紛在當夜響應。後來朱元璋稱帝為明太祖，特別在中秋賞賜月餅給群臣，從此中秋節成為固定節慶。

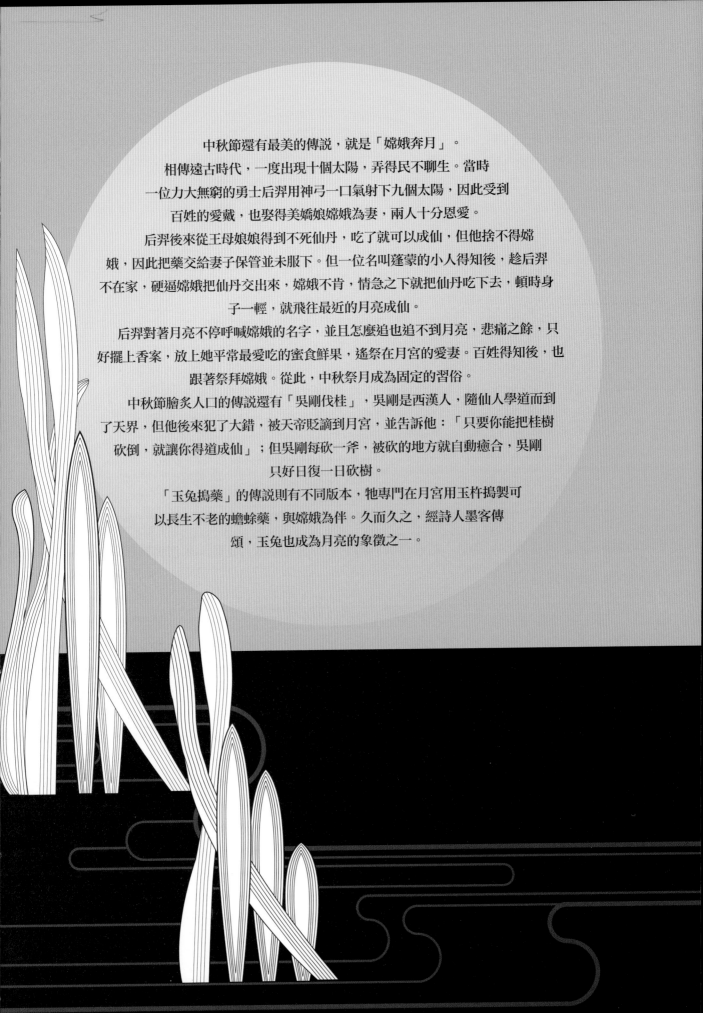

中秋節還有最美的傳說，就是「嫦娥奔月」。

相傳遠古時代，一度出現十個太陽，弄得民不聊生。當時一位力大無窮的勇士后羿用神弓一口氣射下九個太陽，因此受到百姓的愛戴，也娶得美嬌娘嫦娥為妻，兩人十分恩愛。

后羿後來從王母娘娘得到不死仙丹，吃了就可以成仙，但他捨不得嫦娥，因此把藥交給妻子保管並未服下。但一位名叫蓬蒙的小人得知後，趁后羿不在家，硬逼嫦娥把仙丹交出來，嫦娥不肯，情急之下就把仙丹吃下去，頓時身子一輕，就飛往最近的月亮成仙。

后羿對著月亮不停呼喊嫦娥的名字，並且怎麼追也追不到月亮，悲痛之餘，只好擺上香案，放上她平常最愛吃的蜜食鮮果，遙祭在月宮的愛妻。百姓得知後，也跟著祭拜嫦娥。從此，中秋祭月成為固定的習俗。

中秋節膾炙人口的傳說還有「吳剛伐桂」，吳剛是西漢人，隨仙人學道而到了天界，但他後來犯了大錯，被天帝貶謫到月宮，並告訴他：「只要你能把桂樹砍倒，就讓你得道成仙」；但吳剛每砍一斧，被砍的地方就自動癒合，吳剛只好日復一日砍樹。

「玉兔搗藥」的傳說則有不同版本，牠專門在月宮用玉杵搗製可以長生不老的蟾蜍藥，與嫦娥為伴。久而久之，經詩人墨客傳頌，玉兔也成為月亮的象徵之一。

中秋節最重要的習俗有：

吃月餅：根據最早的史料，月餅應始於唐代，《洛中見聞》記載，唐僖宗在宮中吃到特製的餅，覺得味道非常好；他聽說新科進士在曲江設宴，便命御膳房在中秋節用紅綾包著餅送去賞賜他們。

「月餅」這個名詞首見於南宋吳自牧的《夢梁錄》，不過當時月餅是菱形的，後來才演變為圓形。明代的《西湖遊覽志會》記載：「八月十五日謂之中秋，民間以月餅相遺，取團圓之意」；月餅自明代開始，已成為歡度中秋必備的應景食品。

就像中國菜一樣，月餅也是因地而異，種類繁多；台灣最常見的則有廣式、京式、蘇式與台式四種。廣式月餅的外皮類似西點，內餡甜膩並最為講究；京式月餅外皮有如燒餅，香脆可口；蘇式月餅外皮則是層次多且薄，白淨鬆酥。

台式月餅則以源起於中部的「綠豆椪」最為普遍，其次則是「蛋黃酥」與「鳳梨酥」；每逢中秋，這三種幾乎是糕餅店必備的主力產品。由於近年業者不斷推陳出新，根據估計，月餅已經不下兩千種。

祭月娘、拜土地公：中秋自古就有「祭月」之禮，祭拜的神明就是月神，也被稱為「太陰星主」、「月娘」，並因而衍生出嫦娥奔月的神話。月出之前，人們在庭院擺好香案，供奉象徵團圓的應時瓜果（在台灣就是柚子，俗稱文旦）、月餅與清茶等，然後對月燒香祭拜；拜完才能食用。由於月亮屬陰，因此祭月主要由婦女、兒童祭拜，男子不是後拜就是不拜。

農曆八月十五剛好也是土地公的誕辰，人們會在這一天祭拜土地公，並在田裡插上竹子夾著供土地公的紙錢，象徵土地公所持的拐杖，感謝土地公保佑順利秋收。

其他：中國各地都有不同的中秋習俗，在台灣有所謂的「聽香」。根據連橫的《台灣通史》記載，婦女會在中秋夜深時向神明點香默禱，表明要問的事，然後拈著香出門，只要在路上聽到有人講話，就擲杯請示神明是不是答案。

此外，台灣以往在中秋還流行一些偷俗，俗語說「偷摘蔥，嫁好尪；偷著菜，嫁好婿」，未成年少女在中秋節如果到別人家的菜園偷菜沒有被發現，就表示她將會遇到如意郎君；只是這些饒富趣味的習俗已經式微。

中秋烤肉

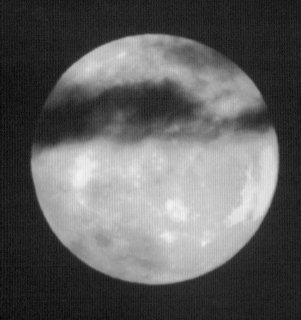

　　烤肉本是鑽木取火時代原始人的飲食方法，但許多國家各種種族的人都沿用至今，而且不斷加以發揚光大。就以台灣來說，腦筋動得快的商家，最近幾年還推出全套的烤肉用具與食材，按照顧客指定的時間送到烤肉現場。而最盛大的莫非是中秋節，差不多已變成烤肉節的同義辭。

　　以前有一家醬油廠的電視廣告辭是「一家烤肉萬家香」，烤肉的香味真的無遠弗屆，魅力難擋。其實較早年代的中秋節，主角是月餅和柚子，月餅口味之多不勝枚舉；柚子皮剝開後會變成一頂瓜皮小帽，孩子們最喜歡戴在頭上玩。現在的中秋節，則從住家庭院到街邊小巷，從社區公園到山邊野外，每年都到處洋溢著烤肉香。說不定連高懸天邊的月娘，也聞得到那陣陣的香味呢。

　　烤肉的材料，不外牛排、肉片、雞翅、雞腿、香腸、花枝丸、蛤蜊、鮭魚、天婦羅、豆干、生香菇、杏鮑菇、草蝦、洋蔥、香菇、秋葵、鳳梨片、蔥段、青椒、茭白筍、玉米等等。醬料則有XO醬、醬油、麻油、美乃滋、牛油、牛排醬、甜辣醬、醬油膏、蒜味醬油膏等。飲料以帶鹼性的檸檬汁最佳，其他果汁、汽水與啤酒、紅酒等助興飲料也不可少。

　　出遊烤肉，需準備碳火，火種，小木柴，網架，噴灑用的水槍，塗抹用的刷子，垃圾袋，濕紙巾等。燒烤時除非需要特殊效果，否則一般不用叉子刺破食物表面，所以也必須帶各類夾子備用。

　　很多人都會事先醃製材料，或是邊烤肉邊沾料烤。糖是會搶火的，烤前在表面塗上糖水，會烤出較濃的口感。如果是生手，只要先在材料上塗點油，烤好後再塗醬料亦可。烤肉架子需要塗上一層植物油以免沾黏。鋁箔紙是最好的烤肉包裝料，但不要重複使用。烤肉要有耐心，不能

急。如果性子急又沒經驗，容易烤出焦碳質有礙健康。烤肉的火在初升起後，火焰未熄還冒著煙，那時不宜放食材；恰當的時機是碳火紅熟以後，用它所反射出來的溫度進行燒烤。起火的原則是讓整個盤面受熱均勻，食材的尺寸以大的要經過低溫轉高溫漸進的方式，烤到八九分就取出，利用久烤積存的熱度再傳熱，等幾分鐘再吃，熟度與嫩度也才能拿捏準確；小的則直接在高溫下熟透即可食用，比較香嫩。肉片不要太薄，否則容易烤成肉乾。烤肉要放慢，要有耐心，才能享受悠閒的氣氛，更不會讓食材產生對身體不好的焦質。

有一年我們帶著NORNOR一起去郊外烤肉，沒有享受到悠閒，反倒驚出一身冷汗。烤肉現場香噴噴的，大人小孩加上各家的寵物，好不熱鬧。NORNOR是一隻約四十公斤重的秋田狗，難得出遊，異常興奮。我忙於起火，沒注意到牠東看西看，看到不遠的地方有一對穿著白紗裙的母女，帶了一隻小白兔，坐在草地上很像拍溫馨的衛生紙廣告一樣輕柔的畫面。NORNOR大概覺得真美，跑過去想跟兔子做朋友。當我發現牠跑過去時，已經來不及了，只見牠搖著尾巴，速度極快的闖進了「廣告拍攝」現場，那穿白紗衣的母親慌張失色，那女兒嚇得快昏過去，NORNOR則一口含住那隻兔子往前直跑，我們急奔過去，追了約二十公尺牠才停下來，從口中鬆開那隻小白兔。我們抱起那可憐的兔子，送還給驚嚇過度的母女，連番致歉之後已沒有興致繼續烤肉了。想不到自己以為溫馴可人的愛犬，竟然鬧了這麼個大禍。我把這糗事說給母親聽，她說：就跟妳說畜生就是畜生，妳總想把牠當人看！後來我再也不敢不拴住牠了。

烤肉的氣氛悠閒，我在家裡也喜歡烤肉。若是家庭聚會，一大家族人超過二十個，一桌坐不下，時間也不好掌握，冬天吃火鍋，夏天吃烤肉是最佳的方式。

烤肉最大的竅門是要能保留水分，如果在家裡烤，我會先把肉類炸一下，如果出遊，則在火上燒一下，藉此讓表面形成一道阻絕膜，水分不致散失，同時也比較好看。有些大塊牛肉，烤完最好稍微放一下再切，這樣比較能保留肉汁的潤澤度。

如果是烤一條魚或厚薄分佈不勻的肉，可用鋁箔紙包住較薄的局部，或是架上一個高度，不要讓太嫩的部分直接接觸網架，也可以看材料的性質，抹上一些太白粉以免沾黏。不一樣的食材最好不要串在一根棍子上，免得烤時有些未熟有些卻焦了。同時也要以火候長久分開上架。如發現可能烤焦，則需以噴水槍局部降溫。如果水槍內裝果汁，還可使烤肉產生一點果香。

小時候看卡通《摩登原始人》，每次看他們拿大隻雞腿啃食，總覺得好過癮，也會幻想那第一口咬下去的感覺，所以我對烤雞腿有一種高度的期望。一般家庭廚房無法克服雞腿肉厚薄的問題，所以只得用階段性的方法。醃大雞腿需先按摩一下，畫上幾刀放到一盒醬料中，放入冰箱備用。我的醃料是醬油，酒，沙茶醬，大蒜，蔥（一天就拿起來），再看家裡有什麼水果，去皮，丟入，這滷水放冰箱，一周用完，可以用上兩次。烤時看火的狀況烤十幾分鐘即拿出，利用微波爐讓太厚的部分漸熟，送回烤火之前塗上糖水，讓火搶糖燒出濃一點的口感。這樣的雞腿，很香，很濃，也沒有血水，是二十一世紀的科技原始人食用的好辦法。

月亮
代表我的心

「你問我愛你有多深？我愛你有幾分？你去想一想，你去看一看，月亮代表我的心。」

這首家喻戶曉的國語流行歌曲，縈繞了五十年，相信大部分的中國人都聽過而且會哼會唱。演唱者鄧麗君十四歲就進入歌壇，並為台灣的第一齣連續劇《晶晶》唱主題曲。她那輕柔磁性的聲音，從此駐足在台灣的每一個家庭，演藝事業也逐步登上高峰。一九七三年，鄧麗君到日本發展演唱事業，並且榮獲日本大賞的新人獎，奠定了在日本的聲譽。一九九五年，鄧麗君於泰國度假時猝逝，讓所有喜愛她的人傷痛不已。她留給我們的，不只是她的聲音，旋律，歌詞，還有更多美好的回憶。這首人人懷念的老歌，也被年輕歌手陶喆譜成新版，名為〈月亮代表誰的心？〉但這段柔美的旋律，仍保留在新版中。

千古以來，月亮一直賦予人們浪漫的想像，許多詩詞歌賦都以月亮來抒發自己的情感。中秋節是一個象徵月圓人團圓的日子，睹物思情的文學創作也不斷流傳在中國人的心中。宋朝詩人蘇軾作有一首〈水調歌頭〉：「明月幾時有，把酒問青天。不知天上宮闕，今夕是何年。我欲乘風歸去，又恐瓊樓玉宇，高處不勝寒。起舞弄清影，何似在人間。轉朱閣，低綺戶，照無眠。不應有恨，何事長向別時圓？人有悲歡離合，月有陰晴圓缺，此事古難全。但願人長久，千里共嬋娟。」鄧麗君也曾以她那獨特的嗓音，吟唱這首著名的宋詞，讓那多情又典雅的氣息，至今仍徘徊在我們的耳際。

月餅

鳳梨酥

鳳梨酥的製作

外面酥皮部分：

把三百克牛油打柔軟，加入一百克糖粉打勻，加入全蛋七十五克，再加入一顆蛋黃，全部打勻後，加入奶粉四十克，再與適量的低筋麵粉混合，低筋麵粉的數量須視氣候及奶油的軟硬度情況而定，基本上混合到不沾手為原則。（在混合的時候，沾在手上的麵粉要使用高筋麵粉）

內餡：

鳳梨或冬瓜去皮洗淨，放入攪拌機（food processor處理機）中攪拌成醬，邊攪拌邊加入芝麻。將糖加入瓜蓉中攪拌，慢慢流入水分拌勻。然後篩入糕粉拌好，最後加油數滴和勻候用。

烘烤：

將酥皮放掌心，包裹入內餡，放進模子中，上面再壓上酥皮，注意上下要均勻，放入模子約五分之三的高度，用三百五十度的火，先烤一面十五分鐘，再翻面烤約十分鐘。

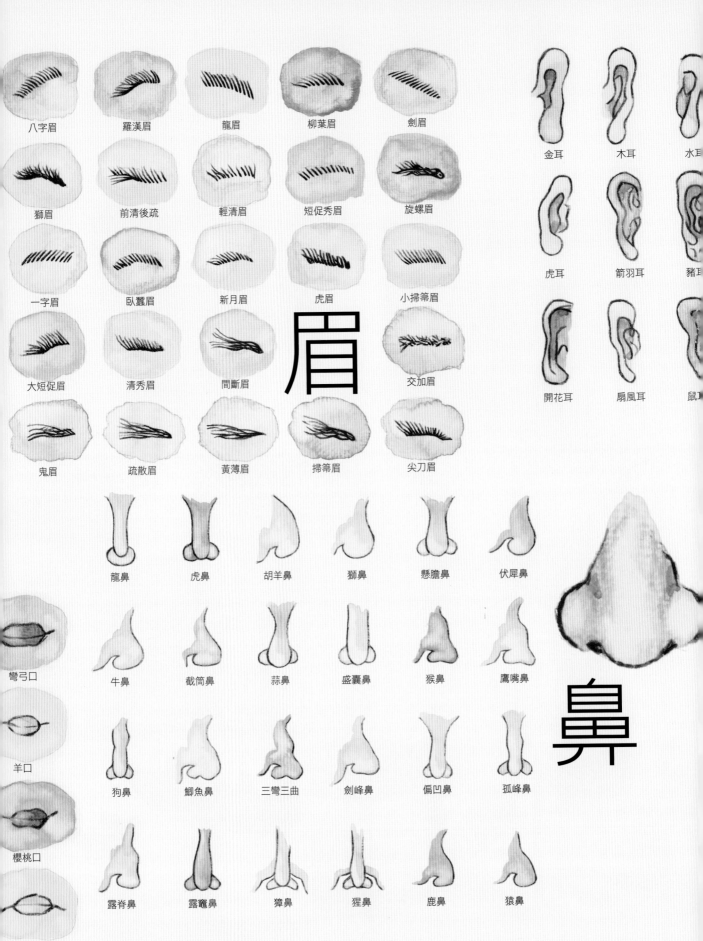

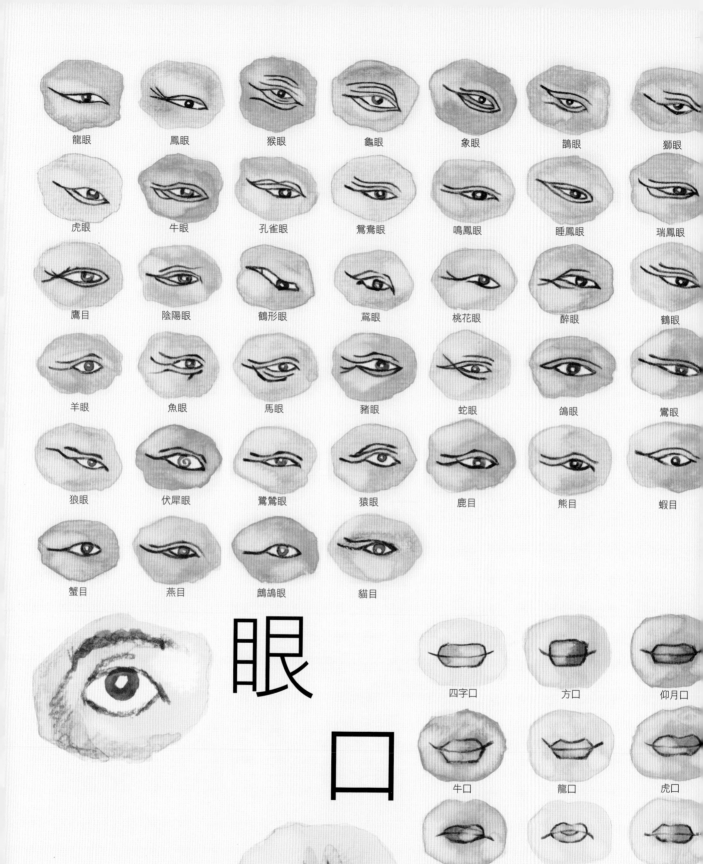

龍眼　鳳眼　猴眼　龜眼　象眼　鵲眼　獅眼

虎眼　牛眼　孔雀眼　鴛鴦眼　鳴鳳眼　睡鳳眼　瑞鳳眼

鷹目　陰陽眼　鶴形眼　鷟眼　桃花眼　醉眼　鶴眼

羊眼　魚眼　馬眼　豬眼　蛇眼　鴿眼　鸞眼

狼眼　伏犀眼　鴛鴦眼　猿眼　鹿目　熊目　蝦目

蟹目　燕目　鷯鴣眼　貓目

眼

口

四字口　方口　仰月口

牛口　龍口　虎口

豬口　吹火口　皺紋口

猴口　鮎魚口　鯽魚口

人相百種

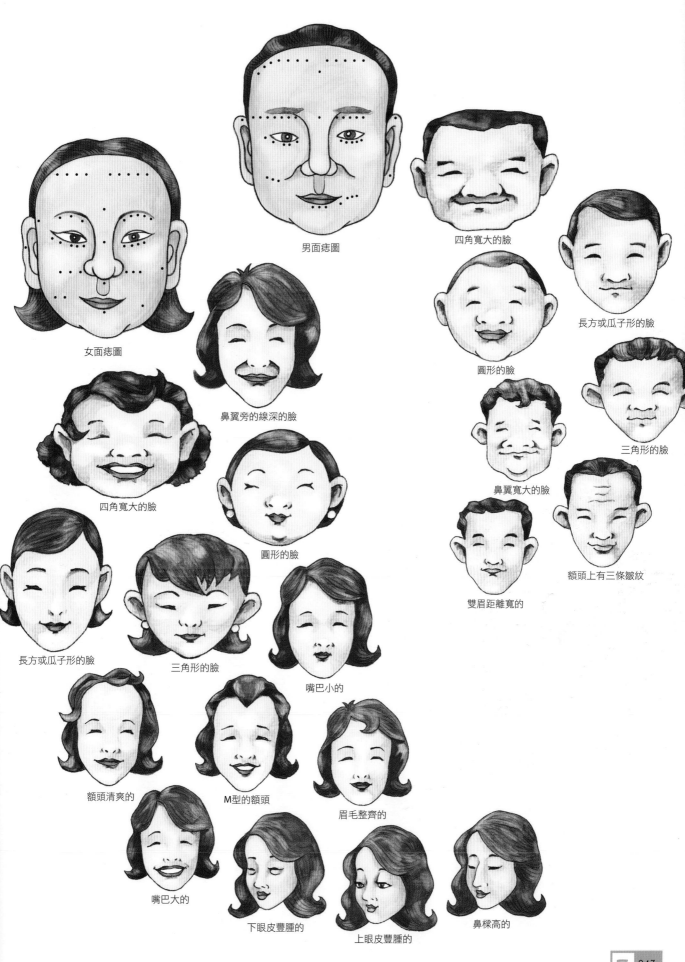

男面痣圖

四角寬大的臉

長方或瓜子形的臉

女面痣圖

鼻翼旁的線深的臉

圓形的臉

四角寬大的臉

圓形的臉

三角形的臉

鼻翼寬大的臉

額頭上有三條皺紋

雙眉距離寬的

長方或瓜子形的臉

三角形的臉

嘴巴小的

額頭清爽的

M型的額頭

眉毛整齊的

嘴巴大的

下眼皮豐腫的

上眼皮豐腫的

鼻樑高的

指紋

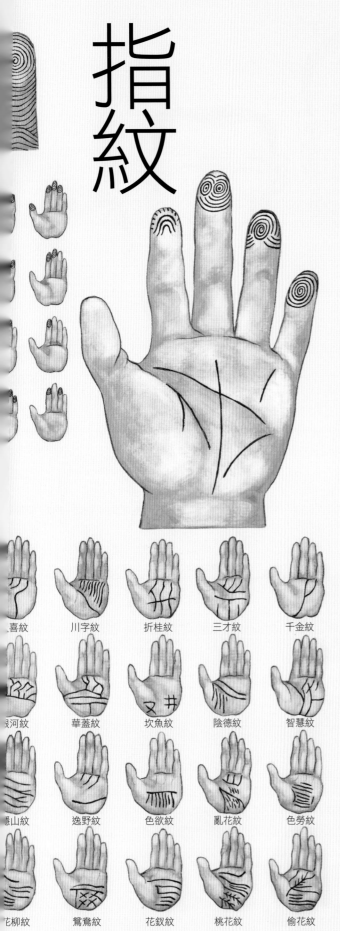

喜紋　川字紋　折桂紋　三才紋　千金紋

銀河紋　華蓋紋　坎魚紋　陰德紋　智慧紋

慧山紋　逸野紋　色欲紋　亂花紋　色勞紋

花柳紋　鴛鴦紋　花釵紋　桃花紋　偷花紋

我常想，在古早交通不便的年代，一本《黃曆》所扮演的角色何其重要！它所傳達的訊息，除了敬天禮神、擇日取吉、氣候與農耕外，也在眾多禮神規矩的限制中教導一些變通的辦法，迴避萬一非不得已的狀況。而在各類醫學常識中，竟然還有教導怎樣控制生男生女的方法呢。至於教育的部分，傳達的則以勸人為善居多；其中最重要的是命理與相術的指引。

每次看《黃曆》，總是會翻到秤骨算命術，或是很多人頭佈滿了痣，手掌畫了很多線紋……；一般的《黃曆》印刷比較粗糙，我以前沒有仔細研讀其中的奧秘。這次為了這個單元，深入研究，才發現老祖宗可真有一套，把小小的一個人頭與臉，從上到下分成十三部位總要圖，流年運氣部位，十二宮分之圖，五星六曜五嶽四瀆圖，六府三才三停之圖，九洲八卦干支圖，四學堂八學堂之圖，五官之圖，論痣的，論痕紋的，連後腦杓也可以論出一番區別哩！並且把人的氣質分成威猛、厚重、清秀、古怪、孤寒、薄弱、惡頑、俗濁等種。更厲害的是論單一的眉、目、鼻、人中、口、唇、舌、齒、耳、四肢、手、掌紋、手紋、手背紋、足、足紋，連聲音也是重要的一門學問哩！這中間又把這些項目跟各種動物做比擬；還會為了怕不容易記，把人相準則變成口訣，方便人記住，且口訣還分各家各派呢。晚清名將曾國藩著名的相書《冰鑑》則比較簡約，分別以神骨、剛柔、容貌、情態、鬚眉、聲音、氣色七章論相，探討的內容則比《黃曆》深入。

在台灣，台北建國橋下的周末玉市，可說是一個最適合觀察人相的地方。玉市的攤位都很集中，大家都坐著，每一個攤位都在人頭上方點個很亮的燈，方便愛玉者仔細觀賞玉器。我在那裡看到形形色色的人：玩大的，玩小的，真心交換的，騙人的，被騙的，精明的，上當的，洗錢的，偷來的，傳家之寶的，要賣不賣的，非賣不可的……。所以我很喜歡去玉市，很像進入一種眾生群相輪迴的界，有趣極了。

本章節我把古本《麻衣相法》、《月波洞中記》與《冰鑑》、《黃曆》上畫的圖像重新照樣繪製，編排出好玩的眾生相圖。不過對相術真有興趣的人，還是該去閱讀原籍書典。

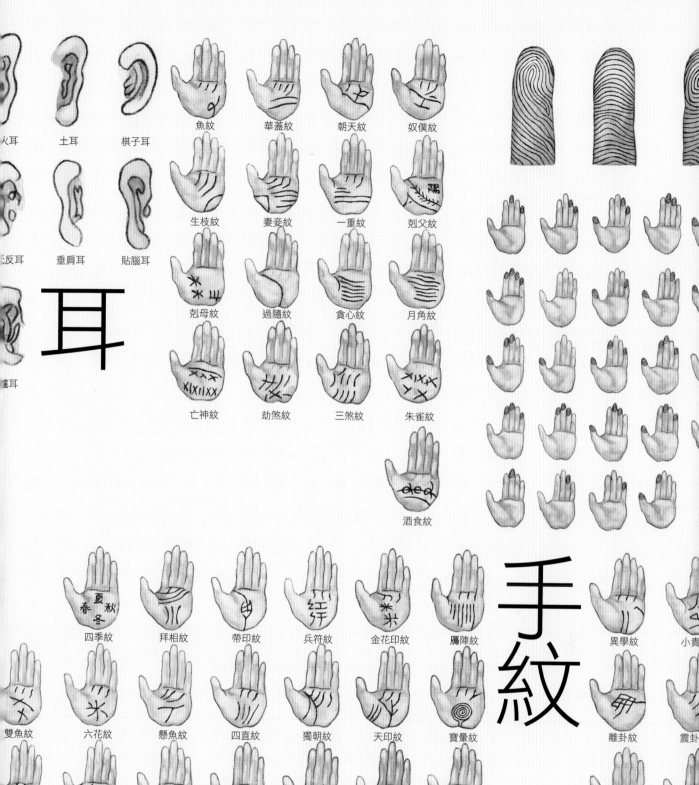

耳

火耳　　土耳　　棋子耳

反耳　　垂肩耳　　貼腦耳

蓋耳

魚紋　　華蓋紋　　朝天紋　　奴僕紋

生枝紋　　妻妾紋　　一重紋　　剋父紋

剋母紋　　過隨紋　　貪心紋　　月角紋

亡神紋　　劫煞紋　　三煞紋　　朱雀紋

酒食紋

手紋

異學紋　　小貴

四季紋　　拜相紋　　帶印紋　　兵符紋　　金花印紋　　鷹陣紋

雙魚紋　　六花紋　　懸魚紋　　四直紋　　獨朝紋　　天印紋　　寶量紋　　離卦紋　　震卦

三日紋　　金龜紋　　高扶紋　　玉柱紋　　三奇紋　　筆陣紋　　立身紋　　山光紋　　住山

玉井紋　　三峰紋　　美祿紋　　學堂紋　　學堂紋　　車輪紋　　福厚紋　　花酒紋　　桃花

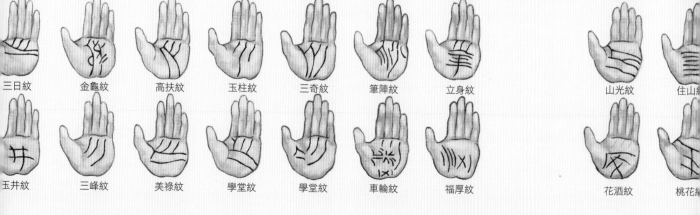

　　中國自古即有「五術」之說，分別是神仙之道、養生之法的「山術」；漢醫的「醫術」；推斷人生運勢的「命術」和「相術」，以及預測吉凶的「卜術」。命術與相術雖然根據各有不同，但是在一般人的生活中，命、相常被拿來相提並論。

　　「命術」的論命學理包括了八字、紫微斗數、姓名學等等，「相術」則是觀察現象與形象，例如手相、面相等。中國人熱中命相之術，出生排命盤、結婚合八字是最基本的，其次還有排流年、問事業等等不一而足。古代還有鑽研相術的帝王，在舉才用人時以命相結果作決定。

　　由於命相之術與生活息息相關，農民曆裡也經常會刊載與命相相關的資料，讓人隨手翻閱參考。其中最常見的就是八字、紫微斗數、姓名學、面相與手相。

　　「八字」就是利用天干和地支，準確記錄每個人的出生年、月、日、時，由「年干，年支」、「月干，月支」、「日干，日支」、「時干，時支」組成，共八個字，俗稱「八字」；也有年柱、月柱、日柱、時柱的「四柱」之稱。選擇良辰吉日，除了參考農民曆上表列的說明，如能搭配八字則會更為準確。

　　在中國傳統的婚約裡，八字佔有 非常重要的地位。婚前，家長會請命相術士為新人「合八字」，也就是以 男女雙方的生辰八字預測婚姻美滿程度或婚後雙方的性情表現。婚姻是人 生中重要的大事，即使到現在，「八字婚合」還是非常流行。

　　農民曆上也經常會登載「八字輕重表」，其實在八字命理學上，只有日主元神「強弱」，並沒有所謂「輕重」，不過，民間經常把元神太弱的八字稱為「八字輕」，久而久之也就相沿成習。一般而言，女性三兩以上算重，男性則至少要四兩以上才算重。傳說八字過輕的人容易看見「不乾淨」的事物，這樣的說法至今仍在民間廣泛流傳。

　　「紫微斗數」因為預測精細、準確度高，是中國命理學裡最受信賴的一種術式。「紫微」指的是北極星，「斗」指的是南北斗，用南北斗為主星布於命盤，來推算福祿命勢，稱為斗數。南北斗十四星分布以紫微為準，因此，稱之為「紫微斗數」。

　　紫微斗數源於道家，始於唐朝呂洞賓著作《道藏》一書。後世有宋朝陳希夷、明朝羅洪先、清朝青城道士發揚光大，陳希夷更被視認為「紫微斗數」的集大成者。

　　紫微斗數也可以說是綜合統計學、數學、心理學、地理學及邏輯學的原理，再融合常識和經驗所形成的一門學問。將一個人的出生年月日時排出十二宮垣，包含命宮、兄弟、夫妻、子女、財帛、疾厄、遷移、交友、事業、田宅、福德、父母、身宮等，再從基本命盤中的星曜，推算吉凶禍福及流年運勢。

　　中國人認為「相由心生」，因此，相學之術特別發達。所謂「面相學」就是透過研究一個人的額、眉、眼、鼻、耳等臉部各個部位與氣色，來判斷一個人的個性、心思、運勢及禍福吉凶。

　　相傳黃帝的名臣風后氏得書於雲中彩繪，他以「先天為體，後天為用」創立了名為《風鑑》的相學。相學廣為流傳，周朝時期政治選才，會聘請相學家協助；春秋時期晉國鬧大饑荒，盜匪四起，官府則聘用相學家利用相術辨認匪盜。但秦始皇焚書坑儒後，相書也大多被焚毀，只有少數斷簡殘編流傳下來。

　　透過相學網羅能人志士，在中國歷史上屢見不鮮。秦漢以後，輔佐開國君主的國師大多精通相術，其中最有名的就是三國時期的諸葛亮與明朝的劉伯溫。清代中興名臣曾國藩精於治國、治兵、治家、治學，更精於相術，著有《冰鑑》一書，在歷史上留下「知人善任」的評價。曾國藩的相術口訣之一：「邪正看眼鼻，聰明看嘴唇；功名看氣宇，事業看精神；壽夭看指爪，風波看腳跟；若要問條理，全在語言中。」表現了命相的精妙細膩。

　　面相學裡，人的臉部主要分為三個部分，從髮際到眉毛、從眉毛到鼻尖、從鼻尖到下巴，分別稱為「三停」與「三才」；三停等長則主富貴顯榮，三停不均則孤寒貧賤。三才也稱為天、地、人：天庭飽滿得天時之利；鼻、顴、三山得配可得人和之便；地閣方圓則有地利之便。

　　另有「六府」「五官」「五嶽」「十二宮位」，更進一步論其清濁、動靜、剛柔、厚薄、粗細、豐隆低陷、長短、肥瘦、正反方圓輕重、高低、大小多少、內相外相。

　　透過「五官」的觀察，通常就能對一個人做一些基本分析。簡而言之，「眉毛」關係到健康、地位；「眼睛」關係意志力、心地；「鼻子」關係到財富與健康；「嘴巴」關係幸福、食祿與貴人運；耳朵則關係到長壽與否。所以，一般人也會運用相術作基本觀察，例如「獅子鼻」財庫豐、「三白眼」性冷靜、「八字眉」重感情等等，也許有助於對人事物的初步判斷。

　　八字是天命，據說可決定一個人百分之五十的人生；姓名則是父母所賜，代表另外百分之五十的後天運。有些農民曆也會收錄姓名學裡簡單的筆畫吉凶表，供人參考。

　　姓名是「內三才」，不具有任何五行與磁場，也不會起任何作用，必須與天、地、人相互結合之後，才能產生「外三才」、「外格」和「總格」。因此，姓名筆畫、屬性組合必須與八字搭配，藉以營造一個有利的運勢。

　　即使在科技發達的今天，台灣人仍然相當重視姓名能否帶來好運，所以，父母為新生寶貝取名時，總會參考姓名學，希望有個「好名」，帶來一生的「好運」。

以食為天

主食

民食為天

以食為天

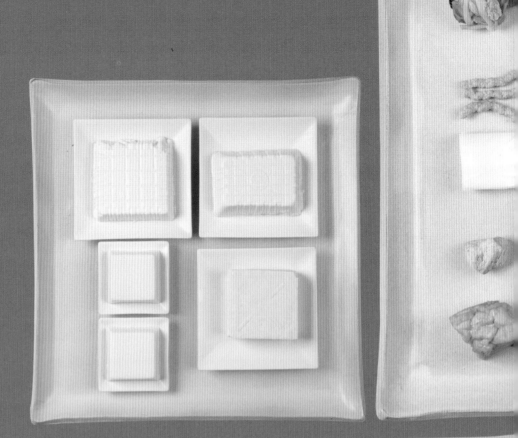

無與倫比的

中國素食

根莖類與麵筋

近年來現代醫學再三強調酸性血液與體質不利於人體健康，而素食品能遠離肉食品所帶來的酸性體質反應，吃素的風氣遂越來越盛行。以前店家總把素食做成雞鴨魚肉的樣子，我覺得倒盡胃口，對素食的印象不好。不過最近幾年台灣的素食已擺脫那種精神慰藉的假象，脫胎換骨成自然的時尚陽光形象，對健康也更有助益。

一般人以為吃素是因佛家推崇不殺生的戒律，其實《聖經》裡也有吃素的記載：「當巴比倫國王奈佈喀奈撒苦於病魔蹂躪時，曾經尊照神的指示，如牛吃青草般地盡量進食蔬菜而得以奇蹟似的痊癒。」印度古聖哲們對食物則有這樣的共識：「食物中較好的部分是用來建造有形質的身體，而用最好最優的部分來築造無形的精神心靈世界。」印度人還把食物分類為悅性、變性、惰性三種。其中的悅性食物，大多屬於符合現代世界潮流的素食材料。愛因斯坦也說：「素食者的人生態度，乃是出自極單純的生理上的平衡狀態。」一般習慣大量肉食的人，一旦意識到健康發生危機而想改變飲食習慣，並不容易達到西方素食者的自然狀態，但若走東方素食的路線，則可慢慢體會身體的改變，逐步走進素食的健康領域。在台灣，很多人都以二蔬一果一地瓜或是三蔬二果一地瓜為蔬食早餐，此處的蔬指的是非葉菜的當季菜，果則是當季的水果，都以生吃的方式，而地瓜則為熟食法，以此為原則，改善了很多人的過敏性體質。

東西方素食的口味，其差別在於西方素食多半沾醬入味，比較少熟熱的種類。其原因是東方的原料有很多種類比較耐煮，處理方式也比較多樣。我們有變化較多的**根莖類**植物、五穀雜糧類及其加工產品、**麵筋類**食品、可以熱煮的**葉菜類**、**醃製菜類**的傳統、地域性的**菌種木耳類**與特殊的**海藻類**、**熱帶水果**的增味性，一年四季的**芽菜類**，以及掌握**豆類產品**的食用技巧。其次，中國人對食品獨到的刀工、火候、氽燙、醃製、爆炒香、悶燒、蒸煮、勾芡等，都是積累了數千年經驗的傳承，也讓我們的素食能夠有更多樣的變化與更可口的滋味。

我們的食物體系中，根莖類的地瓜、山藥、蓮藕、芋頭、蒟蒻、牛蒡、蘿蔔、百合等，含有膠原蛋白與大量的纖維，具有養生效益，都是很好的素食材料。

山藥就是中藥的淮山，有大量多醣蛋白質混合的黏蛋白，而且沒有熱量，能抗氧化，抑制癌細胞，並對生殖系統有幫助。山藥的名稱據說來自「山遇」的傳說：古代兩國交戰，一國有糧食，山裡的一國缺糧食，有糧食的一國包圍沒有糧食的一國，等待他們的軍隊糧盡而投降，但沒有糧食的一國以一種根莖類充饑，馬則以此根莖的藤葉為糧，竟然打敗了有糧的一國，於是有了這個「山裡遇見」的「山遇」名稱出現，再演變成「山藥」。

處理山藥時，有些人對其皮中所含的皂角素或切開後的黏液中的植物鹼過敏，最好戴上手套防範。如果不慎碰觸而皮膚過敏發癢，可塗抹生薑，或泡於醋中，也可在火上烘一下，達到止癢的作用。

山藥切成丁，搭配芡實、沙參、雞肉絲、蔥絲、薑絲煮粥，或是與蓮子、薏仁、紅棗、芡實、白扁豆、百合、黑糖等煮粥，都是健脾補肺的粥點。山藥切細絲，氽燙後搭配芝麻、醬油與蔥花，則是漂亮的前菜。山藥與筍燉湯，堪稱人間美味。山藥磨成泥，與紅棗或椰棗搭配黑芝麻，連糖也不用加，是健康可口的甜點。台灣還有山藥冰淇淋與把山藥混合到麵或麵線去。

蓮藕與蓮子其實來自株高根深的荷花，所謂：夏荷、秋蓮、冬採藕；貼在水面的睡蓮是不生子也不產藕的。《周書》云：「藪澤已竭，既蓮掘藕」。更細緻的說法則是「花未開，叫菡萏；已開，是芙蕖，也是芙蓉。至於莖，叫茄；實叫蓮；根是藕；蓮剝去殼，就是蓮子，叫『的』，蓮子中心苦澀不堪的胚芽，叫薏……」。總之，荷花不止嫵媚動人，而且從葉到子到藕都有食用價值。

　　南宋詩人楊萬里形容蓮藕的口感：「比雪猶鬆在，無絲可得飄。輕拈愁欲碎，未嚼已先銷。」這種特殊的口感，外國素食是不可能有的。蓮藕可以削成薄片生食，《本草綱目》稱其為「靈根」，韓愈更稱讚它「冷比霜雪甘比蜜，一片入口沉痾痊」。中國人不但早就懂得吃蓮藕，並且了解它對止血與血路上的保健療效。現代醫學分析蓮藕的熱量不高，卻含有大量的纖維。

　　蓮子一般是做甜點材料。我在江蘇廟港看到荷塘裡的蓮蓬形狀獨特，賞心悅目，從鬆軟的蓮蓬直接剝出的蓮子，新鮮且無苦澀之味。荷塘的主人說，為了養那灘汙泥，得放入羊糞，整個人泡在汙泥中翻攪，蓮藕才會長得好。

　　蓮藕可以涼拌，燉排骨湯，冰糖蓮藕也是很多人愛吃的甜點。需先以糯米塞滿藕的洞口，然後與桂圓、紅棗加水煮熟，讓其完全冷卻，煮餘的水則與冰糖、桂花煮到濃稠，作為蘸食之用。

　　蓮藕還可做藕粉，台灣的藕粉都產於台南縣白河鎮。當地氣候適合生長石蓮和建蓮，農會不斷的提供方法與技術，所以當地的家庭代工是夏天剝蓮子，冬天切蓮藕。

　　可以做粉的蓮藕是一種乾小的藕，通常保留最前端的部分當種苗，於四月種下，約十月可以收成。兩端去除下來的走莖與根節則可曬乾泡茶喝。剩下的藕莖清洗後絞碎，再以水清洗絞碎後的藕泥，流出的白泥水讓其靜置沉澱，過濾後再進行沉澱與乾燥。當地的人會利用洗粉的殘渣作有機肥，也利用燒柴的灰粉將水分吸乾。經過這些基本處理後，將結成硬塊的藕粉刨成條狀，置於太陽下曝曬至乾即成。兩百公升裝的蓮藕，只能生產約1～3公升的藕粉，期間的處理確是非常繁複。藕粉可退火，但清淡無味，大多與紅棗或桂花等同煮。它也可做涼糕，先用冷水把粉調勻，加入熱水成糊狀，再摻上少許玉米粉成型，餡心通常用綠豆、紅豆或芋頭，細緻軟滑，很是可口。

芋頭又稱為澱粉類的蔬菜，因為它有高量的膳食纖維，對胃腸的蠕動有幫助，也可加速膽固醇的代謝。同時因它含鉀量很高，可幫助身體排出多餘的鈉。

台灣的芋頭有檳榔心芋、高雄十三號改良種、做芋頭粉的麵芋、耐存放的紅梗芋、做西點餡料的狗蹄芋，以及子芋多的母芋。另有一種觀賞用的姑婆芋，全株有毒，不可食用。

芋頭切開後，若屬上品，一定呈現細緻的肉質感，若流出粉質狀的汁液，則比黏液狀的汁液好。

芋頭的吃法，鹹甜皆宜。現在最普遍的是吃火鍋時放入芋頭塊，可增加湯頭的濃度。台灣的麵包店可以買到芋頭酥，是最有特色的芋頭小點。芋頭蛋糕、芋圓等，現在也很流行。我最喜歡的是吃完筵席後的芋泥。做芋泥要選用檳榔心芋，去皮後切成小塊，先蒸熟再碾成泥，加上動物油或植物油與白糖，繼續攪拌成非常勻稱的芋泥，然後隔水再蒸，讓它更入味軟爛，最後撒些芝麻增加香味，或撒花生碎粒、葡萄乾、紅棗與桂圓亦可，可以吃到一種甜糯香潤的舒適感覺。

芋泥有個故事與國家尊嚴有關。相傳清道光年間，林則徐擔任欽差大臣，到廣州見其他國家的領事，那些外國領事為了嘲笑中國大臣，準備了冰淇淋請林則徐吃，只見他端起碗直朝冰淇淋吹氣，以為要散熱，遭到領事們一頓奚落。後來林則徐回請對方時，飯後甜點端上了不冒煙的芋泥。外國領事們不知這芋泥剛出鍋時的溫度滾熱，看到這色香俱全的美食立即舀了滿匙吃進口，結果是吞不下去也不好意思吐出來，狼狽不堪。有位領事甚至把嘴唇給燙紅了一圈。林則徐這才告訴領事們：「這道中國名菜檳榔芋泥，外表冷靜，內心熾熱，與冰淇淋表面冒氣，裡面冰冷正好相反。」一道檳榔芋泥，竟可幫我們中國人報仇呢。

蒟蒻有很多名字，最常見的是魔芋，還有花梗蓮、虎掌、花傘把、麻芋子、土南星、花麻蛇等。它的特性是春天先開花結果，再長出葉子。

蒟蒻具多醣且高黏稠之特性，有潔淨腸子的功能，所以又有「去腸砂」、「胃腸清道夫」之名。除了有利於吸收胃腸內的水分，也可以吸收膽固醇。同時它含有大量的水溶性纖維，不含卡路里，是瘦身者的最愛。

市面上賣的都是蒟蒻的加工品，是用一兩的蒟蒻粉，均勻的加入以三飯碗的水先配以一錢的鹼粉攪拌的液體，以同一方向攪拌，凝固前入模具。靜置一小時左右，倒入熱水中川燙，加入白醋，去除鹼味，煮約三十分鐘。再持續換水煮，直到聞不到鹼味為止。

蒟蒻可做成果凍當點心，也可變成麵條粉絲的形狀當主食，或者涼拌、宮保均可。我們家選

用比較肥大的白色蒟蒻，在其表面劃幾刀，加上紅蘿蔔絲、金針菇等，用沙茶醬與醋加上香菜涼拌，是有味道也可以先墊點底的餐前小食。

牛蒡的閩南語發音為「吳母」，俗稱「牛大力」，「牛房」，中藥學名「牛蒡子」，常用於銀翹散或透疹湯等處方中。牛蒡雖其貌不揚，卻又名「便宜的人參」，因為它有豐富的營養成分與高纖維。台灣從日本引進牛蒡後，也發展了自己獨到的吃法。

牛蒡的纖維質容易木質化，所以採購以帶點土的，體型筆直均勻沒有鬚根為原則。根莖類植物若放太久就長出葉子，一定要予以去除，以免吸收其養分；最好是切絲煮熟後冷凍保存。牛蒡的皮很薄，用刷子略為刷洗再用刀背輕刮表皮，日本料理的師傅切絲時，會先在表皮畫入刀痕，再以同一方向刨削成絲，或是削成薄片，靜置於加醋的水中一陣子，避免其顏色氧化變黑。如吃冷食沙拉，則配以碎核桃等堅果，澆上芝麻醬等。牛蒡的表皮營養成分更高，若入湯，最好不要刮掉表皮，切塊與排骨或雞塊燉煮即可。若要香酥，則切絲瀝乾後，放入約一百五十度的熱油中，立刻把火轉低，用筷子翻攪以免黏在一起，油炸至金黃後起鍋瀝乾油份，灑上砂糖或糖霜與芝麻。也可以切粗一點，裹上低筋麵粉加冷水與蛋黃混合的蛋糊，一根根的油炸，也有特殊的滋味。

東方的素食，除了豆腐，就屬**白蘿蔔**最具特色。李時珍在《本草綱目》中稱讚白蘿蔔為「蔬中最有利益者也」。小時候我們會唱「拔蘿蔔、拔蘿蔔，嘿呦嘿呦拔蘿蔔……」，這首童謠讓我很小就知道這長在地底下的東西一定不好拔。自己種了才知道，「生沙壤者甘而脆，生瘠土者堅而辣」，土壤的鬆軟與濕度，是種植白蘿蔔的要點，而且千萬不能讓它開花，一開花，地下的蘿蔔就老了。

白蘿蔔是十字花科類，紅蘿蔔則屬傘形科。相傳唐朝時即開始種植白蘿蔔，是僧侶們作為供品並餽贈給施主的。白蘿蔔又名「萊菔」、「大根」，閩南話叫「菜頭」，有「好彩頭」的象徵意義，所以也在競選或開年時成為納祥的裝飾品。我的朋友嘉瑜是安徽人，她們家一直都保有的過年習俗是，年夜飯全家要圍在爐子邊，吃炸蘿蔔丸子，也是有吉祥的寓意的。

我阿姨教我買蘿蔔時要輕敲幾下，有脆音者較佳，要煮之前先切洗好，放上一陣子，讓它本身的水分自然蒸發，才有足夠的空間來汲取烹調時的湯汁。忙碌的生活，也可先把白蘿蔔放在水中加上米粒，煮好冷藏備用，等要吃前再放入各種有味道的湯頭中。這兩點，我覺得非常受用，是居家可以事前準備的。

生的白蘿蔔香脆好吃，但屬於性冷食物，煮熟則性屬溫平。我有個朋友久咳不止，中醫叫他吃些蘿蔔，因為據《本草綱目》記載，吃蘿蔔可化痰。

中國人可說把蘿蔔的吃法發揮到極致，江浙菜有名的雪裡紅，在台灣有人會以蘿蔔的嫩葉醃製的，比芥菜少些苦味也比較脆；蘿蔔的幼苗稱為蘿蔔嬰，也是居家常用的葉菜。蘿蔔除了涼拌，燉湯，還可醃製蘿蔔乾（菜脯）、醬蘿蔔，以及做蘿蔔糕與蘿蔔酥餅等等。早年留學生想起「菜脯蛋」是會充滿鄉愁的。而蘿蔔糕與蘿蔔乾，還可以分出來源產地與中國不同省份的不同口味。杭州菜裡有道糟油蘿蔔，切的方式是方方的，是可以當成菜的一道主菜，有一個說法，蘿蔔未經霜就不適合做蘿蔔乾，所以要做前，還要弄清楚摘採的時間呢！

每年過年之前，我都收到王平姐送給我幾包她醃製的蘿蔔皮，王平姐的廚藝沒有人能比，她所經營的華聲坊，過年前都會做各種不同的蘿蔔糕點，削下的蘿蔔皮就醃製成香脆可口的餐前小點送給親友，我可把它當成寶一樣，因為她做出來的口感與味覺是沒有人可以比的，而年節期間吃得比較油膩，這餐前的小點特別讓人覺得清爽開胃。蘿蔔從頭到尾，從裡到外，是那麼普遍又具有可塑性的食材。

好友華真的母親有一份台灣南投的醃蘿蔔配方，是一種味覺的記憶，流傳在台灣老廚房的角落，特為推薦如下：蘿蔔十斤、鹽半斤、糖半碗、白醋半碗、醬油半碗、香油半碗。先切去蘿蔔頭尾，連皮洗淨切片，加鹽醃漬二天。裝入乾淨的洗衣袋後，用石頭重壓以利出水。醬油、糖、白醋煮開放涼後備用。最後用上述醬料及香油與壓乾的蘿蔔拌勻，放入冰箱冷藏，約一星期即可食用。此外，也有加上辣椒、蒜茸、豆豉、高湯等口味的，在外賣便當中較常見。

台灣鄉間還有一種老菜脯，少則十多年，多則上百年，據說比人參還貴重。我以前只是聽說，後來意外得嚐，真覺得是人間極品。

我的朋友憲能兄、月芸姐熱愛骨董家具與茶，不但蒐藏豐富，而且件件都是精品；光是老茶甕就有幾百個。為了陳列這些藏品，他們買了個好大的老茶廠，取名「前後巷」，我常借那個別具特色的藝文空間拍照。一回瞥見一個不一樣的甕，放在一處特別的角落，問了憲能兄才知裡面裝的是高齡九十年的老菜脯。他說是收藏骨董甕時，意外發現裡面還有菜脯，問了原來的甕主人，才知已有九十年歷史了。我一聽興奮得搶著要，他倆很慷慨，不但給了我幾條九十年的，還給了其他甕裡五十年的。後來我慎重其事的做一桌菜回謝他們，主菜就是用兩隻土雞，分別以九十年與五十年的老菜脯燉湯，那味道既甘醇又濃郁，令人回味無窮；所謂「瓊漿玉液」，大概就是這樣的滋味吧？

這九十年老菜脯的顏色，沉黑樸素而潤澤，是我見過最美的黑色。最獨特的是，它的表面均勻分布著一粒粒細小閃亮的結晶鹽，那是經過時間的提煉再生出來的。

依據中醫的說法，老菜脯具有滋陰、排毒、去瘀、解鬱的功效。與雞湯同煮，什麼都不用加就滿室生香。煮好後，老菜脯拿起來放著，還可以再煮第二鍋、第三鍋呢。我還省了第一鍋的一碗給識貨的季季喝，季季也認定那是菜脯中的頂級品。人生有過一次這樣的經驗，是值得懷念的。

百合為草本球根植物，應用上除了觀賞常見到的香水百合與麝香百合之外，有些品種，球根含豐富澱粉質，則可拿來做為食用與藥用。其中以蘭州所種植的百合最為有名，個大、味甜，可做菜或做點心。

《神農本草經》已經有對百合的記載了。它是由鱗瓣數十片層層相合而成，故名百合。百合特性在於既甘寒且滋潤，營養豐富又有養陰潤肺的好處。與肺有關的毛病，都以此為食療，又可以維持血液酸鹼平衡，所以為養身的重要食材。百合近中心部分可能略帶苦味，可以不用，清洗時可以多泡一下。

百合粥是加入冰糖與米煮成的粥。百合蓮子或是百合牛柳是快炒的食療菜，我則以宮保方式，加入大段紅乾椒與花生炒。百合與梨子與冰糖慢火燉煮，也是常見的餐後甜點。

容易腹瀉的人不宜多吃，又受風寒咳嗽的食療以散、疏、宣為方向，百合則以收、斂、潤為在長，在《本草求真》中有提到，百合好處多，但「初咳不宜遽用」，所以要有所分辨。

麵筋類食品，我在〈來自中原的麵食文化〉中曾提及它的製作方法。麵筋加入酵母與糖，加溫發酵再蒸則可製成烤麩。看起來沒幾個字的敘述，真的要自己做卻不是很容易。好友Betty旅居美國，她教我用美國超市賣的大豆蛋白（高根粉）一包，約6.5oz（184克），加水一杯左右攪拌，切成小塊油炸一下就成麵筋；用筷子略捲一下，放到水裡去煮，就是麵腸；若加上泡打粉一大匙，蒸三十分鐘左右使其膨脹，然後泡入冷水十分鐘，擠出水分後再進出熱水與冷水兩次，出現海綿狀的質地就是烤麩。高根粉（wheat gluten）本是美國人用來增大麵包筋性與延遲麵包變硬的烘焙用品，沒想到能變成做麵筋的材料，真是旅居國外華人的福音。

我阿姨的烤麩最是好吃，她用撕的把烤麩分開，而且撕得比別人好看，尺寸恰當，用黑木耳、香菇與筍或扁尖筍乾紅燒。她會在做烤麩的前一天晚上，把香菇與扁尖筍乾用冷水泡起來，並用個盤子壓住。香菇泡軟後，那碗水要留下來。因為烤麩有很多毛細孔，紅燒時可以輕易的吸收其中的香菇水與醬油的精華。阿姨用的是萬和豆瓣醬油，加入適量的糖，燒出來的烤麩不會硬硬的，味道香甘而不死鹹。使用什麼樣的醬油，可能是紅燒烤麩最重要的關鍵，至於一般常用的毛豆，因為再煮就不好吃，顏色也會改變，我們只有煮麵筋時才會用毛豆來搭配。花生麵筋則是一道常見的家庭小菜。

此外我阿姨還會把麵筋加入高根粉，搓出更結實的麵糰，再加入麥芽糖調味，燒出有叉燒口感的素食，非常巧妙而別緻。麵筋的發明，讓華人的素食產生有嚼勁的系列產品，確實比西方人的素食特別而有味道多了。

青菜
類

每天五份如手掌般大的蔬菜水果是醫生建議我們要攝取的基本養分。我們有著豐富的各種青菜，很多是外國沒有的，如地瓜葉、空心菜、A菜、韭菜、韭黃、莧菜、青江菜、油菜、大白菜、茼蒿、高麗菜、紅鳳菜、九層塔、山蘇、紫蘇、山芹菜、香椿、川七、珠蔥、娃娃菜、過貓、皇宮菜、金針花，以及絲瓜、苦瓜、茭白筍、茄子、四季豆、豆苗、秋葵、春菊、檳榔心、青椒、黃豆芽、綠豆芽、蘆筍等等。

每一種青菜都有特殊的維他命，為了保留其中的養分，一般都以汆燙或快炒為主。台灣最傳統的處理方法是汆燙，只沾醬油膏，或拌以蒜茸醬油；講究一點的則加幾滴麻油或豬油。如果是快炒，頂多是以蔥薑蒜爆香。但隨著經濟環境改善，飲食的料理越來越講究口味變化，光是青菜的入味方法就五花八門，近幾年還流行以百香果、青木瓜、蘋果、蕃茄等水果入味。其他比較一般的，如豆腐乳炒空心菜，培根炒高麗菜，破布籽炒龍鬚菜，豆豉炒山蘇、川七，小魚干炒黃豆芽，魩仔魚炒莧菜，肉末炒韭菜、韭菜花，蠔油炒芥藍，芝麻醬悶冬瓜、豆芽，蝦醬炒空心菜，干貝炒娃娃菜、白蘿蔔、蘆筍，老薑絲炒過貓、紅鳳菜，柴魚片炒春菊、蘿蔔，椒鹽炒銀杏，豆瓣醬炒箭筍、茭白筍，嫩薑麻油炒枸杞、川七。另外還有用雞蛋入味的，如莧菜、香椿、蕃茄、珠蔥；用皮蛋入味的有韭菜花、菠菜；用咖哩入味的茄子；用粿粉炸的紫蘇、香椿、九層塔、牛蒡、地瓜等。

此外，用做法入味的有乾煸四季豆，焗烤南瓜、馬鈴薯、奶油白菜，醋溜高麗菜，以及用三杯法做的茄子、九層塔等。至於涼拌醃製類，則有用白蘿蔔、紅蘿蔔、高麗菜、大白菜、小黃瓜等醃的泡菜，用芥菜醃的酸菜、福菜、榨菜、大頭菜，以及用豇豆醃的酸豆角等，都是很開胃的菜色。

在素材的搭配上，有鹹蛋配苦瓜，菠菜配皮蛋，蛤蜊配絲瓜，九層塔配茄子，海帶配黃豆芽，韭菜配綠豆芽，雪裡紅配豆干或百頁，酸菜配肚片，芥藍配牛肉，臘腸配香蒜也是很常見的。還有混合搭配的吃法，如馬鈴薯沙拉，麻辣豆魚，毛豆筍丁肉丁與蘿蔔乾豆干同炒，以及中國人過年吃的十香菜；十香的種類還可依據各地生產的菜色及各家的習慣而做不同的搭配。我們家是把金針、木耳、醬瓜、鹹生薑、百頁、紅蘿蔔、芹菜、豆苗、黃豆芽、鹹菜等每一種少量分別過油一下，最後合在一起拌，這菜吃冷的，很費功夫，是很地道的上海菜。

說了青菜的吃法，當然還必須說說它們的前置作業。就以我那很會做菜的阿姨來說吧，從買菜到做菜的每一步驟，她都步步為營，絕不放鬆；跟著她上菜場一天，可以學到很多竅門。她會去折一下菜攤的青菜，如果梗折不斷，表示不脆，她就不買。根莖類她用敲的，因為菜從內部開始腐爛，聽聲音聽得出來。快要發芽的不行。苦瓜要色白，表面顆粒大。冬瓜要外綠內白。且瓜類拿起來要有重量，尾部不要發黑。西芹顏色越綠越好。茭白筍切口處如有黑點或海綿狀，表示太老、不新鮮。青木瓜，她是用訂的，如果她準備醃菜，則提前打電話請菜攤的老闆不可摘掉最外層的葉子。攤販要賺她的錢，可真不容易！

我跟阿姨買菜，通常要花上一天時間。上半天在菜場精挑細選，回家後分開處理，耗神耗時，也要花半天時間。先是用醋或鹽與檸檬熱水洗刀板，然後開始整理。

阿姨最不喜歡把菜放到冰箱，她說會被悶到，使菜變得軟爛，失去水分，但不得已一定要放進冰箱的菜如：菠菜、油菜、小白菜等，看狀況噴點水，用會呼吸的報紙或牛皮紙包好站在冰箱下層。生菜則會把芯部摘掉，塞入濕紙巾，待水分被吸乾後，才放到袋中冷藏。瓜類先切掉蒂頭（避免老化），去掉內部的瓜囊，再用報紙包好，也一律倒站著放入冰箱。山蘇要去掉硬梗，切開的冬瓜用保鮮膜包，豆類放到盒子中再放衛生紙保持乾燥，嫩薑則用保鮮膜包，這些都可以放到冰箱冷藏。

暫時不放冰箱的有韭菜、芹菜、茼蒿、蔥等，她會分別捆起來，站在淺淺的水盆裡。這樣可在使用時保持濕潤度，也不容易爛掉。茄子只要表面完好，也暫時不放到冰箱。香菜也不放冰箱，但仍套上一層紙，裝到塑膠袋，但不封口。有時她收到我送給她種的肥美香菜，她想存著久一些，就索性把根部摘掉，放到太陽下曬一兩天，再紮一下懸掛在陽台上。要吃的時候，再用溫水泡一下，神奇的是，保存得了香味。再看她對蕃茄的耐心，五分熟的蕃茄，放到塑膠袋後，紮緊，每天開一次袋子，讓新鮮空氣進入十分鐘左右，再紮緊，放在陰涼的角落。有一次我看她拿紙巾擦拭塑膠袋，她說別讓濕氣進去，這樣的辦法，可以養著這些蕃茄足一個月

之久。阿姨的陽台上，有各樣的籃子，放洋蔥、蒜苗、馬鈴薯。有著整齊與潔癖的她，受不了大蒜薄片鬆散的樣子，替大蒜找個有孔的專用陶罐，有時她會把蒜乾脆擠成泥，裝到小罐放冰箱冷藏。那一小罐，通常用上半個月之久。阿姨的陽台上還有一個保麗龍盒子，裡面有些土，她喜歡保存冬筍，要不也把老薑放裡面。阿姨非常在乎冬筍，若看到有點破的，或該吃的，她會先剝掉殼，乾脆煮到半熟，掛在她那籃子裡面。聽說那樣筍可以保存十天。要送禮物給我阿姨，只要送籃子，她就會很開心，因為可以讓她晾菜用，她的後陽台，太陽不會直接曬到，成了她保存蔬菜的園地。

青菜的葉子都很嫩，菜農為了防蟲，多少會灑一些農藥，阿姨炒菜之前都先把青菜放在流動的清水底下，慢慢洗去農藥；包菜類還得先切開來洗。莧菜、空心菜或菠菜豆苗等菜不能用鋼鐵刀切，用掐的，這是因為除了菜有鐵質以外，菜的葉子與梗的口感是不一樣的，阿姨會把梗子部分單獨以刀工處理成爽口的菜色。葉菜類鍋炒之前要先汆燙，撈起入冷水保持翠綠的顏色。至於燙青菜，水滾入菜，再滴下油。炒青花菜，油鍋爆香蒜頭，加水與糖再入菜。炒菠菜空心菜茭白筍之前，一定要用沸水煮過，去除其中的草酸鈣。她還告訴我，醋一定要後加；青菜要脆，則用玻璃袋裝上冰塊，隔袋冰敷。

這前前後後的處理，費了多少功夫，所有的青菜到了我阿姨的手下，當然是既安全又營養又好吃。

生活三寶～蔥薑蒜

蔥薑蒜是中國人的生活三寶，不只是重要的食材，也可透過皮膚吸收，達到疏通血脈、驅寒殺菌、增髮、清潔等功效。百分之九十的菜色，都可以用蔥來提味與去腥，我自己總種上幾盆蔥，做菜時可以隨時取用。

有謂「冬吃蘿蔔夏吃薑，不勞醫生開藥方」，薑分老薑與嫩薑，我小時候父親經營金山農場種過嫩薑，直銷日本；那幾間廠房黑漆漆的，我很怕走進去。現在的我可是一天都離不開薑，尤其是冬天，稍受風寒一定要喝生薑紅糖茶。去國外滑雪，也先找當地的中國餐館買些老薑，回旅館煮薑茶驅寒。

種植薑的時候，需在切開的面上先沾一層乾稻梗所燒出的灰，以防止腐爛。嫩薑幾個月即可採收，老薑則要兩三年；有句話說「薑是老的辣」，道理即在此，也因而引申為評估一個人精明幹練的隱喻。薑絲薑片快炒是很多食材常用的，舉凡看到薑片爆炒的菜，薑都被先炸成捲曲狀，就是要把薑汁完全逼出來融入菜中。薑汁豆花是健康的冬日甜品。薑汁撞奶也是冬日暖胃的好飲品。薑面直接擦在頭皮上，沾點硫磺粉，可去除汗斑。

薑汁、蒜泥，都可幫助菜餚去腥，增加鮮味，強化免疫力。SARS期間，我「命令」孩子們每天生吞大蒜。糖蒜是北方吃法，配餃子吃。吃多了大蒜，口腔有味道，可喝牛奶解除。金門有一種大蒜，叫黑蒜，是將普通蒜頭發酵與熟成做成沒有辛辣味的食品。蔥與嫩薑要放冰箱保存，其他的可多買一些，放在通風處即可。蔥薑蒜去頭、削皮或渣子剩下的部分，裝到棉布袋裡，泡澡前丟入熱水中，可促進血液循環。

生活三寶，處處都可善加利用。

豆腐與粉絲

豆腐的來源，有一說是起於孝道。西元前一百多年，漢高祖劉邦的孫子劉安，人稱淮南王，對母親非常孝順。他母親喜歡吃黃豆，有一天病了，劉安就將黃豆磨成粉，加水熬成湯，要給母親喝，沒想到加鹽調味後，豆粉湯竟凝結了。劉安也修煉丹之術，遂與同道開始研究，研發了凝結成塊的技術後，豆腐就漸漸變成中國人最重要的食材。

明朝時，蘇雪溪寫了一首詠豆腐的詩，不但傳神而且很雅致：

傳得淮南術最佳，皮膚褪盡見精華。一輪磨上流瓊液，百沸湯中滾雪花。瓦罐浸來蟾有影，金刀剖破玉無瑕。個中滋味誰知得，多在僧家與道家。

其實，不只是僧家與道家，皇帝吃的菠菜豆腐取名為「金絲白玉板，紅嘴綠鸚哥」，老百姓則有「菠菜豆腐保平安」的俗語。中國人不分貧富貴賤，家家戶戶的餐桌上，幾乎每天都會看到豆腐這項獨特的民族食物。

豆腐發明至今兩千多年，製作技術更為細緻，除了以黃豆製造，也有用營養價值更高的黑豆製成。台灣的黃豆大多為進口，分成基因改造與非基因改造黃豆，我都儘可能選擇非基因改造的有機黃豆。

做豆腐的第一步是磨**豆漿**，對怕胖或對牛奶過敏的人來說，豆漿是最好的替代品。做西點時需要用到牛奶，也可以用豆漿替代；我還用它來做優格呢。不過長輩常提醒我們一些喝豆漿的禁忌，例如不要空腹喝，不可以跟紅糖一起沖泡，不能跟生雞蛋一起服用，不要放到保溫杯中……。

因為製作時的方式不同，豆腐有以下幾種分類：**硬豆腐**，又叫板豆腐或老豆腐，也有人稱為水豆腐，常與蝦醬、白菜、毛豆、豆豉搭配，以紅燒、油炸、麻婆做法處理；**嫩豆腐**，含水量比硬豆腐多很多，大多為涼拌皮蛋豆腐或香椿拌豆腐，或與肉末同燒之用；**雞蛋豆腐**，加入雞蛋製成；**百頁豆腐**，係蒸過的豆腐，很扎實；**油豆腐**，係炸過的豆腐，有三角形、四方形、口袋狀等；**凍豆腐**，係以老豆腐冷凍而成，通常為吃火鍋時食用。東北人把凍豆腐與黃豆芽熬湯數小時，成了**蜂窩豆腐**，沾醬料吃。

　　豆腐進一步加工後也有多種產品。**豆干**，含水量只有豆腐的40%～50%，是豆腐經過調味後的產品，有各種口味的變化，依形狀又分豆干塊、豆干角、豆干條、干絲。**豆皮**，是豆漿凝結後最上面的一層皮；上海人稱為**百頁**又名**千張**。**百頁結**，係以豆皮打結而成，讓軟嫩的豆皮增加嚼勁；如以油豆腐粉絲配百頁結做一碗點心，三種材料都是豆類，卻有不一樣的口感與味覺，這是中華飲食文化的偉大之處。**豆酥**，以磨豆漿時擠出的豆渣油炸加鹽而成，是很多素食品的原料，豆酥鱈魚這道菜的豆酥，則能讓魚腥味減輕，也讓魚的口感比較硬挺，是絕佳的組合。

　　亞洲地區的不少國家，也是愛吃豆腐的民族，技術也都是從中國傳過去的。唐朝時的鑒真和尚，把豆腐技術介紹到日本，他們的豆腐文化比我們晚了五百年，雖然也做得很精緻，但種類的變化沒有我們多。任何食材到了中國人手裡，就像變魔術一樣，不斷變出各種不同的形式與口感。

要讓豆漿凝結成豆腐的凝結劑，製作上比較麻煩。如**鹹滷**為磷肥，以乾稻梗所燒出的灰鹼性較強，半公斤的灰加半公斤的水，沉澱下來的即為鹹滷。**鹽滷**的製作則有三種方法：（一）一千公斤的海水煮三天三夜，剩下約百分之一的液體即為鹽滷。（二）十斤鹽裝在布袋內，放到雨淋不到地方，出現在布袋外層的結晶體即為鹽滷。（三）鹽裝入洞口很細的網籃裡，把籃子放在陶製的桶上，放一碗水在它旁邊，再用塑膠袋將之套住；讓籃子中的鹽吸收水分後，滴到陶桶內的即為鹽滷。另外較常用的**石膏粉**，是中藥行賣的煅石膏磨成的。

　　而**豆腐**的製作其實很簡單，黃豆先加水泡一晚，撈起後放到機器中，一般市售豆漿大多以一比七的比例，但自己做，可以一比三的豆加水磨成較濃的豆汁，經過分離去渣則成為豆漿，大火煮滾後，再煮上五到十分鐘，要不斷的翻攪，以免沾鍋燒焦。煮滾熄火後，待溫度降到七、八十度左右，加入凝固液（為十克的鹽滷配以六百毫升的水），用勺子以阿拉伯數字8的走向混合後，倒入有棉布覆蓋的模子中，壓上重物，讓其靜置凝結即成。

　　豆花，是很多人愛吃的餐後點心，製作時以十公升的濃豆漿，配以凝固液（為十克的鹽滷配以一千毫升的水），以及三百五十克的地瓜粉，混合後可倒入較深的鍋子。凝結後用平平的鏟子，挖出來吃。

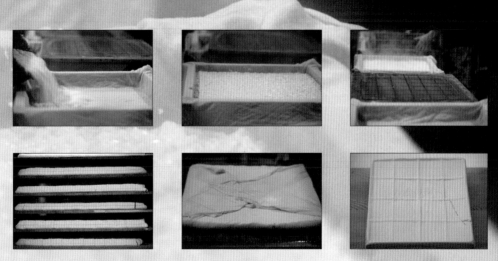

　　豆腐乳的製作，最重要的是接種毛霉菌及密閉發酵。雖然各省口味不一，基本功課都是豆腐先切小塊，抹鹽後曬乾，唯一的差別是有的先蒸過。製作豆腐乳的功力在於要做出有彈性的腐塊，恆溫與濕度控制的掌握，其他則各家各有醃製的辦法。以台式豆腐乳的製作為例，選擇微硬的豆腐塊，去邊，切成小塊，抹上鹽，曬太陽。曬時需常翻面，曬到兩面金黃。若出現白色的菌絲是正常的，若有黑色斑點則需用米酒擦拭；若斑點面積過大最好不要用。

　　曬乾的豆腐塊，還需先放入熱水汆燙一下，吹風晾乾。此時把鳳梨切小薄片舖到罐底，放入風乾的豆腐塊，舖上一層細冰糖，再放入豆腐塊，舖上一層糙米，再放入豆腐塊，最後加上米酒。米酒倒入至離瓶口約1～2公分，再滴入數滴高粱酒，蓋緊瓶蓋，放置二個月以上即可食用（放置愈久風味愈甘醇）。也有人用豆麴（糙米）或咖啡豆取代鳳梨，會有不一樣的風味。

　　我去過江蘇吳江，向項先生學當地豆腐乳的做法。他是把豆腐切成塊，上面蓋一層紗布防塵，使其自然發酵；冬天還給它們蓋上被子呢。待豆腐表面長出菌毛後，容器以熱開水燙過，自然風乾。然後把花椒與鹽放入水中煮開，待冷透後加入黃酒，把豆腐一層層放入，並於層間灑上椒鹽酒水（也可加入辣椒粉）。容器塞滿後即放置陰涼處，待菌毛全部融化即可食用。

　　豆腐乳又稱南乳或貓乳，一般常見的有紅白豆腐乳、玫瑰腐乳、火腿腐乳、油辣腐乳。袁枚在《隨園食單》稱「廣西白腐乳最佳」，其實是各人的習慣與口味不同。我常旅行於很多偏遠地帶，常有不同飲食文化的不適應，但只要帶上一罐豆腐乳，總讓我有離家不遠的感覺。

　　有「中國的起司」之稱的**臭豆腐**，是以豆腐塊泡
入臭滷水發酵做成的。古法製造臭滷水，大多用野莧菜、冬瓜、
薑、花椒等數十種蔬菜，加鹽醃製，讓它自然生臭、發酵，產生發酵
水。第一次產生的臭滷水，需要放置八九個月的時間，之後就變成了引子；如
味道變淡，再加入蔬菜即可。但目前能以這樣從容的時間製作的廠商已不多。

　　臭豆腐的奧妙是聞起來臭的，吃起來香的。我記得小時候吃的，油炸後只加點甜醬與
辣醬，也沒有泡菜等其他味道的介入。我阿姨也自己做臭豆腐，她只用菠菜，洗淨切成碎末，
容器先用開水燙過晾乾，然後置入菠菜塞緊，不加任何水，過了一周就變臭滷汁，放入豆腐後，
兩天就是臭豆腐了。天太熱她就放到冰箱，因為密封得好，臭味不會外溢，挺乾淨的。除了炸之
外，配以毛豆蒸臭豆腐，更是行家才吃的好東西，臭豆腐其實像優格一樣，是含有益生菌的食品。

　　我們家除了善於料理豆腐，也擅長料理**干絲**。但我們不是買現成的干絲，而是買豆干回來切，若
沒買到白豆干，則要忍痛把黃色豆干黃皮削掉，切細絲，不需要加上別的材料，純配以雞火湯，就很好
吃了。那切得極細的干絲，吃出了味道也吃到了刀工。

　　有些人吃百頁只用熱水泡，那口感很硬，我們則先用鹼水泡，以一疊十張的百頁，泡約1/4鹼塊，或
是一湯匙蘇打粉，泡開時用溫水會快些，但溫水拿捏的時間要懂得控制。當百頁泡出了黃色的水，即可開
始漂清水，以流動的水至少沖四十分鐘；手必須不緊不鬆的抓洗。要學會拿捏百頁的軟硬，洗到沒有黏黏
的感覺，需在水槽邊站很久才摸得出來。若沒有沖乾淨鹼水，則百頁一遇熱就會爛掉。我相信在外面的餐
館，是用泡洗，而非沖洗，所以跟家庭的口感不一樣，因為不經煮，所以味道進不去。我們常以百頁炒豬
肉絲為家常菜，非常下飯。

　　在市場中，與豆腐排在一起的還有魚豆腐與芙蓉豆腐，但它們都不是用黃豆做的。**魚豆腐**的材料是
魚漿，**芙蓉豆腐**則是雞蛋汁與柴魚片做成的。還有一種**蛋豆腐**，是用蛋與太白粉做的，但水分比芙蓉豆
腐少一些。

　　很多國家都產黃豆，但大多不會製作豆腐及相關的加工品。可以理氣去燥熱的綠豆，是我們夏
季的解暑聖品，卻也是在其他民族不容易看到的食品。

　　夏季最常吃的綠豆湯，好吃的訣竅是在綠豆快要煮爛時，加入一些綠豆粉，這樣味道會
更香濃。

　　綠豆還可以做粉絲與粉皮，是中國人餐桌上不可少的食物。以純綠豆粉做的粉絲，煮
起來不會斷，粘度強，有勁道；若加了玉米粉製作的粉絲則容易斷。更有一些黑心廠
商加了化學漂白劑，所以購買時選擇有信譽的廠商比較妥當。要檢驗粉絲的品
質，可以用打火機燃燒，如果是純綠豆做的粉絲不易點燃，如有別的添
加物，則容易完全燃燒。

粉絲又名**冬粉**，製作過程一樣要浸豆、磨漿，然後還得經過揉合、成型、煮熟、掛竿、低溫冷凍、常溫解凍、乾燥、包裝等程序。以粉絲為材料的菜色，最常見的是螞蟻上樹、油豆腐細粉；也有怕胖的人用來作為主食。切碎的粉絲，也可混合其他蔬菜，作為素餃子、素包子的餡料。台北淡水有一道有名的小吃，名為「阿給」，就是油豆腐裡面塞滿冬粉，高湯煮過，淋上甜麵醬。

　　粉皮的製作完全靠人工，從選豆開始就很重要。綠豆磨成粉加水混合後，撈一點到一個銅製的圓框模型，放到滾水中快速煮熟，直接轉入冷水中定型，然後立刻拿起來晾曬到通風的架子上。熱成型與轉入冷水的時間，都需要有經驗的人才能拿捏得當，所以沒有辦法以機器自動化製作。而且晾曬也要看天氣，必須上午十點多就開始曝曬八到十小時。萬一當天天氣不好，就沒辦法製作。

　　粉皮的顏色晶瑩透明，最常見的菜色是雞絲拉皮，配以小黃瓜與芝麻醬入味。如放到砂鍋魚頭中與大蒜苗同煮，也非常軟滑可口。

山裡的珍寶

對中國人而言，野生的菇蕈類自古就是山裡的珍寶。漢朝的《農書》即已記載人工栽培香菇的方法，是用段木養殖的。

二〇〇九年一月底，我開始跟著山上的何先生學種香菇，以杜英樹的一段枝幹用電鑽挖孔，把菌絲塞入孔中，然後滴入蠟燭溶液封口，整段包上塑膠布平放在地上，每天澆點水保濕，過一個月翻轉一次。到了七月，移開塑膠布，讓段木立起來，每天大量澆水，三四天轉一百八十度。到了十月，香菇就一朵朵長出來了。

第一次種植就有收成，真是讓人喜出望外。而且這新鮮香菇可以生吃，沾一點橄欖油與鹽就是人間美味。五段杜英木，讓我們從十月吃到三月。雨水少時，菇長得慢，肉質比較厚，下一場大雨過後，就會冒出好多，肉質變薄但是比較大朵。盛產時，我們可以奢侈到做香菇濃湯。我也把它們放入乾燥機，變身為好像價值上千元的禮盒，送給朋友分享我的喜悅和驕傲。

在台灣，除了杜英段木外，楠木段也可以養香菇。段木以直徑分，直徑小的收成一年，粗一點的聽說可以收成三年。我有個朋友種的菇跟我的是同一家族，比較圓。但他種得多，為了烘乾香菇特別蓋一間倉庫，香菇放在大鐵櫃內的一層層網子上，底下的土挖一個大槽，用燒柴煙燻的傳統方法燻乾香菇，但必須有人二十四小時照看，保持溫度的穩定。他養香菇也很辛苦，因為松鼠會來偷吃，他要比松鼠起得早，清晨四點就到香菇林站崗。我們都覺得，我們的香菇比起太空包種植的菇類，多了一層渾厚且清新的味道。我相信跟菌絲成長的速度與天然的養分有直接的關係。從我們種下菌絲到收成，至少約九個月到一年；太空包則只需一半的時間。

冬末春初種植的菇，生長較慢，形狀比較肥厚像花朵，稱為冬菇；日本人稱為椎茸或天白冬菇。天氣漸熱，則比較大而成傘狀，這種菇通常會烘乾，稱為香信，介乎厚與薄間的，則稱為香菇。此外還有香蕈、北菇、花菇等等。

菇類是天然的鹼性食品，中國人視乾菇為重要的烹飪材料，很多素菜料理，都靠著乾菇提味。我們家的習慣，是用冷水蓋過乾菇泡十二個小時，並用個盤子壓在乾菇上。烹飪時，那泡過的菇水，比化學合成的雞精或味精都更能提鮮。

菇蕈類在食物鏈中，不像蔬菜是生產者，也不像動物需要攝取其他生物的養分再排泄。而且菇蕈類不需要光合作用，是先把養分進行分解後，才吸收其中的蛋白質、礦物質、維生素等營養作為它生長的能源。每一片菇類的菌傘下方有菌摺，大都平貼而挺立，蘊藏無數的孢子，時機成熟時，會飄散到空中去為新的生命落腳；所以在孢子蓄勢待發要飛之前，即是最佳的採收時機。

一九七〇年代開始，大眾化的太空包種植菇類廣為流行，方法是把木屑、米糠、貝殼粉或發酵過的稻草等香菇生長所需的養分，整合在一個經過抽氣的段木狀塑膠袋內壓緊，然後消毒，把可能生菌的菌種以高溫殺菌，待冷透後再植入香菇菌種，四五個月即可收成。木耳類的種植，現在也漸漸使用這種方式。有位朋友的祖母百歲大壽，我們去賀壽，席間她就告訴我們，她每天上午吃白木耳與黑木耳，當飯一樣吃。很多人都知道一帖治療心血管堵塞的食療方：白背黑木耳（乾的）二兩、瘦豬肉二兩、紅棗五個、老薑二片，木耳泡軟後以六碗清水慢火燉煮至少兩小時，空腹吃，一天一

次，以二十五日為一療程。經醫界分析與實驗證實，木耳有清血的功能，能防止凝血、血栓等問題。白木耳又名「窮人的燕窩」，含豐富的膠質與膠原蛋白，是美顏的食品。白木耳浸泡到軟，去除底部，加水以果汁機打爛，再加龍眼乾或紅棗、蓮子與冰糖同煮。一片白木耳泡發起來很大，有時可吃一星期。除了白木耳、黑木耳，一般買到的菇蕈類還有磨菇、鴻喜菇、蠔菇、秀珍菇、杏鮑菇、香菇、洋菇、巴西磨菇（又稱小松菇）、金針菇、金喜菇、白面磨菇。

中國雲南的原始森林，因為沒有工業污染，是世界上以野生方式栽培菇蕈類最多的地方；大的如石磨，小的像扣子，品種上百種，但可食用的僅三、四十種：羊肚菌、松茸、雞樅菌、黑虎掌菌、黃虎掌菌、乾巴菌、珊瑚菌、塊菌、松露、牛肝菌（白蔥）、牛肝菌（紅蔥）、黑牛肝菌、喇叭菌、牛肝菌（黃賴頭）、老人頭菌、雞油菌、青頭菌、猴頭菇、皮條菌、大紅菌、谷熟菌、奶漿菌、北風菌、青槓菌、冬瓜菌、金耳、銀耳、木耳、茶樹菇、竹蓀、姬松茸、滑菇、杏鮑菇、榆黃菇、白靈菇、平菇、藏花紅、三七；最近還開始種植冬蟲夏草、樟芝、靈芝。

冬蟲夏草，顧名思義冬天是蟲夏天是草，這種野生的菌絲生長於海拔三千至五千公尺的高山，寄生在近雪線的草坡上的蝙蛾幼蟲內，以蟲體為養分，生長快速。當菌孢長到跟蟲體一樣長時，即是最珍貴的「頭草」；接下來是約蟲體兩倍大的「二草」；僵化之後長出鬚根，就是通稱的「冬蟲夏草」。

這些山裡的珍寶，近年經生化研究發現多種對健康有益的成分，但因天然的種植不易，也研究發明了菌絲體，廣泛應用於珍貴的樟芝、冬蟲夏草、靈芝、人參等山中的野珍種植。有「台灣國寶」之稱的野樟芝，是一種只生長於牛樟樹幹腐朽心材內壁的真菌，數量極為稀少。我去阿里山採訪茶葉專題時，聽說原住民可以帶路去山區內指認。因為聽說對肝病有療效，目前市面上誇大的廣告不少，都稱以萃取的方式取得養分，以液態或顆粒狀販售。

靈芝據說是炎黃最小的女兒瑤姬的精靈轉化的，中國古典小說中常提到這種山中靈草有起死回生的功能。著名的戲劇《白蛇傳》中，白素貞偷盜南極仙翁的靈芝去救愛人許仙還陽，即是流傳千古的感人故事。

靈芝菌有神奇療效，其表面生長的圖案，也大多有象徵吉祥的慶雲圖或如意圖騰。前幾年我家裝修房子，拆開院子裡那棵百年香楠樹底下的擋土牆，竟然發現了一顆靈芝，我還很興奮的去跟一位植物學教授炫耀。他卻告訴我，這並不是好事，因為靈芝不是植物，不行光合作用，生長於樹底會把根部的養分吸光。我們除去了靈芝後，香楠大樹確實長得比以前更挺拔了，足見靈芝果如古典小說中的，汲取天地之精華。

靈芝起死回生的故事，曾發生在我一個長輩身上。他的家境優渥，大約五十年前因為心臟病緊急住院，家人花了當時的三十萬元台幣買了一個靈芝，長輩服用後，真的回了點精神，跟家人交代些事情，準備進開刀房手術。哪知進了開刀房手術後，突然整區停電了！當時的醫院設備還沒有現代化的不斷電系統，這位長輩就因電力系統中斷太久而回生乏術。我聽了這故事後十分感慨：靈芝雖能助人起死回生，老天爺命定的安排卻是人抵擋不了的啊！

面磨菇、滑菇、榆黃菇、白靈菇、茶樹菇、猴頭菇、姬松茸、松茸、金耳、銀耳、木耳、竹蓀、羊肚菌

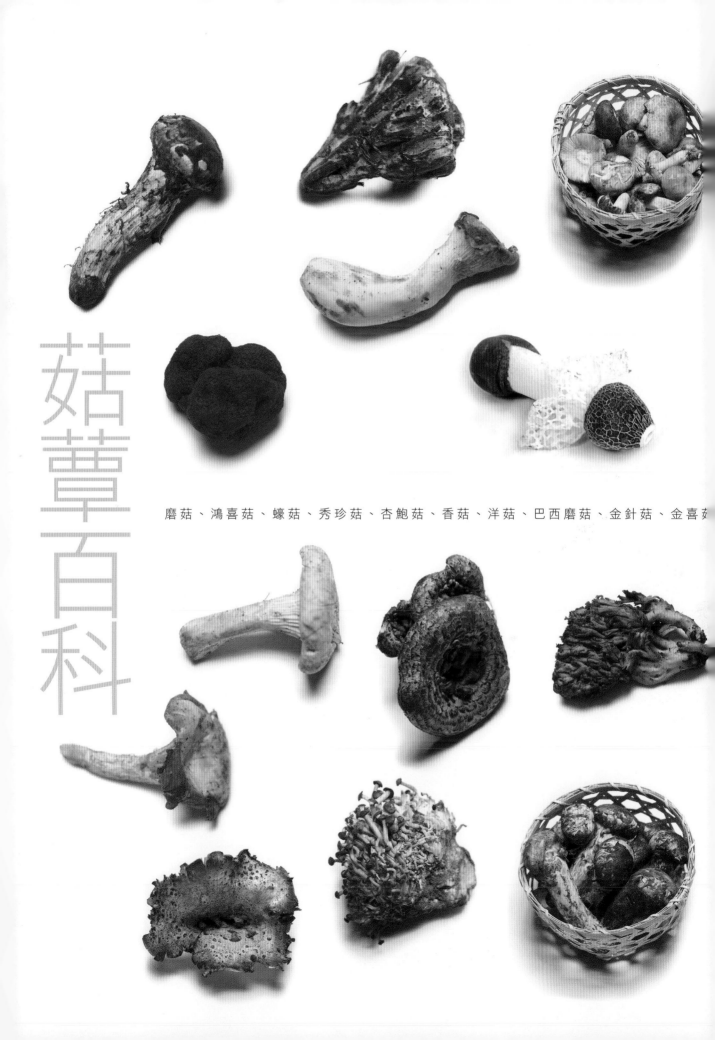

菇蕈百科

磨菇、鴻喜菇、蠔菇、秀珍菇、杏鮑菇、香菇、洋菇、巴西磨菇、金針菇、金喜菇

人頭菌、雞油菌、青頭菌、皮條菌、大紅菌、谷熟菌、奶漿菌、北風菌、青槓菌、冬瓜菌

樅菌、黑虎掌菌、黃虎掌菌、乾巴菌、珊瑚菌、塊菌、松露、牛肝菌（白蔥、紅蔥）、黑牛肝菌、喇叭菌、黃賴

雞蛋雞蛋破雞蛋 有誰買到

破雞蛋
破雞雞蛋

看一個民族的飲食文化，光看蛋的處理就知道他們的飲食藝術。中國人對於蛋的料理，除了最平常的煎蛋、炒蛋、烘蛋、蒸蛋，還有滷蛋、茶葉蛋、燻蛋、鐵蛋等等。甚至還懂得利用鴨蛋殼毛細孔粗善吸收的原理，做出鹹蛋與皮蛋，進而發明了好吃又好看的冷盤菜「三色蛋」。這道菜的做法是把鹹蛋、皮蛋切成小塊，與雞蛋混合去蒸，待冷切片即成。方法其實很簡單，但第一個想到把三種顏色、質地都不一樣的蛋混在一起蒸的人，真是有創意呀！廣東料理中有一道金銀蛋莧菜，是以蒜頭、莧菜配上鹹蛋黃切丁、皮蛋切片，再混以雞蛋白勾芡，除了有不同的蛋，還有不同的形狀，真是了不起的構想！

還有一種溏心蛋也很特別，但做法比三色蛋麻煩。溏有三點水，意指它的特色是蛋黃非常水嫩。先把醬油、糖、五香粉、薑、蔥煮滾成滷汁，放置到涼透。室溫蛋輕敲一下，放入冷水中開火煮七八分鐘，加一點醋防止蛋殼破裂，並用手滾動蛋，求其蛋黃位置居中。關火燜兩分鐘後，把蛋放到水龍頭下沖冷，以利剝除蛋殼。然後將之浸入滷汁中，隔一天撈起，切半排列成盤，是一道理想的前菜。但切開時不能用刀，需用兩手抓一條線，從中間劃開，以免沾黏。

我還吃過很特別的沒有蛋黃的蛋呢。做法是把雞蛋敲個小洞，讓蛋汁流出，取其蛋白與雞滷汁混合，再灌回蛋裡蒸熟。熟後剝掉蛋殼，端上桌時好像一隻外形完好的白煮蛋，但裡面沒有高膽固醇的蛋黃，而且洋溢著香濃的雞汁味。這個菜的名字為「混套」，這也是很富巧思的創意。

過年時吃的蛋餃，也是富於創意的發明。首先把蛋打勻煎成蛋皮，包上碎肉與大白菜、粉絲搭配的內餡，香味與口感絕佳。由於外形金黃色，媽媽說是金元寶。但因很費工，以前只有過年才吃得到這討吉利的金元寶。

小小的一顆蛋，在處理蛋的火候上，溫度的控制很重要：溫泉蛋七十度，滑蛋牛肉七十度，炒蛋七十五度，都採用中火而不是高溫。炒蛋與煎蛋都是先熱油，把蛋打入後立刻熄火，再看狀況調整火候。有些人為了增加味道，會在蛋汁中加入牛奶或高湯。荷包蛋的油溫可稍微熱一點，蛋一下去，待邊緣有一點焦脆，立刻熄火，把蛋放到盤中，再把鍋內的油淋上醬油起一陣煙，利用餘溫把蛋白再淋熟些。水波蛋必須水煮開了才打入蛋，剔透的白色外衣也可看得到嫩黃的蛋黃。我們家是用糖水煮，吃甜的，有時也加點酒釀。

至於蒸蛋，用筷子以同方向打勻蛋液，不要打出泡沫，加入兩三倍的高湯，再透過細小孔的篩子篩過，再蒸。碎肉蒸蛋是很多小孩子最喜歡的一道菜。

蛋殼本身就是一個完好的器皿，例如以美乃滋拌蛋白馬鈴薯胡蘿蔔沙拉灌回蛋殼，上面再灑點火腿末；也可以裝入比較稀有的海膽或魚子醬或松露片；也可以做雞蛋布丁的甜點。這都是精細而討巧的吃蛋藝術。

　　鹹鴨蛋又名醃蛋，是早年經濟比較寬裕的人家搭配稀飯最常見的食材。鹹鴨蛋的極品是紅心蛋，蛋黃顏色紅且油多，常用來做月餅的餡心。袁枚曾說「醃蛋以高郵為佳」，使得江蘇高郵的鹹鴨蛋聲名大噪。其實各地醃製鴨蛋的手法不一，風味也各異。新鮮鴨蛋沾上各家的入味料後，要用沙或黏土、泥土或麵粉、鹽水包覆，靜置三到六周後即可煮食。除了配稀飯及前述的三色蛋，還可做鹹蛋蒸肉、鹹蛋炒苦瓜，都是很傳統下飯的菜色。

　　皮蛋又名彩蛋、泥蛋或松花蛋。它的發明據說在明朝初年，湖南省益陽縣一個養鴨人家的鴨子把蛋下到石灰滷中，過了一段時間才被主人發現，成就了這個不尋常的美食。

　　有名的松花蛋則是北方的名稱，用米糠與泥土包裹於鴨蛋外殼，北方氣溫較低，經過兩個多月打開一看，蛋白已凝結為膠狀，呈半透明的墨綠色，且上面的白色結晶很像松樹的花，故得名。皮蛋性寒，最好配紅薑片與醋同食。

　　我覺得最好吃的皮蛋是香港鏞記做的，他們的蛋黃溏化後稀軟黏稠，蛋黃邊緣又成型，拿捏得剛好，口感絕佳。我去訪問第二代甘老闆，他們是照古書所載的方法醃五七日，也就是在溫度控制下醃足三十五日，並在第六個七或第七個七，也就是第四十二到四十九天之間食用；這期間的皮蛋，一定有溏心蛋黃。過了這日子則退為其次，拿去做粥。可見吃皮蛋也要有保鮮期的考量。切皮蛋時，也不要用金屬刀切。另有一說，做醃漬蛋的時間與月亮潮汐有關，要選初一或十五做，其蛋黃就會在正中間。

　　製作皮蛋，必須把生鴨蛋浸在強鹽的鹼溶液與生石灰中，才能讓蛋白質變性，達到完全凝膠化的效果，所以皮蛋也是難得的鹼性加工食品。就因製作過程會產生神奇的變化，製作的經驗與時間的拿捏很重要，否則蛋會繼續溶解而液化。有些廠商大量製作，會加入化學物質防止液化，所以會有含鉛的疑慮。老人家買皮蛋，皆取外殼沒有斑點且殼面完整者，同時會拿起來用手指輕敲幾下，有彈力振動的就是好皮蛋。

「雞蛋雞蛋破雞蛋看誰買到破雞蛋」，這是我小時候在數數時會唸的一句話。隨著年齡長大，我在買雞蛋時還常常想到這句話，因為一不小心就會買到不好的雞蛋。最近兩年我自己養雞，為的就是想得到好雞蛋。

起先是賣給我電腦的洪先生，告訴我他父親在養雞，我跟他說能不能幫我買兩隻母雞？他來幫仁喜換電腦的時候，真的抱來了兩隻蛋雞。

剛巧前陣子我去了宜蘭的不老部落，看到潘老闆滿山的雞，又聽了他們幾年前開始養雞的故事，也開口向他要了兩隻土雞。

潘老闆是台北人，從事景觀建築，娶了位阿美族的公主，變成了未來的酋長，想把原住民自然生活的理念介紹給都市人，於是把自己的部落整理為一個五星級餐廳，連帶介紹自然體驗生活，開創了餐飲結合一日遊的新事業。去過的朋友一個傳一個，讓他的客人簡直應接不暇。阿美族公主擅長烹飪，採用自己種的小米、蔬菜或野菜，搭配上山獵捕的野豬，小米釀的酒，用最簡單自然的料理方法，端出精緻的美食饗宴。但野豬不是每天獵得到，需要養些放山雞來搭配菜色，這個沒有養過雞的阿美族家族，決定開始自己養雞。潘老闆去向朋友買了一群小雞，哪知道牠們長大生蛋後就瀟灑的走開，完全不知道孵蛋這件延續後代的大事。工業化的世代，大型蛋雞場的孵蛋是燈泡的責任，母雞可以瀟灑的四處串門子；可是部落並不是大型蛋雞場啊。潘先生後來帶著成打的小米酒去拜訪部落的長老，陪老人家喝了幾缸小米酒後，他們終於答應把兩隻會孵蛋的博士母雞借給他。

博士母雞到了不老部落，果然就往雞蛋上一坐，很盡責的開始孵蛋。那些下蛋的母雞們，竟然看不懂博士老師的肢體語言，還是輕鬆的逕自去遊山玩水。潘先生於是圍了個學校，讓那些年輕的母雞們看看牠們的長輩如何傳家；最後乾脆用竹子編雞籠，把老師與學生關在一起，一對一的授課。我去參觀時，還真看到單一授課的籠子教室，博士雞認真的坐在蛋上，旁邊已有小雞圍繞，年輕的媽媽雞彷彿也很認真的在一旁做筆記呢！這個孵蛋補校的成功，終於讓潘老闆的養雞事業延續下來。

潘老闆送給我兩隻母雞，還配了隻雄赳赳氣昂昂的公雞。這下子，我們家真的成了雞犬不寧，雞飛狗跳的園地。我趕緊劃分區域，先去買籠子，把洪先生送來的蛋雞放到二樓的陽台外。洪先生再三交代，要保持溫度，不能太冷，也不能太熱，因此也為牠們的籠子鋪上帆布與厚棉布。潘先生的土雞則放到一樓的走廊邊，做上護欄讓雞犬分離。洪先生要我去買飼料餵蛋雞。我去飼料店一看，那些飼料都是合成的，不合乎我的實驗原則，於是去買些自然的穀物、米糠等，配合我們的葉菜廚餘，混合成天然的飼料，讓蛋雞與土雞都吃同樣的「姚家飼料」。剛來時，蛋雞每天都會下一次蛋，土雞則一周約兩三天下一次蛋。

天氣好時，我會把蛋雞與土雞放到屋頂的菜園。但是蛋雞不太會走路，漂亮的紅色雞冠一下子倒到左眼睛，一下子倒到右眼睛，重心不太穩。大概因為這樣，牠們不喜歡走路，兩三步就要坐下來，好像牠們天生就該永遠蹲在籠子裡；尤其跟土雞放在一起，更是被嚇得直

想躲起來。土雞的氣勢可就不同，興致高昂的走在我的酒箱菜園間，我希望牠們幫忙吃蟲，牠們卻搶著吃新鮮的菜，而且速度奇快。

後來，蛋雞不願多吃我們的天然飼料，下的蛋一下來就破掉，我兒子小元建議說，如果給牠們喝氣泡水，也許可以增加蛋殼的硬度，為了實驗，我真的去買了一瓶二十八元的沛綠雅氣泡水，無奈牠們喝了照樣生下破蛋。我仔細看我餵食的內容，都是傳統的食物呀，以前的雞可沒有什麼飼料呀！回頭看看土雞，牠們倒是怡然自得，兩隻雞一周大概下六七顆蛋，情況很穩定。

我跑去養雞協會詢問蛋雞的破蛋困擾，沒有人可以回答我這種實驗性質的家庭主婦問題。一些文獻資料也都是告知要注意溫度、飼料與環境設施等。看來沒有人把蛋雞當土雞養。更沒有人傻到像我一樣做實驗。

眼見這蛋雞在我家生活得不愉快，我就把牠們送給附近的鄰居，他們歡喜的用現成的合成飼料，把牠們當機器一樣養。回頭說土雞，牠們不需要搭房子，也不用溫度控制，每天走來走去，生龍活虎，跟狗群們隔欄對望，隨時擺出要交戰的姿態。

牠們唯一的問題是公雞，每天凌晨四點半就啼叫，讓仁喜聞雞起舞，只好起來打坐。隔壁鄰居有對八十幾歲的老夫婦，有天遇到我，很客氣的說：我們好久沒聽過雞叫了呀！我連聲道歉，不好意思再打擾別人，只好把公雞送還給潘先生。

幫我忙的阿玲捨不得公雞，跟我打賭說，沒有了公雞，母雞就不會下蛋了。我說，那兩隻蛋雞不是也沒有公雞陪嗎？她說那是因為品種不同。我說母雞就是母雞，不分品種都會下蛋的，她則堅持土雞沒有公雞是不會生蛋的。結果公雞送走後母雞照樣下蛋，阿玲輸了就改口說，沒有公雞，母雞的心情一定不好，產量會減少。我問她，妳心情不好就不會排卵嗎？眼見母雞下蛋的量也沒減少，她才心服口服，不再叨念那隻送走的公雞。我也因而知道，可能很多人都以為母雞下蛋一定要有公雞做伴，事實上這完全是一種誤解。還有人打蛋時看到紅色的血絲，以為是受精卵，這也是誤解。受精過的蛋，會在蛋黃中心看到網狀的結構，有血絲的蛋與是否受精完全無關。

我把土雞的蛋送給母親，她吃了直說好久沒吃到有蛋味的雞蛋了！我想，一般市面上賣的雞蛋，都是蛋雞廠量產，二十四小時開著燈，蛋雞不眠不休，有時還一天生兩個，累壞了身體，蛋的品質當然也打折扣了！

有了自己養雞與收成的心得後，我都勸朋友們不要再買破雞蛋。最好買黃色殼的土雞蛋，因為土雞吃的食物比較自然，也具有較強勁的生命力，生出來的蛋一定比溫控食控的蛋雞的蛋更富於生命能量。

文化
食物

大閘蟹

黃金好個秋

我對秋天的黃金色印象，是從小時候吃蟹宴開始的。四十多年前，產於大陸的大閘蟹還不能合法進口，但愛吃蟹的上海人總有辦法託人從香港走私進來，或從特殊管道買到海關查扣的拍賣品，每年秋風送爽之後，我常跟著父母親到親友家吃蟹宴，我家也會收到兩三次親友餽贈的大閘蟹。

我家的大閘蟹，還有一種戲劇性的來源。我母親與阿姨有幾個當電影明星的乾兒子乾女兒。當年的海關很嚴格，但對電影明星好像有某種禮遇，不需要被檢查。入秋時節，他們去香港或從香港來，也會偷偷帶幾隻大閘蟹來孝敬乾媽。我記得其中一位乾哥哥帶著他的朋友風塵僕僕趕到我們家，進門鞋一脫就用那演古裝戲的聲調說：「娘呀，孩兒回來看您啦！」然後眼神溜溜的轉，小心翼翼的，從他們的大外套口袋裡邊掏邊喊：一，二，三，四，五！哇，五隻還會動的大閘蟹！然後又用那古裝戲的聲調說：「娘，這是我孝敬您的！」

我母親是又高興又捨不得，「你看看，你看看，要是被查到了可怎麼辦？你這個孩子呀，頑皮！我們怎麼捨得你這樣呀？以後千萬不可以呀！」── 話雖這麼說，偷渡蟹的戲碼依然年年上演！

大閘蟹價錢高昂，得來又如此不易，加上牠那珍貴的膏是「黃」的，難怪從小給我「黃金」一般的印象。

據說有人把「吃大閘蟹」列為一生一定要做的一件事，可見這秋天最誘人的食物有多大的吸引力。我小的時候，如果某日發現家裡的人突然上上下下很忙碌，似乎還帶點神祕的氣氛，就猜想著晚上可能有螃蟹宴。因為那時我母親也會託人從海關拍賣買兩箱大閘蟹，慎重其事的上菜場買菜，晚上治理一桌豐盛的蟹宴回請親友。預定的螃蟹送來

了，要一一刷洗乾淨，當然得有一番忙碌。不久，生薑與鎮江醋調和的香味漫出來，吃蟹的用具，裝醋的壺，放薑與糖的小碟，精緻的洗手小碗，暖酒的壺，喝黃酒的小杯子，吃蟹用的繡了花的棉質小圍兜……，一樣樣像辦家家酒似的擺上桌；一場讓人心神蕩漾的蟹宴就要開始了。

那年代的大閘蟹味道很重，我母親蒸蟹時，水裡要放入乾紫蘇葉同煮，而且為了怕留下腥氣，飯桌總要先鋪一層塑膠紙。蟹蒸熟上桌後，母親就一一挑選；如果發現「黃膏」不夠多就放在一邊留給自家人，務必挑選「黃膏」肥滿的給客人。那個分蟹的儀式是蟹宴的序幕，大家謙虛的推來讓去，笑語喧譁中有熱鬧也有溫馨。序幕拉開後，每個人就開始用各自熟練的方式，慢慢享用這人間的美味。

大閘蟹的吃法是拆下一隻小腿後，用它做工具來吃其他的腿肉；母親說那個動作叫「拆」。那拆下來的肉質之鮮美細緻，是其他螃蟹沒法比的。而綿綿密密的黃膏吃下肚子後，加上喝了幾杯黃酒，就覺得從心裡到肚子都醺醺然的醉了！所以我母親總先熬好一鍋薑茶，吃完了蟹熱熱的一口口喝下去，胃有一種甜美的飽足感，蟹的寒氣也消減了大半。

吃蟹的技巧因人而異，不善於吃蟹的，主人來收盤子時會有些碎殼，會吃蟹的人則是留著一隻完整的蟹殼。技術更考究的客人，吃完了蟹則會在盤子裡回敬主人一隻蝴蝶。── 蟹的大鉗子，敲開來向外一拉會拉出大鉗子的一片骨頭，左右交錯一放，就是一隻蝴蝶的樣子。

吃蟹的儀式告一段落，會有一段忙碌的中場休息。主人要收掉塑膠布，換新的餐具給客人，客人則要卸掉小圍兜，輪流去洗手間，用牙膏再洗一次手；女士們也趁機補個妝，陸續回坐等著第二場節目。

吃蟹的儀式可能每家差不多，第二場節目才見出各家手藝的不同。像我家，如果不是請客，吃完蟹會來一碗「蝦蟹麵」，如果有客人來，則先上各種冷盤小菜，馬蘭頭豆干，素鵝，燜芥菜，風雞，溏心蛋，肴肉等，至少七八種，配著溫熱的稀飯慢慢吃；有時也應客人要求吃「蝦蟹麵」，被蟹黃與黃酒醺醉了的胃，這時終於漸漸醒過來。

吃完稀飯，冷菜撤下，開始上熱炒：豆干肉絲，雪菜百頁，龍井蝦仁，八寶辣醬，雞絲豌豆……，菜式每次都有變化，但一定有一道入口即化的蹄膀。我阿姨說，蟹黃好像會把我們胃裡的油水吸走，吃完了蟹覺得很「齁」，需要吃些帶油的肥肉補過來。

至於壓軸的湯，我家必定是醃篤鮮，它綜合了火腿肉、家鄉鹹肉和五花肉的香濃，百頁結的樸實，冬筍的清香，在熱氣裡一口一口喝下去，「齁」的感覺也一寸寸消除了。

這第二場的菜，多數人家是一道一道上的，有一次我在香港一位長輩家做客，吃完蟹之後卻是一口氣端上二十道做工繁複的地道上海菜；那種海派的排場，讓我嘆為觀止，至今難以忘懷。

海派人家不但吃蟹，還要做「蟹粉」，就是上海話的「哈粉」：把蒸好的蟹黃與蟹肉細心拆下後，用油與蔥炒好，涼了後放進冰箱珍藏；這是未來沒有大閘蟹的幾個月裡，家裡最重要的食材配方。拆幾隻大閘蟹，得到的粉也只有一點點，要炒做一碗蟹粉，花的錢也許跟買金子一樣多呢！

雖然吃大閘蟹是許多人一生中一定要做的一件事，很遺憾的是我父親體質過敏，無福享用；他說這是「敬蟹不敏」。每次我們細心的吃著蟹時，他總是閑閑坐在一旁，像個說書人開始講故事。他生性幽默，每每說得大家哈哈大笑。我覺得最有趣也記得最清楚的，是他說被我母親招贅的故事。

我母親年輕時就開始唱戲，晚上唱完戲後要跟團裡的人研究明天的劇碼等等，回家好好吃頓飯時已經晚上十二點多，休息一下洗個澡再看看書，入睡的時間可能已是清晨了。她婚後雖然不再唱戲，但因為個性好靜，還是等所有人入睡後再看看書，享受一下自己的閑情，因而起床時大多已過中午。我讀國小五年級時，家裡從鄉下請來十七歲的女僕阿葉，她家是務農的，每天大清早起床，從來不知道有女人可以睡過中午。我父親說，阿葉初來我家時，以為我母親有病呢，後來仔細觀察，不像喲，氣色好得很！於是她又想：這女主人真神氣呀，先生早早起來去上班養家，她卻睡到中午才起床，說不定她娘家很有來頭，這先生是招贅的。一天我父親吃早餐時，阿葉忍不住問他：「先生，你是不是招贅的？」我父親覺得很有趣，就笑著回答：「是呀！」阿葉於是把本省人的招贅習俗一一說出來和外省人作比較，她每說一樣我父親就說：「對呀，就是這樣呀！」最後阿葉還問：「那你會不會也要被罰跪呀？」我父親說：「要呦！」阿葉好奇的問道：「那你怎樣跪？」我父親當真在餐桌旁跪給她看。哪知阿葉舉起手說：「不對不對！被招贅的要

1 用紫蘇葉壓鍋底一起蒸。　　2 蒸好以後。　　3 薑不可以用剁的，要輕切到底成末狀，　　4 掀開背面。
　　　　　　　　　　　　　　　　　　　　　　　　　　配合糖與鎮江醋調成配料。

兩個大鉗子吃完後左右交錯排
在盤子上謝謝主人。

子。

6 找出六或八角形的肺，那部分不可　　7 享受綿密的黃膏。
　　以吃，太寒。

這樣跪，手要舉起來！口裡要唸小子無能……」我父親也就真的有樣學樣舉起了手。然後阿葉又問：「先生，那你有沒有改姓？」我父親靈機一動說：「他們看我跪下了，可憐我嘛，就不要我改姓了！」……那天上午我父親沒去公司，等我母親中午起床後，就在阿葉面前朝她跪下，我母親先是一愣，看到我父親頑皮的眼神馬上會意過來，用清亮的京片子回了一句：「平身！」我父親哈哈大笑站起來，阿葉則漲紅了臉，嚇得跑進廚房躲起來。

我父親說，他後來也沒跟阿葉說這是笑話一場，不知她回鄉下結婚後，怎樣向村人傳播這件「外省人招贅」的情節。

秋天吃蟹的活動還不止於此，有些生活優渥的上海人還特別組個「吃蟹團」去香港，一團總有二十多人。我姨父以前離開上海後曾在香港做過股票業務，認識不少當地的同業，後來在台灣經營證券公司也很成功，每年秋天都和我阿姨參加。我父親因為政治冤獄，被當時的政府限制出境，我母親因而也不參加吃蟹團。但是阿姨疼愛我，我上中學以後曾招待我一起去開開眼界。

那時也還沒有開放觀光，辦理出國手續很麻煩，二十多人組團去香港可是一件大事情。那不但代表著要出國，而且很像是外交使節團去辦外交，因為對口也有一團人在等著你去交流；要有閒，也要有錢！

吃蟹團去香港，除了吃大閘蟹，還要交際應酬，買首飾衣物，以及各種珍奇的南北貨；總之就是去花錢。那些隨著丈夫同行的太太們，身上的穿戴，交際的禮儀，都代表著一個男人的成功指標，雖然是去花錢玩，其實也是比排場，頂辛苦的。我還未結婚，沒有她們的富貴與負擔，更能站得遠遠的看那個使節團的節目。

香港的對口接待團，端出各種的譜招待台灣使節團，台灣團要答謝的禮數當然也不在話下。譬如我阿姨，為了送答謝禮，特別去找一位專門刻象牙的師傅，他刻的象牙球，球中有球，還會動來動去，送給香港朋友時當然贏得一陣驚嘆。

吃蟹團到香港，總是一早出發，到香港安排好旅館後開始拜會朋友，午後就到香港朋友預定的旅館房間打麻將，聊天敘舊，打到天黑了才吃飯，重頭戲當然是吃大閘蟹。

第二天吃過早餐就去逛街，在一家家店裡進進出出，採買首飾、衣物、披肩等等配件……。走到雙腿都快麻掉了，拎著大包小包回旅館打理，然後盛裝出場到另外一個旅館。阿姨說，去聽戲！還沒走進旅館房間，走廊裡就聽到胡琴聲幽幽傳來。因為兩邊都有愛唱戲的票友，趁這一年一度的交流，都要展現自己又學了哪齣絕活。唱到吃飯時間，隆重的晚宴又開始，第一道當然又是大閘蟹。也許因為在香港吃蟹比較平常，我總覺得似乎少了在台北吃蟹那種得來不易的珍奇與興奮。

第三天上午起床後仍是採買，但走的是南貨舖子或北貨舖子。那時的雜貨鋪還分南分北，貨品的區隔很清楚（現在則已南北貨混雜合併）。總之大家各憑本事大採買，然後拎著火腿魚肚等等南北貨，一箱箱的搭晚班飛機回台北。要孝敬長輩的，要送親戚送朋友的，講究禮數的上海人一樣樣打點得清清楚楚。看起來吃蟹是名目，採購才是重點。

同時，我也意識到那些叔叔伯伯們，似乎藉著那一年一度的場面，以及集體的「採購宣誓」，對他們的太太表達慰勞、寵愛甚至是「贖罪」。而太太們也都唯唯諾諾，理所當然的代表著她們的先生，一律被稱為「X太」；尾音還是微微上揚的輕聲呢！

如果有個女子當時被稱為「X小姐」或稱名道姓，必定是有兩把刷子的「厲害角色」。吃蟹團有位王伯伯從不帶太太同行，他帶的「紅粉知己」徐小姐就是其他太太們所謂的「厲害角色」。聽說王伯伯很疼愛徐小姐，就是沒辦法把她「娶」回家。徐小姐有點像大學生，長髮垂肩，脂粉不施，也不戴珠寶，自然有她的韻味。她有自己的事業，我在台北就認識她，所以吃蟹團吃飯時常與她坐一起。有一次在一桌太太們吃飯的檯面上，她小聲的問我：「妹妹，妳看這一桌上哪個女人有氣質？」我放眼掃視了一下，貴氣、嬌氣、嗲氣、霸氣，樣樣都有，一時不知如何回答，只用眼睛拋給她一個問號，她呢，則用眼睛拋給我一種不屑的眼神，意思是：一個也沒有！

雖然如此，那群太太打麻將或唱戲時，我總會入神的欣賞著她們精心展示的華麗衣服，搭配的鞋子，皮包，圍巾或披肩。有些披肩還垂著各樣的流蘇穗子；最特殊的是一條粉紅色披肩，繡著巴洛克時期的圖案，既有東方色彩又帶點歐洲風味。那個房間裡的氣氛和意象，可真像白先勇的〈遊園驚夢〉啊！

算命也是吃蟹團的重要節目，阿姨告訴過我徐小姐算命的故事。當時香港有位鐵版神算很精準，伯伯叔叔們問局勢起伏都去找他。聽說王伯伯的命單，出現了「一字記之曰徐，捨不得」這幾個字，他回家拿給太太看了，王太太就此默認他與徐小姐的關係，只規定每晚十二點要回到家。他也拿給徐小姐看了，表示兩人情緣天定。後來徐小姐也曾自己去找鐵版神算，命單裡排出「一字記之曰王」，再度證明了兩人的情緣，終於心甘情願的跟著王伯伯。但因沒有生兒育女，心情難免有些孤怨。聽說王伯伯每晚離開徐小姐家時，都會在她床頭倒一杯約四分之一瓶的XO白蘭地。那一大杯當時非常昂貴

的XO，彷彿是王伯伯的替身，陪著她慢慢的喝，醉了才能好好的睡一覺。

徐小姐拋給我不屑的眼神後，看著一屋子的繁華與喧嘩，我不禁想著回到台北後，王伯伯又要每晚十二點回到家，她也又要每晚孤單的喝一杯昂貴的XO……。吃蟹團的這幾天，對她也是黃金好個秋啊！

許多年過去，對於當年跟著吃蟹團去香港看到的一切，我至今印象深刻。有兩年，香港的長輩們也在秋天帶著大閘蟹到台灣來拜訪，台灣的長輩們當然也使出渾身力氣接待他們。但台灣的旅館當時禁止打麻將，餐廳也不能公開吃大閘蟹，所以打牌、吃飯常在我們家，大夥玩完了才各自回旅館休息。

不管是香港或台灣的長輩，他們的相聚代表著一九四九年前後從上海到香港與台灣的某些飲食文化與做客文化的融合。他們雖然事業與生活都過得很好，但當地的台灣人與廣東人好像也說不上是百分之百的接受他們。所以吃大閘蟹，其實是鄉愁的一部分。當年離開上海，以為過個一兩年就能回去，哪知後來回不去了。住在香港的，只要有錢還能大方痛快的吃大閘蟹，住在台灣的，即使有錢也必須透過走私、偷渡才吃得到，始終帶著不可明說的神秘色彩。

他們一起享受著美味的蟹宴時，一定也會想起還留在上海的家人吧？有多少以前與家人享用蟹宴的回憶，點滴縈繞心頭？但場面上的他們總是熱熱鬧鬧的，回憶沉在心底，笑容堆在臉上，吳儂軟語的上海話裡夾雜著幾句豪爽的廣東腔、標準的京片子，聽起來像是高低起伏、節奏鮮明的大合唱。當時年紀小，只覺得那氣氛既繁華又闊氣，現在回想起來，那也是一種說不清心情的，如黃金一樣沉重的季節啊！

養殖蟹

　　水溫與水質，造就了中國南方秋天最重要的文化食物大閘蟹。金黃色的蟹膏飽滿馥郁，蟹肉則細緻鮮甜，令人陶醉。上有天堂，下有蘇杭，這是一個自古以來即富裕的魚米之鄉；大閘蟹就棲息於這一地域遼闊的湖水中。

　　養殖大閘蟹有名的陽澄湖、太湖等，水質清澄透澈，沉積湖底的是堅硬的沙礫，沒有淤泥。大閘蟹的養殖，需要經過約二十次的脫殼，大約兩年才能熟成。水溫對脫殼有很大的影響；一旦溫度降低，蟹會進入冬眠，停止脫殼成長。每年四月到九月間的溫度適中，是大閘蟹活躍的生長期。

　　餵養大閘蟹的食物，大多為玉米、水草、南瓜、田螺與蚌肉等。近年來因為需求旺盛，很多求速的不良手法出現，影響水質，優氧化的情形嚴重，養殖業只好以抗生素對抗，結果影響了大閘蟹的品質。最近政府已出面管理養殖場的水質，並規定一畝的水域只能養三百五十隻，以保障其生態品質。

　　大閘蟹的重量，三兩到六兩不等。必須選購活的才新鮮。牠們有時會呈現冬眠狀態，要敲一下看看眼睛會不會動。腹部與腳的關節處要硬。選蟹的口訣是：「青背白肚、金爪黃毛」，即蟹殼平滑，均勻呈現青綠色，蟹肚則要晶白如玉，有光澤且不能有斑點。金爪是指蟹爪尖上細絲般的金黃色，看起來必須堅實有力；腿上的絨毛要長而密，以清潔不沾泥為上選。

　　陽澄湖的大閘蟹要過中秋以後才開始上市，越晚則蟹膏越肥美。一般是十月吃母蟹，十一月中以後吃公蟹，之後則公母均佳。大閘蟹買回家，可養在冰箱裡，可以養十天左右。蒸蟹時，放入一些紫蘇葉可去其腥氣。吃的時候，需先取出八角形的肺。本章節介紹了拆蟹進食的先後，以及如何製作蟹粉與蟹粉菜餚的搭配。

蟹粉的製作

1 拆蟹肉。

2 用螃蟹的小腿尖處當工具推出整條腿肉。

3 取黃膏。

4 刮乾淨。

水洗出黏在蟹殼上的殘渣。

6 加點溫水處理，保存所有的美味。

7 起油鍋加入大段蔥薑，與少許入味溫水拌炒，最後把蔥薑夾走，可灑點胡椒。

8 這一碗取一點點當提味料，可以過一年呦！

文化
食物

風
乾

醃製

我住過的房子，總有一個淋不到雨，也曬不到太陽，但一定吹得到風的角落，掛著火腿、香腸，或者臘肉。那個角落是一座寶庫，不時為我們的餐桌點綴嫵媚的色彩和誘人的美食。

　　我家阿姨，她燒菜的信心指數，就來自那個角落物資的多寡；其中最重要的是火腿。不管是來自浙江的金華火腿，或者來自雲南的宣威火腿，她只要拿根牙籤戳一下，鼻子湊近聞一聞，味道進了她的頭腦，晚餐桌上就融入她端出來的燒豆腐或煲湯裡。我自己婚後開始掌廚，更加了解火腿的價值。尤其家裡突然來了客人，只要確定有此要角，我的心裡就篤定多了。在中國傳統的食材裡，最能為餐桌加分的，莫過於「國色生香」的火腿！

　　雲南靠近緬甸邊境處還有一種著名的老窩火腿，是在海拔二千五百公尺的瀘水縣山區以放養土豬製成。由於地勢高冷，在鹽漬、煙燻等後製過程所需的時間比一般火腿短，所以能保持獨特的香氣。但這些火腿的運輸，需靠馬匹翻山越嶺一段時間，才能把這白族的私房美味送到城市。所以採購時要格外小心，因為醃製時間不長，有些部位容易腐爛。也因淘汰率高，成本相對增加，老窩火腿的價錢是一般火腿的八九倍呢！

　　一隻火腿至少有七八斤重，可以使用一長段時間。它的最前端俗稱火爪，接著是火踵，上方，中方與滴油。五個名稱的部位不同，處理與使用的功能也不同。它的精華之處是上方，蒸熟了可以切片當一盤菜，或切絲與其他菜餚悶煮。火踵一般先用熱水洗刷，除去表面污膩，再用冷水沖洗乾淨，常用來搭配其他帶皮的肉類同煮，比如火踵神仙鴨、金銀蹄等名菜。火爪與滴油適合燉湯，能增加湯的香鮮味。如果處理時碰到較厚的皮，可加點糖，使它容易軟化。

　　火腿的色香味俱全，是廚房裡的輔佐要角；不但能提升主菜的味道，而且可以增加色彩美感。但因它是用鹽醃製的，所以使用時要控制鹹度，免得破壞了鮮味和口感。我的習慣是，做菜如果使用火腿，就不再加入別的調味料。

　　現代的公寓房子，已經少有空間留一處風乾的角落，一切食物的保存也都交給了吹不進風的冰箱。火腿可以冷藏，卻絕不能放進冷凍庫，否則肉質和香味都會凍壞走味。其實，即使是放在冷藏室，我也覺得不如風乾的好。

風乾的角落

　　小時候我不懂自然保存的妙處，總覺得那塊風乾的角落是不能見陽光的灰色地帶，所以最不喜歡靠近那裡。尤其是火腿，表面似乎長著一層黑黑的霉，還有些小小的肉蟲在蠕動呢，看起來好噁心啊！家裡的大人一個月總要拿下一次，用布沾著火腿本身滲出的油或家裡的素油在上面擦拭整理。長大後我才知道，那些看起來噁心的東西，其實是風乾發酵的過程中的自然現象，而且會讓它的風味更香醇呢。我到西班牙時，看到他們會在火腿的下方，用鐵絲接一個小小的杯子，承接滴下來的油。

　　除了火腿，以廣式香腸為主的臘味煲仔飯，也是一道很受中國人歡迎的經濟美食。吃一碗臘味飯，有肉有飯有青菜，不用配別的菜色就有酣暢滿足之感。如果裡頭再加入鵝肝腸與鴨肝腸，就更是人間美味。

　　廣式臘味很容易買到，但鵝肝腸與鴨肝腸則香港才有；香港人管它叫鵝潤腸、鴨潤腸。鏞記的第二代老闆甘先生告訴我，他發現講究美食的法國人對鵝肝情有獨鍾，我們中國人好像沒有特別的興趣，於是將之開發成鵝肝香腸，上市後大受歡迎，成為香港的特色美食。

　　香港的「太子撈麵」，名稱很傳神，其由來是廚師忙於工作，無暇為孩子做飯，孩子肚子餓了，廚師就用臘味滴下來的油去拌撈麵。這碗簡單省時的撈麵，卻讓老饕們意外發現，驚為人間美味，紛紛稱呼廚師的孩子為太子，說他們也要吃一碗「太子撈麵」。可見臘味的誘人，連滴下來的油也能成為美食的要角。像臘味煲仔飯，它的妙處就是在蒸煮的過程中，香腸的油分滲透到米裡，使飯粒微硬又濃香撲鼻，而肉的本身則略有點粉的質感，不黏也不會鬆散，仍保有嚼勁的口感。

　　我在家做臘味煲仔飯時，通常會另外放幾片腸肉到湯鍋裡煮，煮出來的水加點薄醬油，來處理配在一旁的青菜；如果嫌飯乾硬了些，也可以澆一小匙在飯裡潤一潤。如用煲仔陶鍋在火上燒臘味飯，鍋底會有一點點鍋巴，那微焦而富嚼勁的感覺，更是完美的句點。

　　香腸的另外一款至寶，是比廣式香腸略甜的台式香腸。它除了是許多台灣人飯桌上的佳餚，在夜市或電影院旁「打香腸」更讓許多人留下快樂的回憶。你可以跟騎著腳踏車的小販買香腸，但選擇跟他賭則更有趣更刺激。

　　「打香腸」的車子上端掛著一條條誘人的香腸，底下是個像遊戲機的盒子，如果跟小販賭，有的是個轉盤，有根飛機指針，用轉的，比指針數字的大小；或是有個略斜的木盒子，從右下角用力拉彈簧，讓一顆金屬珠子彈到盒子的最頂端，珠子再經過一些小小的釘

針做的路徑，落入有數字的洞裡。你拉一次，小販也拉一次，比小販大就贏得一節香腸；小販會取一節香腸，夾一瓣大蒜稍微烤一下，那冒著熱氣帶點焦香的香腸就到了你的嘴裡。順著大蒜的辛辣勁兒及勝利的氣勢，那用力嚼食香腸的感覺真是過癮極了。

　　我已記不得跟誰去過電影院，也不記得看了什麼電影，但永遠記得那厚實的台式香腸，有著焦香和辛辣，入口後卻又一陣甘甜！如果加上珠子抵達彼端那打贏的喜悅，口裡的甘甜還會深入心裡，快樂好一陣呢。

　　中國人在過年前，家家戶戶都會製作香腸，除非自己要製作腸衣，否則可以買到現成的腸衣。如要自己做，先向豬肉攤訂整付小腸不要切斷，然後刮掉腸內黏膜再曬乾。豬肉要選用腿的部分，前腿有油花，比較嫩，簡單的配比是：瘦豬肉七五十克，肥豬肉二五十克，洗淨抹乾切丁，切得越細越好。調味料是糖一百克，鹽四十克，葡萄糖二十克，肉桂粉約五克，高粱酒一百克，腸衣五十克，薑汁與五香粉適量。

　　將調味料加入豬肉內拌勻，醃三小時。曬乾的腸衣浸入水裡泡軟，即可開始把醃好的肉灌進豬腸裡。腸衣的一端用白線紮緊，另一端則套到漏斗上，將肉料慢慢灌入，邊灌邊擠緊，小心不要把腸衣擠破，然後以約十五公分為一段紮起來。最後要用消毒過的針，在腸壁上刺些小孔，讓水分與空氣洩出來，放在大太陽下曬到乾燥發硬即可。如果天氣不好，可選個密閉的空間，用甘蔗皮燒煙燻乾，約需一天才能乾硬。更簡單的則是把香腸放在鍋子裡乾燒半天到一天。店家在製作香腸時，一般都會加一點點硝防腐殺菌，讓顏色紅潤些，賣相也比較好。

　　幾千年來，中國與外國香腸類的燻製過程中，一定有添加什麼來保存期限；老祖宗傳下來的方法，應該是經得起考驗的吧？唯一擔心的是現代人為了追求快速量產，可能添加了什麼化學成分，那是傷天害理的缺德行為，所以自己灌製不加添加物是最保險心安的。香腸一般的吃法是蒸和烤，但也可切片炒菜或切丁炒飯；灌一次香腸可以吃好久呢。

　　我記得幼時家中那個風乾的角落，還掛著一個好大的，黑黑灰灰的東西，看來有點怪異甚至恐怖的樣子。它一直掛在那屋簷下，沒有人去碰它，大概是不知如何處理吧？後來我才知道，那是朋友送給父親的一對魚翅；好大的一對，想必是一份很貴重的禮物。我不知道那怪物後來的去向，現在回想起來，當時一定價值不菲。最近籃球明星姚明發起不吃魚翅，很多人響應，我覺得是很有意義的一件事。希望從我們這一代開始，大家都能杜絕這個錯誤的飲食習慣。

泡菜

與小菜單

感謝　奚淞老師惠予刊載〈泡菜罈子〉之畫作

小時候大清早就有人推著這樣的醬菜車沿路叫賣，車上的鈴鐺聲大老遠就能聽見。醬菜車上有各式各樣的醬菜，還有各類豆棗豆腐乳及鹹鴨蛋、肉鬆、魚鬆等，一樣樣整理得有條有理，上面還罩著紗罩，給人一種琳瑯滿目而清潔衛生的印象。

我想醬菜車的小販一定知道哪家的女人最漂亮。因為那時女人剛睡醒，大多穿著睡衣端著盤子出來買吃稀飯的早餐配料，一臉素顏沒化妝，看得最清楚啊！

我深愛奚淞的一件畫作〈泡菜罈子〉。畫的本身有其藝術特色，畫中的陶罈則有器皿設計的實用性與科學性，並且蘊含著勤儉樸實的性格，包含著製作母水的親切傳承。除此以外，它與一般餐廳的泡菜缸不同，別具家庭的溫暖，母親的手感。

大千先生在世的時候，我曾跟母親去他的摩耶精舍吃飯。餐廳的後面有個庭院，靠屋子的牆邊放了好幾個大小不一的泡菜罈子，有的瓦罈沒有上釉，也有釉色豐富繽紛的。庭院鄰著外雙溪，放了一個好大的烤肉架，是大千先生自己設計的。那一排泡菜罈子和烤肉架，至今還清晰存放在我腦海裡。

多年後，我跟大千先生最小的女兒心聲重回已被政府指定為古蹟並開放民眾參觀的摩耶精舍，她指著那一排高度一致的罈子說，不對不對，這不是我們以前用的。心聲表示，她們用的不但有各式各樣的大小，而且每個都有存水托盤。我倆都感嘆物換星移，連泡菜罈子也不一樣了。

中國許多省份都有泡菜，但以四川泡菜最有名。大千先生是四川人，又是美食家，醃製泡菜當然也是很講究的。

四川人醃製泡菜，最重視罈子本身的密閉性，會選用具有隔絕效果的土陶或細磁罈子。要檢測罈子的質地，一說是把罈子對著亮光看，並用耳朵貼著聽，回音越大越好。還有一說是放幾張紙到罈子裡，用火點燃，蓋上蓋子，在存水托盤內注入水，如果水很快被吸光，表示這罈子會呼吸，是個好罈子。為了達到密閉的效果，他們還會在罈子上加扣一個碗壓住蓋子。因為製作泡菜的過程，就是需要在一個沒有氧氣的空間加速發酵。

泡菜、醃菜、醬菜的文化，代表著我們民族性中節儉樸實且務實的一面。在久遠以前沒有冰箱的年代，醃漬物具有可以久存的特性，而為了求其鮮脆爽口，在存放的器皿及製作方法上格外講究，使其既可作為開胃的菜，也可搭配新鮮食材燴製口味特殊的菜餚。川菜是中國八大菜系之一，如果川菜做得不道地，問題可能在搭配的泡菜不正宗。

　　可以醃製泡菜的青菜，包括芥菜、蘿蔔、捲心菜、豇豆、芹菜、大白菜、甘藍、辣椒、菜豆、萵苣等；只要選擇質地堅硬些的，其根、莖、葉、果都可做泡菜。洋薑、萵苣、嫩薑等則要先用淡鹽水浸泡一夜，去除太辛烈的味道。會出水的菜如黃瓜則要分開醃製。

　　一般的泡菜都不能放太久，否則會變酸，失去鮮脆感。但辣椒與薑則可以存放一年以上。所以心聲才會說，家庭泡菜罈子，一定有很多個不同大小的，便於存放性質不同的蔬菜。小時候我們家並沒有標準的泡菜罈子，任何醃泡菜的器皿外面，都會用油紙或塑膠紙裹起來加強密閉的效果。這次為了拍照，我醃漬時選用玻璃缸，才能看清裡面的醃漬物。

　　泡菜好不好吃，最基本也最重要的是罈子裡的老母水。只要懂得持續的保持鹽水酸度的動態平衡，視加入新的菜的份量調整鹽、花椒、薑片、白酒量，則母水越用越好，歷久彌香。古代四川人嫁女兒，準要給女兒備一罈老母水做嫁妝的，這是一個傳女不傳子的罈子。老四川人很挑剔第一次做母水的起罈水，要用生水，原因是要它不嬌氣，並且不易生黴花。然後把普通青菜晾乾放入，一層鹽一層菜，壓緊，過一周後把菜擠乾丟掉，再以同樣的方式做幾次，累積起來的水即為母水。影響這母水品質的，當然還包括鹽。四川的鹽，是鑿井汲鹵煎製的井鹽，和我們一般用的海鹽，風味大概是不一樣的。此外，我阿姨說，四川獨特的「胭脂蘿蔔」是製作泡菜的重要材料，因為不易長黴花，靠它來養那重要的母水。

　　除了有名的四川泡菜，中國各省也都有獨到的醃漬方式保存食物。現在有各種口味的泡菜，也都很好吃，但四川泡菜有其地理上與文化上的特殊性；別地方的泡菜就是泡菜，而非口感獨特的「四川泡菜」。

　　泡菜製作前，要先去除老根、黃葉，洗淨切成條、塊或掰開後在太陽下曬乾，放入母水後可再加入鹽、薑片、花椒、白酒、辣椒等基本佐料。如果母水太鹹，可以倒出一些，但不要倒掉，這寶貝還可以分給別人用。

　　台灣的客家人，也很會醃漬，材料則以芥菜為多，依照不同的季節醃製酸菜、榨菜、梅乾菜、雪裡紅、客家福菜等；瓜類則有冬瓜、大黃瓜、小黃瓜、茭瓜、洋香瓜、苦瓜等，材料十分豐富，口味也很多元。

袁枚的《隨園食單》有一份小菜單，清楚寫明醃製的菜色與分類，尤其重視材料的季節性，特摘錄如下供讀者參考：

醬王瓜王瓜初生時，擇者醃之入醬，脆而鮮。**醬瓜**將瓜醃後，風乾入醬，如醬姜之法。不難其甜，而難其脆。杭州放魯箴家制之最佳。據云：醬後曬乾又醬，故皮薄而皺，上口脆。**瓜脯**菱瓜入醬，取起風乾，切片成脯，與筍脯相似。**醬姜**生姜取嫩者微醃，先用粗醬套之，再用細醬套之，凡三套而始成。古法用蟬退衣入醬，則姜久而不老。**風瘰菜**將冬菜取心風乾，醃後榨出鹵，小瓶裝之，泥封其口，倒放灰上。夏食之，其色黃，其臭香。**糟菜**取醃過風瘰菜，以菜葉包之，每一小包，鋪一面香糟，重疊放罈內。取食時，開包食之，糟不沾菜，而菜得糟味。**酸菜**冬菜心風乾微醃，加糖、醋、芥末，帶鹵入罐中，微加秋油亦可。席間醉飽之余，食之醒脾解酒。

臺菜心取春日臺菜心醃之，榨出其鹵，裝小瓶之中，夏日食之。風乾其花，即名菜花頭，可以烹肉。**大頭菜**大頭菜出南京承恩寺，愈陳愈佳。入葷菜中，最能發鮮。**蘿蔔**取肥大者，醬一二日即吃，甜脆可愛。有侯尼能制為鯗，煎片如蝴蝶，長至丈許，連翩不斷，亦一奇也。承恩寺有賣者，用醋為之，以陳為妙。**醃冬菜、黃芽菜**醃冬菜、黃芽菜，淡則味鮮，鹹則味惡。然欲久放，則非鹽不可。常醃一大罈，三伏時開之，上半截雖臭、爛，而下半截香美異常，色白如玉。甚矣！相士之不可但觀皮毛也。**萵苣**食萵苣有二法：新醬者，鬆脆可愛。或醃之為脯，切片食甚鮮。然必以淡為貴，鹹則味惡矣。**香乾菜**春芥心風乾，取梗淡醃，曬乾，加酒、加糖、加秋油，拌後再加蒸之，風乾入瓶。**冬芥**冬芥名雪裏紅。一法整醃，以淡為佳；一法取心風乾，斬碎，醃入瓶中，熟後雜魚羹中，極鮮。或用醋煨，入鍋中作辣菜亦可，煮鰻、煮鯽魚最佳。**春芥**取芥心風乾、斬碎，醃熟入瓶，號稱「挪菜」。**芥頭**芥根切片，入菜同醃，食之甚脆。或整醃曬乾作脯食之尤妙。**芝麻菜**醃芥菜乾，斬之碎極，蒸而食之，號「芝麻菜」。老人所宜。

我相信所有醃漬菜的方法，大多不離袁枚所說的範圍。梅乾菜等經過曝曬可以久放，泡菜如果不是一次吃完，一定要用乾淨不帶油的筷子夾取，才不會長霉變味。

靠著交通的便利，一些可以久放的醃漬品可以在國外的中國超級市場買到，讓很多旅居國外的人嚐得到家鄉味。我在美國時，當地的中國朋友教我一道簡單而開胃的料理：把雞肉洗淨切塊，配一瓶醬瓜一罐啤酒同煮，靠醬瓜罐裡的醬汁與啤酒的泡沫入味，又快速又好吃。這簡單有味的「醬瓜雞」，想必是旅居國外的中國人，在忙碌的生活中靈機一現，結合了思鄉與異國的食材所發明的吧？

老雪裡紅

雪裡紅

客家酸菜　青雪裡紅

碎雪裡紅　窄菜　碎豇豆

老鹹菜　豇豆

酸菜心

酸白菜　客家酸菜

酸白菜　　　　　　　　酸菜

　　　　　　　　　　　豇豆

　　　　　　　客家酸菜

酸菜心　　　雪裡紅

　　　　　　　老鹹菜

　老雪裡紅

　　老菜心　　　　　青雪裡紅

零
食

樸質的年代，滿溢的幸福

一九八一年，張艾嘉唱的〈童年〉響遍台灣的大街小巷；那首歌是羅大佑作詞並作曲的：

池塘邊的榕樹上　知了在聲聲叫著夏天
操場邊的鞦韆上　只有蝴蝶停在上面
黑板上老師的粉筆　還在拚命嘰嘰喳喳寫個不停
等待著下課　等待著放學　等待遊戲的童年

福利社裏面什麼都有　就是口袋裏沒有半毛錢
諸葛四郎和魔鬼黨　到底誰搶到那支寶劍
隔壁班的那個女孩　怎麼還沒經過我的窗前
嘴裏的零食　手裏的漫畫　心裏初戀的童年

總是要等到睡覺前　才知道功課只作了一點點
總是要等到考試以後　才知道該唸的書都沒有唸
一寸光陰一寸金　老師說過寸金難買寸光陰
一天又一天　一年又一年　迷迷糊糊的童年

沒有人知道為什麼　太陽總下到山的那一邊
沒有人能夠告訴我　山裏面有沒有住著神仙
多少的日子裏　總是一個人面對著天空發呆
就這麼好奇　就這麼幻想　這麼孤單的童年

陽光下蜻蜓飛過來　一片片綠油油的稻田
水彩蠟筆和萬花筒　畫不出天邊那一條彩虹
什麼時候才能像高年級的同學有張成熟與長大的臉
盼望著假期　盼望著明天　盼望長大的童年
一天又一天　一年又一年　盼望長大的童年

　　這首歌詞，寫盡了台灣四、五年級生的童年心聲。在那物資並不充裕的年代，盼望長大的我們何其幸運，擁有一個快樂而默契十足的幸福回憶。那些童年的玩樂，即使如今人到中年，每一個場景回想起來仍然如在眼前那麼鮮活。

　　尪仔標打出不重疊的贏家；尪仔仙打入最靠近牆角的功夫，造就男孩子桌上那一小疊的戰利品；大夥尋找空地畫個三角形，分別把彈珠放入，看誰滾到最遠的，就是下次彈珠比賽的開珠者。踢毽子時，邊踢邊數數，「王一、王二、王三……王七、王八、王一、王二……」，一個接一個傳的是尼龍繩做的毽子。巷弄裡任何一塊空地，都有粉筆畫的跳房子的格子；「小皮球，香蕉油，滿地開花二十一，二五六，二五七，二八二九三十一……」。

男孩子褲袋裡總是插著粗樹枝做的彈弓，隨處找著可以做彈丸的材料；女孩子則相互用兩個指頭勾結著一條紅繩；省下來的幾毛錢到雜貨店買染紅的芒果乾，同時戳一個洞洞樂，換個橄欖什麼的。手臂上掛滿的橡皮筋，隨時準備迎戰；一張自繪的尋寶圖，捲捲開開的要每一個人來尋寶；兩個養樂多空罐子變成的電話聽筒，傳遞很多不能給媽媽知道的訊息；一整張方形紙摺的「東西南北恰北北」可以把玩上好幾天；棉質廢布車出來的小沙包，在空中飛來飛去個數，「城門城門幾丈高，三十六把刀，騎白馬，帶腰刀，走進城門滑一跤」，抓到的人要就地被罰；因為身無寸鐵，大多是罰彈耳朵，有次我的一隻耳朵被彈成粉紅色。哥哥們玩官兵捉強盜的遊戲，我硬是要參一腳，增加一個護士的角色。人多的時候，有人大喊著「大風吹，吹什麼？」我最喜歡説「吹穿裙子的人」。一支小小的竹蜻蜓，我們也要比著看誰的飛得最高……尖尖的陀螺軸心戳壞了家裡的地板，媽媽指著地板罵：妳看看！妳看看！而且跟哥哥們總有一兩次枕頭大戰，直戰到媽媽出面怒斥才熄火……。

雜貨店裡的洞洞樂有著致命吸引力，害我偷拿抽屜的零錢被媽媽發現，把我關到樓頂的閣樓上，我哭得大叫，後來還離家出走到阿姨家。好友佳君的一塊錢零用錢買的零食，會省下來跟我在補習回家的路上分享；第一次與佩珍跟兩個男生去約會，打完籃球，大家在籃球架下分享乖乖還有氣球包著的圓形果凍……手掌心中那一小塊零食，有著我們太多的回憶與滋味。

上初三的時候，同學陳婉蓉帶了醬油瓜子到學校，全班一人分一把。那東西一吃就止不住上癮，數學老師一狀告到訓導處，全班罰站，傳聞可能全班要記過，後來演變成全班集體安慰模範生張嬌，因為她自覺對不起爸爸而決定要尋短……。

佳君、佩珍與我是老師眼中調皮的三劍客。我們會拿著羽毛球拍當吉他，表演著諧星的動作，逗得老師哭笑不得。有一次，上數學課，我不專心的把玩著原子筆，結果不小心掉到地上，趕緊低下頭去撿。這一低下頭發現：哎呀，老師的鞋子怎麼一隻黑色，另外一隻咖啡色？我於是像發現了新大陸，跟佳君、佩珍猛使眼色，她們看不懂，我就把筆滾到地上，彎下身撿給她們看。當她們也意會過來時，我們就開始試著讓全班知道；大家都假裝不小心掉了筆彎下身去撿。老師發現了，生氣的問道：「任祥，妳在做甚麼？」我就説：「老師，我今天眼睛怪怪的，看咖啡色跟黑色怎麼都一樣？」老師低頭一看，突然尖叫一聲「天呀！」就衝出教室回家去換鞋子啦。

老師一走，換我們三劍客上台，讓數學課有一個中場休息的表演秀。同學拿出書包內藏放的零食出來開心的分著吃，我們三劍客則在講台上表演老師被糗到與慌張的樣子，連她坐計程車趕回家再趕回來的樣子也表演得惟妙惟肖，把全班笑到翻了！

童年只有一次，當年的童玩卻讓我們找到值得驕傲的簡約創意手玩，孩提時代那份單純的遊戲規則，讓我們擁有著相同的默契與自信。許多童玩已經消失，零食則伴隨著童年的回憶，演變得越發的香甜了。

我們生長的年代，是安定的，樸素的。我們的信仰何其單純，資源何其有限，好像擁有的很少，但我總覺得，我們──是滿溢著幸福的一代。

煎餅
米果
糕羹

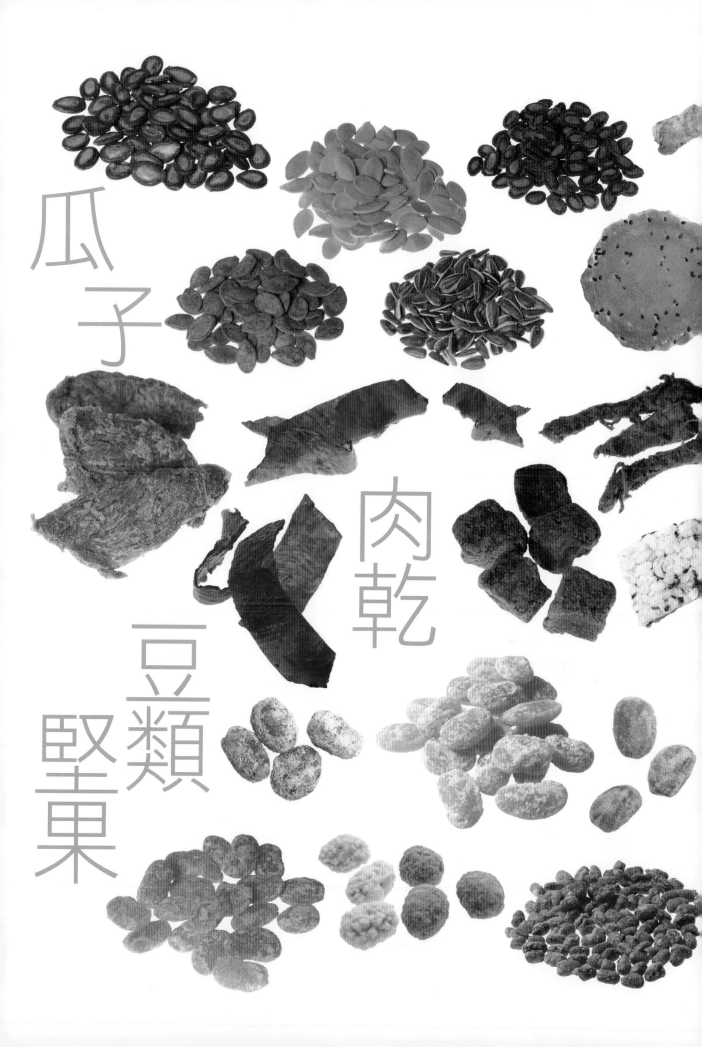

瓜子

肉乾

豆類堅果

糖
果

涼喉糖 涼喉糖
BEST FOOD
忠興糖果廠出品

DOUBLEMINT

匠心手藝

歡樂派對宴客

現在的孩子也許兩三周就有一次同學的生日派對，加上向西方學來的萬聖節派對，聖誕節派對，新年倒數派對……，可以開派對的名目很多；每次幫孩子辦派對時，我好像是藉機圓了自己童年的夢一般，因為每一個孩子，對於派對都有很多的憧憬，懷著很多好事情即將發生的興奮期盼。我的大女兒姚姚七歲快掉牙齒時，我學西方人哄她不要怕痛，放了個盒子在她枕頭邊，當她把牙齒放進盒子前問我：「牙齒仙女來拿走牙齒，會不會在我們家開派對？」我說：「會呀！」等她熟睡後，我把她抱到我房間，在她房間佈置牙齒仙女的派對會場。我把會亮的粉黏灑到星星上，貼在她的屋頂，再散置幾顆糖果在地板上，然後抱她回去繼續睡。第二天她一起床就衝進我房間說：「真的真的來了！」我還故意問：「那她們帶走妳的牙齒沒有？」

這個祕密派對，由老大傳到老二，老二傳給老三，他們知道牙齒仙女會來辦派對，都不再怕掉牙。有天我在隔牆房間聽到老二問老大：「我昨晚看到媽媽在放東西耶！？」老大回說：「有時牙齒仙女會扮成媽媽的樣子，你才不會害怕呀！」可見這個夢中派對在孩子們心中有多麼不尋常。

舉辦派對的目的，就是要讓所有人開心。多年來，我張羅過很多派對，雖然有點辛苦，但絕對是值得的，因為它總是帶給孩子們或朋友們美好的片段回憶。

　　不論哪一種派對，主題的設計不外乎整人的、親切的、幽默的、浪漫的、隆重的，或是有特別的事件。整人的辦法有很多種，我並不欣賞美國那種用奶油塗到別人臉上的整人法，黏膩膩的有點噁心。我策劃過一次整人派對，方法是事前做了一本幾可亂真的《中國男人》雜誌，版權頁的出刊日與派對同一天，很像一本剛出爐的雜誌。封面照片是派對當天要過四十歲生日的壽星，內文則以一千五百字的篇幅報導他近期的糗事。壽星在商業界小有名氣，看到報導以為是真的，緊張了一晚，直到派對快結束，我才揭穿這個整人劇碼，所有賓客也享受了特殊的懸疑氣氛。

　　我參加過一場生日宴會也很特別，壽星以007詹姆斯龐德的造型與音樂進場，壽星的太太則扮演劇中的美女，會場輕鬆而富戲劇效果，讓客人不覺得只是吃一頓飯。還有個朋友，為她先生籌辦生日派對，事先保密到家，數百個客人也全部配合，讓壽星在生日當天從懷疑到驚訝，從驚訝到喜悅，從喜悅到開心暢飲，非常溫馨，令人難忘。另有一場婚禮也很特殊，不但沒有沉悶冗長的長輩演講，新郎新娘還像演員一樣的做show給大家欣賞。我有個朋友是位成功的女律師，為了愛女出嫁特別向公司告假兩個月，專心的籌劃她女兒的婚禮細節，最後成功的讓賓客們走進她女兒的成長過程，是一場成功的婚禮派對。

　　成功的派對，少不了特殊的佈置，讓人享受迥異於日常生活單調的氣氛。掌握不一樣的氣氛，是舉行派對的第一個要素。決定了該有的氣氛後，即可兼顧各種佈置的細節，依環境而盡心佈置。

　　佈置會場，我最注重的是入口、洗手間與餐桌。入口是表示歡迎之意；洗手間插點花放個燭火，搭配點飾品，也是情調的安排；餐桌的擺設，則分成中間有一個焦點與個人餐具範圍的焦點。中間的焦點可以是一盆花或是藝術品，個人的部分則可以利用口布環來達到效果。一般稱呼餐桌正中間的那盆花叫中央盆花，要有圓滿完好的造型，需要很多花材才能呈現出來，若要向花店訂購，價格很昂貴。我利用一個圓形的底座，鋪上吸水海棉，把蠟燭的位子先空出來後，利用葉子的高低蓋住塑膠的部分，再選幾朵半開與盛開的花朵，抓住眾人的視線，最後點上三根蠟燭或油燈，就是一個美麗造型的盆花。不過在搭配上葉材要選小一點的，比如尤加利，一根長長的，可以剪成很多段分別利用。吸飽水的唐棉，一球一球的，也很討俏。花材則選擇較高檔的，可以滿足近距離的觀看，省錢而又效果佳。

　　為了增加效果，佈置會場有時需要道具的輔助，有些道具也不需特別添購，以平日累積的拉雜小東西也能佈置出特殊的氣氛。比如孩子們的玩偶，平日的塗鴉，色紙做的捲圈，收到禮物的緞帶等，都可以拿來點綴會場；再以蠟燭、氣球、花材、音樂等為會場增加氣氛。

　　燭火讓人有柔和的感覺，如果是燭光晚餐，我比較喜歡用紅色，顯得喜氣，映到人臉上也

美。但若用蠟燭會滴下眼淚，不好整理，近年我比較偏好油燈。油燈點燃於室外最是浪漫，缺點是風吹雨打一下就熄滅。後來我設計了一款油燈座子，以玻璃與竹節意象的銅器結合，利用下方透氣與頂上罩子側面透氣的方式，設計香菇形狀的罩子，風雨很大也不會直接灌入，可佇立於風雨之中而不熄。最重要的是，這樣的油燈可以使用一般家庭炒菜的油，比較安全。而裝油的玻璃器皿質感剔透，且以燭籤即可點燃火苗，能讓它隨著油量減少而逐漸降低高度。如果在玻璃器皿外面套上不同顏色的色紙，燭火穿透玻璃能輝映出不同的色暈。我曾在一次晚宴時把罩上紅紙的油燈擺在樓梯上，紅色的光暈像星光大道一樣的歡迎著賓客，也讓賓客體會到一種浪漫的神秘感。

這款油燈設計，我歷經兩年實驗才告成功，中間的困難度極高。

派對的餐飲當然也很重要，視派對的性質分為輕鬆簡餐與正式套餐兩種。甜點是氣氛的一部分，最好做成一口一口的，可以當成高高低低的排列展示，讓人有賞心悅目的感覺。

如果能夠提供一份菜單，則可以讓客人知道怎麼樣分配當晚的胃口。最近流行很多人一起燒飯的趣味，菜單也可以扮演告知菜色與趁機幽默一下的角色。

禮數周延的主人，通常會事先規劃座位的次序。我的習慣是，除非特別需要安排主客與陪客的順序，一般比較喜歡用抽籤的方式，讓座位大小的問題迎刃而解。譬如接近過年期間，可以選用吉祥對聯，下聯放在座位上，客人抽到上聯就去找下聯坐下。還有一種最常用的辦法是用撲克牌配對。如果一定要排位子，我會利用客人的名子、職業、擅長，做一個小紀念品。我有一個雕刻機，可以雕刻文字，選用木頭刻出例如「任祥藏書」這類實用的個人用品。有個朋友飽讀詩書，我以「XX晒書」幽默他一下。有一群很熟的朋友聚會，有心臟科醫生，有腸胃科醫生，我選相關的辭句讓他們去找屬於自己的「安心齋主」與「鐵漢柔腸」。有一位人脈廣事業有成的朋友，則認了「笑傲江湖」。這種無言恭維的方式，任誰都會打從心裡開心的；請客就是要讓客人開心嘛！

做客人，也是需要講禮節的，最好不要早到也不要遲到。早到了，主人可能還沒準備好，正處於手忙腳亂的狀態；遲到了則讓其他客人等待，也讓主人為難。尤其中國人忌諱多，如果沒有準時赴約，臨時位子缺個空，總是不圓滿，或是造成十三這個不吉利的數字，讓主人一時措手不及。我小的時候，家裡請客如果某位賓客臨時缺席，我就常被叫上桌遞補那個空位。

做客人的另外一個禮節是要帶個伴手小禮物以示感謝，可以事先請問主人需要幫忙帶些什麼與宴會餐點有關的食物或飲料。如果沒有事先協調好，最好不要送蛋糕，因為主人通常已準備了甜點，送蛋糕會增加主人冰箱的負擔，而一般人家的冰箱不一定放得下體積大的蛋糕。

賓主盡歡，是宴會的目的，掌握氣氛的控制，菜餚的美味，飲料的助興，音樂的選擇，如果是一群不熟識的朋友，則還得為話題做點準備工作等，這些都是主人事先該思考的工作。

感謝君品酒店提供攝影場地

請帖的設計

　　成功宴客的第一步，是先以請帖整合共識。宴會的主題，時間，地點，參加者，聯絡資訊等，都需在請帖上註明。請帖製作的精緻與資訊的清晰，能讓客人有所準備與期待。我把曾經對不一樣派對形式的請帖設計辦法提供出來作參考：譬如一場生日派對，來賓約二十來人，可以用生日快樂歌的歌譜做請帖的封面，賓客名單則以豆芽菜為欄位的方式清楚註明。如果是婚禮的請帖，新郎新娘是主角，可用雷射切割壓克力字的手法，把男女主角的名字切割出來，再以做手工紙的手法，把壓克力名字淺淺的鑲嵌於紙漿間，搭配上乾燥花，乾燥後就成了別緻浪漫的婚禮請柬的封面。如果是請義大利式的菜餚，可以利用義大利麵作為請帖的素材。如果是長輩壽宴，則以壽桃與蝙蝠的圖騰，象徵長壽與福氣。若是品酒宴，可以酒詩為題材，或把所有有酒字邊的字都挑出來做成卡片邊框。如果是麻將派對，就以「下戰帖」的形式增加輸贏的氣氛。如果是小孩的派對，可以用糖果直接黏在卡片上……。請帖的設計，可有各種巧思，呈現多元的風格。

　　請帖若附回函，通常是要求賓客註明參加人數，是否茹素或其他飲食忌諱等問題，賓客也都該盡到禮數回覆主人。

　　花點時間製作請帖，其一是表示隆重的邀請，其二是資訊的傳達。講究禮數的賓客，會在宴會之後寫一封謝卡給主人表示謝意。這些看來都是小事，但累積起來會串成一個人對禮數的態度。

口布禮物
的設計

近年來參加的婚禮，主人大多會在餐桌上備放禮物給賓客。有些一般的宴席，主人也準備禮物給客人。這使我想起六年的小學生涯裡參加過兩次同學的生日派對，第一次臨走時，同學媽媽還送每個小朋友一隻鵝黃色小雞作為贈禮。那個愉悅的感覺一直深留腦際，讓我後來也喜歡送人小禮物。

小禮物的設計，可以在口布上繫個質地柔軟的絲絨蝴蝶結，紮上個小東西，或用緞帶捲成一朵花等等。有一次聚餐有不同國家的人，我擔心客人互不熟識，名字會叫錯，乾脆把名字放在口布圈上，用兩張塑膠布夾起來，加個鎖口，墊一張小圖紙，請客人戴在手臂上。客人心照不宣，可以親切的交談。同時也可以讓賓客當成禮物帶回家。中國結，通常都有好聽吉祥的名字，也是很好的口布小禮物。

蛋糕 的佈置

小學時參加的另外一次同學的生日派對，也是至今記憶猶新。主人是從美國福特汽車公司搬回來的西化中國人，他們的兩個女兒是所有同學最羨慕的，因為她們的生日好像是我們在圖畫中看到的美麗公主的生日派對，有氣球，有糖果，有汽水，還有那位母親親手做的美麗的多層糖霜蛋糕。多年後我幫孩子辦生日派對時，也學著自己做蛋糕，讓派對出現那美好的景致。蛋糕美麗又可口，總是讓人期待的。

　　台灣早年的蛋糕，以明星、紅葉與順成最有名，進而是唐琪與南西老師引進具創意的西式泡打奶油蛋糕，也培養了很多優秀的學生。最近幾年，各式各樣的烘培蛋糕湧入台灣，造型和口味也更豐富了。

　　自己做蛋糕其實非常好玩，擠花更像是藝術家的工作。近年流行一種可以放幾個月的糖花，選擇一種特殊的造型奶油，讓視覺效果格外美麗。我的孩子小的時候，我在蛋糕上塗一層奶油，把小道具放到蛋糕上，插上蠟燭，他們就很開心了。後來乾脆自己設計了一個盤子，讓盤子的四個角落長出一根小棍子，可以把氣球棒或是鐵絲棒插進去，利用那些道具拉出些線條來，吊點小東西，產生裝飾的效果。這樣就不用在吃的蛋糕身上做文章，更衛生也更簡便。有時幾個朋友託我做蛋糕與禮物，我就把麵粉與糖混合成糖衣，擀成平面鋪於蛋糕上，側面用餅乾裝飾，用緞帶綁起來，可以形成一個乾爽的表面，適合把小禮物放在上面，也可以在蛋糕身最底端埋個蘋果，借蘋果的硬度來插根管子，達到懸掛訊息的目的。總之，自家做氣氛蛋糕，沒有商店的擠花技巧，但善用這些法則不但省錢，效果也一樣好。如果是一個大型宴會，因為人多，來不及切蛋糕，則可以先切好，這時可以用字母模子的手法，切出訊息，既可傳達訊息，兼具視覺美觀，也顧及時間分配的問題。長輩過壽，可以採用一種母子壽桃，把小壽桃塞入一個大的壽桃中，是一個很討喜的手法。蛋糕上的蠟燭，我則做過一個誇張的設計，有個朋友過生日，他是個愛說話的人，以前的經驗，他都在點燃蠟燭後開始發表感謝詞，等到蠟油滴下來，還講不完。他過六十歲生日時，我排上可以燒幾個小時以上的蠟燭，並以雲龍柳與九曲編成一個籃子的把手造型，一口氣點燃六十支蠟燭，讓他開心的發表長篇大論，大夥在六十燭光的襯托下拍照，再請壽星吹熄所有的蠟燭。效果很溫馨，也極為美麗。

Liberation for Pearl's Big Five-Oh Birthday

Happy Birthday

Happy Birthday

匠心手藝

插花

的陳列與手法

這盆中央盆花總共利用了八枝唐棉、三枝雞冠花、一串擴葉武竹、三枝天鵝絨、六朵鬱金香、四枝綠雞冠、三枝乒乓、四枝雷絲、一枝尤加利。

花材的點綴可以讓人賞心悅目，花朵的氣味則可以讓人心曠神怡。

我有很多機會插大型花藝，很喜歡為台灣豐富的葉材找到表現的舞台，由於葉材的體積較大，通常都陳放於大型宴會的入口。花材一定要選當季的，最美也最安全。如果要用不是當季的花色就比較富挑戰；我就曾經為了顏色而讓花朵吸有色墨水，雖然染色成功，但不能持久。

我對賣東西給我的攤販一向有感情，買定了就一直向同一個人買。唯獨買花材無法專一，因為經驗久了發現新鮮才是最重要的考量。尤其是打電話訂花，收到的大多比較不新鮮。所以每次要佈置會場，最辛苦的就是起個大清早，親自到花卉市場挑選。台灣的花卉運銷辦得很好，分成種植花卉市場與切花市場，有些喜歡搞藝術的外國朋友來台北，我帶他們去花卉市場參觀，他們都驚艷得口水快要流下來。

台灣不像美國有whole sale制度，每一個人都可以自己玩插花，通常這些奇花異草也並不昂貴。自己玩與花店專業插花是很不一樣的，可以各取所需，什麼奇靈古怪的東西都可以變成藝術品。插花其實不需要專業經驗，只要注意線條、色系與現場的搭配即可。至於色彩的選擇，用一個主要的顏色最保險，比如綠白、紅色系、黃色系。儘可能不要混色，因為來賓的衣著已經夠花雜了，花的顏色一多，主色調就看不到了。梔子花、夜來香、尤加利等會散發香味，讓人放鬆，近距離的餐桌陳列，可以搭配這些有香味的花朵。

成功的派對花藝，線條要與現場搭配，並且要能展現色系與香味。現代感的室內設計，我喜歡傳達大自然的氣息，佈置多以葉材為主要素材，重視葉材枝幹的顏色，拉出瀟灑的線條來，花朵反而只是點綴的配角。但若在裝飾繁複的歐式室內空間，就需要濃郁的花朵色彩來搭配較繁複的室內設計了。

此外，我也會視情況利用花藝來傳遞訊息。我有個好友，在十年間成功的完成了一件創舉，正式發表當天，我插了一盆十二米長的花送她，慰勞她的辛苦。十二米長的花藝，其實等同於裝置藝術。為此，我去她們公司的媒體剪報室，把那十年間發生的所有事件，不管好的壞的，褒的貶的，善意的惡意的，所有的報紙頭條都抄錄下來，然後摘錄幾個或幾行字，以不同的字型與字級大小，印在一百八十張編了號的橘色透明膠片上，依序插在這一大盆花的中間。巨大的葉材好找，但花材不夠多，這些含有訊息的橘色膠片穿插在眾多綠色葉材中，也有花朵繽紛的效果。我還把透明絲帶染成黑色，搭配成串圓珠形的橘紅色「狀元紅」，並在作品頂端飄浮許多繫著黑緞帶的橘色汽球，藉以突顯該企業的LOGO顏色。我構思這個作品，是想嘲諷台灣的媒體治國，要完成一件高難度的公共工程需要具備多大的耐心、毅力和勇氣。這一件作品，將主人的辛苦歷程、光榮與委屈表露無遺。編號為第一的卡片，我是這樣寫的：應以何身得度者，即現何身而為說法，Nita築THSRC的過程，當有知音。願氣球的喜悅能稍撫她的委屈，以狀元紅的意義讚嘆她的成就。

秋之禮

月亮

肥皂禮

抓準了秋天的橘色與黃色系，調製皂基成分與顏色倒
入模子中，把洗澡用的老絲瓜囊整條泡入，待凝固後，切
成片，就是方便的洗浴禮品。包裝也貫徹秋天的色系，成
為訊息清楚的秋節禮品。

詩人蘇軾的〈水調歌頭〉中有一句「但願人長久，千里共嬋娟」，是我很喜歡引用的詩句，這次特別以脫蠟的形式表現出來。一支美好的蠟燭，總讓人捨不得點，於是我用蠟做身體，挖一個長洞，塞一根裝了燃油的試管在其中；試管上再車一個不鏽鋼的線蕊頭。這樣的設計，既能看到燭光，蠟燭也能長長久久。配合它的包裝，也是一個聰明的盒子。

但願人長久 蠟燭禮

蘋安

團圓燭

　　這個禮物的主題是「平安」，選的是蘋果蠟燭。禮品的包裝，選用像布一樣厚軟的紙材，燙上黑色的詩句。透過燙黑的處理，詩句好像崁入了紙張，效果非常好。我選用的詩句是宋朝詩人程顥的〈秋月〉：「清溪流過碧山頭，空水澄鮮一枝秋；隔斷紅塵三十里，白雲紅葉兩悠悠。」我好喜歡其中的氣氛與意境。因為不敢麻煩書家大師寫字，我用美工工具書的現成字帖，抓出所有文字的草書，再用Photoshop軟體，將字體整合，加粗或修細的呈現出來。效果雖然不如大師的書法，不過也點出我所嚮往的意境啦！

我把〈月亮代表我的心〉那首歌視覺化，
將公平交易法的咖啡豆，經過真空處理後裝入
大小不一的盒子中，搭配咖啡色與淺藍色的包
裝紙與緞帶，呈現出一種高雅的氣質。

月亮

咖啡禮盒

秋之果

　　以南瓜或柿子傳遞金桔色的氣質,這是一種敘述著秋天來了的手法。每次設計禮物的當下,我都會幻想著收到的人會怎麼延續使用,所以容器要能再度使用為重要的原則,我找到現成的塑膠球體,還有扁橢圓的器皿可以使用。求教於精通編織在上海的周真華阿姨,試了好多回不同的編織手法,也嘗試各種不同的葉子與枝藤的層次感,不同的毛線顏色搭配,還有不同的底部收編法,成就這組秋之果的秋禮設計。

台灣新竹縣的北埔盛產柿子，我把歷經繁雜手續自然風乾的柿子，填入黑砂糖麻糬和綿密的紅豆沙餡料，再把它放到精細編織的小竹籃裡。竹籃中放著兩雙筷子，交錯出一個三角形的空間盛放這事事如意的柿子；兩張透明的塑膠紙，夾著一片南天葉，則帶出自然的色彩意象與秋禮的訊息。最後的兩個曬衣夾子，相信會讓收到的人有一種親切的感覺吧。

柿

如意禮

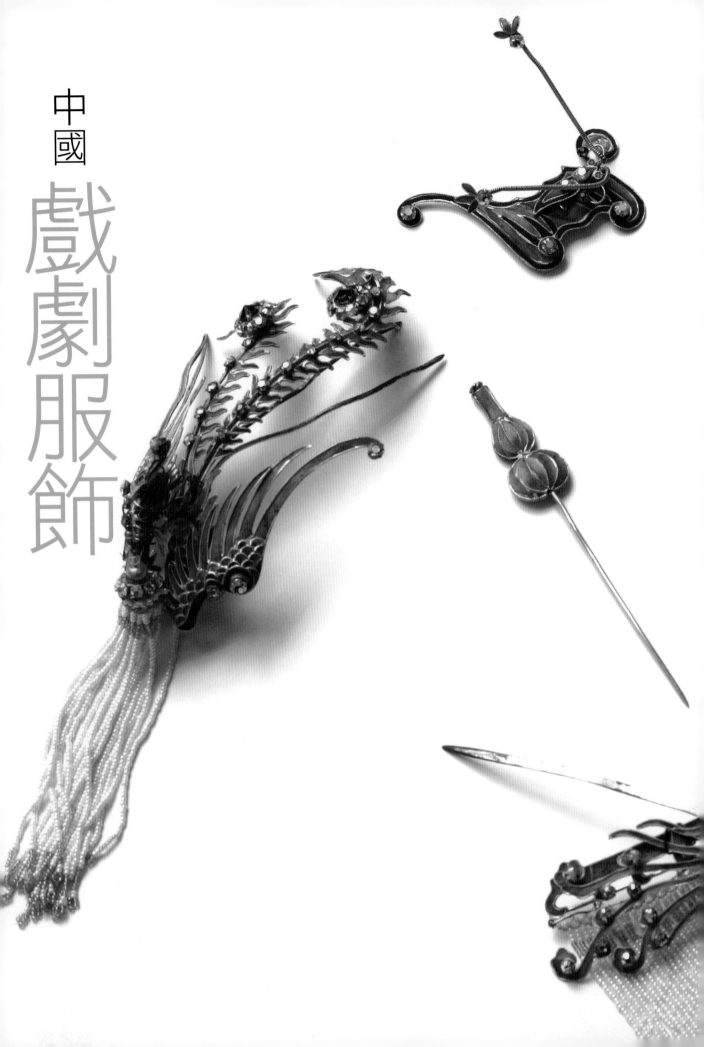

中國

戲劇服飾

點翠

肩

大鳳冠

對領襖裙

盔頭

褶子

裙

翎子

女靠

紅硬素褶子

旗鞋

下甲

箭衣

女斗篷

富貴衣

蟒

服飾

女帔

帔

靠

馬褂

絳色官衣

粉紅帔

趙匡胤

雷公

姜維

夏候惇

包拯

司馬師

竇爾墩

王廷章

趙公明

孟良

聞仲 楊戩

巨靈神

徐延昭

曹操

張飛

楊延嗣

孫悟空

鄭子明

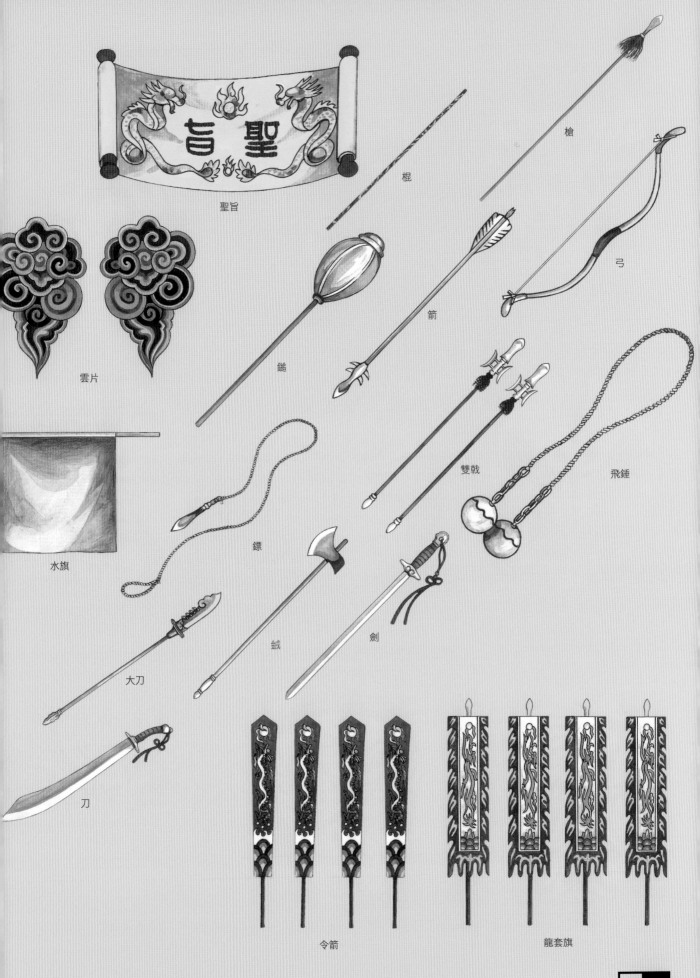

聖旨

棍

槍

弓

雲片

鐧

箭

水旗

鏢

雙戟

飛錘

大刀

鉞

劍

刀

令箭

龍套旗

道具

椅　　　　　桌子　　　　　椅

火旗

門旗

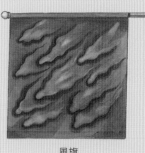

風旗

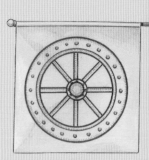

車旗

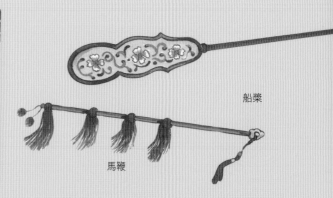

船槳

馬鞭

布城

齊家心語

漢 (6BC~9AD)	新莽 (9~25AD)	東漢 (25~220AD)	三國 (220~265AD)		西晉 (265~316AD)	東晉 (317~420AD)	南朝 (420~589AD)
漢演義	燒窯封官	劉宗伯復國	打都郵	取南都	洛神	黑水國	慶雲宮
春秋	白蟒台	戰蒲關	捉放曹	胭粉計	目蓮救母	荀灌娘	綠袍相
門宴	劉秀走國	反八卦	借趙雲	七星燈	春閨夢	柳蔭記	竹林堂
花亭	光武中興	斬經堂	讓徐州	江油關	江油關	九蓮燈	陳接隋
侯		收岑彭	濮陽城	綿竹關	綿竹關	英台抗婚	
姬		打金磚	轅門射戟	李氏殉節	金雀記	梁祝	北朝 (386~581AD)
花公主		姚剛發配	青梅煮酒論英雄		綠珠墜樓		
彭越		漁家樂	擊鼓罵曹		銅雀煙雲		花木蘭
安劉		強項令	斬顏良				春秋配
回朝		玉門關	掛印封金				
令		賞夏	斬五將				
美圖		幽閨記	千里走單騎				
吳劍		班超	張飛負荊				
孝記		琵琶記	官渡之戰				
記		四聲猿	戰冀州				
河山		文姬歸漢	馬跳潭溪				
宮演義		鳳凰二喬	徐母罵曹				
辭		孔雀東南飛	薦諸葛				
宮怨		蔡文姬	三顧茅廬				
武牧羊		殺奢	長坂坡				
宮秋		血帶詔	收周倉				
昭君		呂布與貂蟬	哭劉表				
亭謠		鳳儀亭	群英會				
文君		連環計	反間計				
樵記		和親記	草船借箭				
		議劍獻劍	審百案				
		三拷吉平	橫槊賦詩				
			華容道				
			戰長沙				
			三氣周瑜				
			龍鳳呈祥				
			甘露寺				
			臥龍吊孝				
			討荊州				
			蘆花蕩				
			獻川圖				
			單刀會				
			取成都				
			連營寨				
			吞吳恨				
			安居平五路				
			祭長江				
			失街亭				
			斬馬謖				
			空城計				

神話時代	夏 (2100~1600BC)	商 (1600~1045BC)	西周 (1045~770BC)	東周 春秋(770~476BC)	戰國(475~221BC)	秦 (221~206B
戰蚩尤	傳琴斬考	文王訪賢	**封神榜**	走馬春秋	七國志	博浪錐
洗耳記	湯伐夏	姜子牙與哪吒	周公與桃花女	孫叔敖復國	後列國	**孟姜女**
徵三苗		文王卜卦	雙盡忠	二子乘舟	殺狗勸妻	宇宙鋒
麻姑獻壽		進妲己	李廣催貢	管仲拜相	南華堂	圯橋進履
嫦娥奔月		炮烙柱	慶陽圖	雌雄劍	**孫臏**	九戰章邯
天香慶節		太師回朝	烽火台	二桃殺三士	**孫龐鬥智**	**蕭何月下追**
虹橋贈珠		摘星樓		葵花井	**馬陵道**	楚漢爭
芙蓉花仙		西歧山		戰袁林	田單救主	**霸王別姬**
水晶柱		黃花山		托國入吳	將相和	
九龍柱				勾踐回國	**晏嬰說楚**	
碰天柱				二堂捨子	蝴蝶夢	
五行柱				北邙山	**大劈棺**	
黃袍記				**焚綿山**	贈綈袍	
白鸚鵡				摘纓會	**孟嘗君**	
蓬萊大仙				秦晉交兵	荊軻刺秦	
八仙傳奇				楚宮恨	李冰	
獅子王戰陀厲				趙氏孤兒	金將台	
描金扇				**火牛陣**	青陵台	
朱泊藝				中山狼	息氏撲台	
五花洞				**鼎盛春秋**	**黃金台**	
				文昭關	三伐宋	
				浣紗記	神農澗	
				伐子都	桑園會	
				七日七夜哭秦庭	**孟母三遷**	
				西施	鴛鴦塚	
				摘纓會	邯鄲雪	
				搜孤救孤	馬鞍山	

這幅戲劇長軸表，是將中國的京劇、崑曲、歌仔戲、布袋戲、川劇、越劇等的戲碼，以時代先後依序列表，總共有五百多齣；粗體字的一百四十多齣，則在不同劇種重複出現。既然在各種劇種都出現，表示這一百四十多齣是普及於民間的故事，身為中華兒女，有機會該去多認識與了解。

著名的目錄學家楊家駱教授（1912—1991）主編的《中國俗文學》，將「詩歌」、「小說」、「戲曲」、「講唱文學」均列入俗文學範疇，並強調因其領域廣泛，深入民間，重要性與詩、散文等正統文學同樣重要。他並進一步逐項細分其涵蓋的類別：「詩歌」包括謠諺、民歌、俗曲；「小說」包括話本與章回；「戲曲」包括戲文、雜劇、傳奇、皮黃戲、地方戲；「講唱文學」包括變文、諸宮調、寶卷、彈詞、鼓詞、相聲。這個系統分類，整合了存在於民間的通俗文學形式，也說明了中國俗文學的豐富傳統。雖然民間文化會隨著時代環境而改變形式，但至目前為止，大體上都不脫楊教授所定義的範疇。

我母親十歲進入「上海戲劇學校」學戲，十一歲就開始登台公演，課餘之暇常穿梭於上海各戲院觀摩名角演出。她說，當年的十里洋場有各種戲劇表演，除了正統的北派京劇、南派京劇，還有京韻大鼓、說書、彈詞、八角鼓、河南墜子、河南梆子（豫劇）、相聲等，觀眾的選擇性很多，非常熱鬧。

母親從「上海戲劇學校」畢業後至結婚之前，帶著顧劇團公演了八年，也蒐藏了一些精采的戲劇唱片。現在的孩子大多沒有看過黑膠唱片和唱盤，我們家那個古典的唱盤，不知陪著母親度過多少個思鄉的下午。我記得其中一張「八角鼓」演出的唱片，是根據明代馮夢龍同名小說改編的《杜十娘怒沉百寶箱》，主唱榮劍塵，搭配三弦和八角鼓，有些段落像說書。母親有時候下午放著聽，聽著聽著就見她眼睛紅起來。全劇從曲頭「十娘入贅勾欄兒院，託身李甲呀結下良緣……」慢慢的開始，進而越來越快的敘述，最後說到十娘隨寶箱沉入江底，改以流水板述說女主角悲劇的結尾，真是扣人心弦。我印象最深刻的是杜十娘以快板訓斥李甲那一段，把個無情無義的負心漢一五一十的罵了個痛快，好像幫那個封建年代的女性復了仇。那齣戲的唱詞，雖然能讓人跟著琅琅上口，但要行腔柔美，吐字清晰的唱完整個故事，卻不是容易的事。我曾跟著學唱其中的一段，但是就沒辦法唱出韻味，現在想到了仍會懷念那個腔調。

還有一張京韻大鼓的唱片，是駱玉笙以「摘唱」形式表演的《伯牙摔琴》。駱玉笙又名小彩舞，首創抒情「女聲大鼓」的表演方式：左手拍檀板，右手擊鼓，配以三弦與四胡，似說似唱，情韻動人；《伯牙摔琴》最後的快板尤其讓人入迷。母親愛聽極了，直說她的腔高低自如，顫音非常特別，很適合表演悲傷的曲目。

京韻大鼓的前身是怯大鼓，創始人劉寶全原是京劇老生，但因表演《空城計》受挫而改學大鼓。他融入自己的京劇功底，加上京劇中的刀槍架式，改變了怯口鄉音為「京字京韻」，從而產生了「京韻大鼓」。

忠 韓玉娘

蘇州評彈，也是母親念念不忘的戲劇。著名的評彈
藝術家范雪君，她能一個人自唱自説的講完一本書，一下
演老的，一下演小的，甚至軍閥、丫環、小姐、少爺……只
要是書中的角色，她都可以説得惟妙惟肖；她也會彈琵琶，
有時還會唱流行歌曲呢。母親在上海聽過她的《啼笑姻
緣》，欣賞不已。據説電台要播她的評彈，不是她到電
台錄音，而是電台工作人員到她家錄音，可見她紅火的程
度。母親記得十八歲的時候，曾在應酬場合遇過幾次范雪君，這位中國民俗藝術的表演者，
手上戴的戒指可是十克拉閃閃發亮的火油鑽呢。

容 西施

歌仔戲流行於台灣已有百年，是土生土長的台灣戲劇。早年流行於民間的歌謠歌調，統稱為
「錦歌」，是繼明代以來南方的小曲小調，主要以閩南的歌謠為主。台灣的宜蘭地區，根據從福
建漳州流傳過來的歌仔，加上更多的場面與動作，廣納其他戲種的精華，逐漸發展為成熟的歌仔
戲，主要在民間慶典與廟會演出。後來台視開播歌仔戲節目，使楊麗花成為人人皆知的歌仔戲小
生；她的扮相瀟灑，唱腔宏亮，從七〇年開始風靡全台達三十年之久，有「歌仔戲天王」之稱。

布袋戲電視節目《雲州大儒俠》裡的史豔文，走紅台灣至今已逾五十年，可説是知名度最高
的戲偶人物。《雲州大儒俠》七〇年代在電視播出的五六年間，工人每天中午一定要看看史豔文
才回去上工，可見他受歡迎的程度。

布袋戲十七世紀即流行於福建的泉州、漳州一帶，又稱布袋木偶
戲、掌中戲、小籠。其布偶的頭與四肢是用木材雕刻而成，身上的衣服
則用布料做成像袋子一樣，所以有布袋戲之名。其劇情大多根據中國章
回小説或者再加改編，很多基層百姓即使沒上學校讀過書，也都因為
看布袋戲而了解《三國演義》、《封神榜》等章回小説的故事
情節。

黃梅調是另外一種歌舞性質的表演藝術，又稱採
茶戲，原為安徽省安慶市的地方戲，唱腔流暢活潑，
多以抒情戲見長。早期劇目多是藝人自編自演，以反映民間生
活為主。六〇年代在台灣轟動一時的黃梅調電影《梁山伯與祝英
台》，捧紅了女扮男裝的凌波，不知賺了多少人的眼淚。凌波出
場那一句「遠山含笑」，我至今印象強烈。黃梅調活潑又易
學，人人都可以哼兩句，讓人備感親切。

孝 荀灌娘

義 鐵鏡公主

五 175
齊家心語

南宋 (1127~1279AD)	元 (1271~1368AD)	明 (1368~1644AD)		清 (1644~1911AD)	
馬渡康王	貨郎旦	大明英烈傳	辛安驛	金玉奴	大清祕史
江紅	得意緣	朱洪武	打嚴嵩	蝴蝶盃	落馬湖
藏王證東窗事犯	百花記	良弓吟	龍鳳閣	袁崇煥	盜御馬
忠報國	孟麗君	千鍾祿	五人義	史可法	東寧王國
槍陸文龍	竇娥冤	歸舟	孫安動本	上關拜樓	劉儀賓回番書
虎緣	串龍珠	一品忠	嬋娟誤	闖王旗	順治與康熙
鼓戰金山	芙蓉屏	杜十娘	勘玉釧	董小宛	施公案
靈	沈萬三	失印救火	香羅帶	桃花扇	唐朝儀
狀元	春燈謎	于謙	鐵弓緣	秋霜燕子飛	鬧蘇州
公活佛	藥茶記	陳三五娘	陳三兩爬堂	徐九經升官記	康熙斬婭
砂痣	戰太平	刁南樓	王有道休妻		十三妹
凡	九江口	絳霄樓	鎖麟囊		宰相劉羅鍋
簪記	戰土台	踏紗帽	梅玉配		年羹堯
金龜	取金陵	十五貫	范進中舉		火燒紅蓮寺
林宴	盤陀山	大鬧養閨堂	三女搶板		香妃
蓮花	鐵籠山	小紅袍	玉堂春		乾隆遊西湖
風亭	梵王宮	烏袍記	殺豬狀元		乾隆遊山東
湖亭	反徐州	羅定良	曲判記		解語花
波潭	江東橋	金魁生	春草闖堂		皇上難為
田錯	孔雀膽	水源海	連升店		道光斬子
釵記	碧血桃花	斬胡居安	水牢摸印		金印記
匾	八達嶺	江南四才子	五柳園		玉京寒
王魁負桂英	居庸關	唐祝文周四傑傳	胡璉鬧釵		王熙鳳
蓮燈	鐵漢柔情	風流才子唐伯虎	喬老爺奇遇		千金一笑
丹亭	百花贈劍	唐伯虎點秋香	御河橋		黛玉葬花
遙知馬力		皇帝秀才乞食	離燕哀		晴雯歸天
安州		正德皇帝遊江南	鴛鴦冢		紅樓夢
陽樓		梅龍鎮	碧玉簪		鴛鴦劍
頭鳳		青山綠水情	春燈謎		天女散花
死恨		療妒羹	三娘教子		錯魂記
梅記		風箏誤	春秋配		二次革命討袁
皋下書		紅塵客	乾坤福壽鏡		
鳳凰蛋		雲州大儒俠史艷文	南天門		
潭州		法門寺	百鳥朝鳳		
滑車		販馬記	海瑞上疏		
氣歌		拾玉鐲	海瑞罷官		
盡忠		一捧雪	秦淮煙雨		
市節		盤夫	描金鳳		
大錘		四進士	意中緣		
中緣		鳳還巢	登舟畫梅		
白蛇傳		周仁獻嫂	夢卜園		
青蛇傳		西樓記	三跑山		
		秦雪梅吊孝	苦節傳		
		忠義烈	珍珠寶塔記		
		鳴鳳記	荒山淚		

隋	唐		五代	北宋		
雀屏	大唐風雲錄	洪江渡	慈雲太子走國	千里送京娘	遊大城	五台會兄
廣逼宮	羅成叫關	詩酒長安	五代殘唐	龍虎鬥	天門陣	八郎帶鏢
陽宮	望兒樓	太白醉寫	白兔記	風雲會	雁門關	楊門女將
登州	鎖五龍	梅妃	困曹府	困龍床	洪羊洞	楊排風
馬傳	宮門帶	太真外傳	二縣令	賀后罵殿	黑風帕	雛鳳凌空
方夫人	尉遲恭救駕	馬嵬坡	鳳鳴山	王文英與竹蘆馬	玉鴛鴦	佘太君抗婚
密澗	敬德裝瘋	長生殿	打櫻桃	燭影搖紅	什細記	碧血青天
花槍	取帥印	鍾馗嫁妹	打龍棚	花子罵相	喜雀告狀	狀元更夫元
陽關	春江花月夜	繡繻記	三打陶三春	綵樓記	七俠五義	俠女英雄傳
蕩山	天鵝宴	榮華富貴	打瓜園	評雪辨踪	破鐵卷	野豬林
林寺	柳迎春	打金枝	麥秀兩岐	祭灶	八件衣	林沖夜奔
唐演義	花打朝	西廂記	乘龍錯	呂蒙正	雙包案	義俠記
拂傳	白袍記	紅娘	灌口神	嬌紅傳	秦香蓮	逼上梁山
容戰父	百花亭	願作鴛鴦	竇公送子	雙陽公主	陳世美	王婆罵街
馬要鐧	五虎平西平南	玉獅墜	花蕊夫人	尋親記	青天難斷	潘金蓮
霓關	界牌關傳説	人面桃花	斬黃袍	翠屏山	烏盆記	武松殺嫂
家店	羅通掃北	南柯夢	宋太祖收南唐	扈家莊	打鑾駕	真假李達
	紅鬃烈馬	鐵扇留香	珠簾寨	獅吼記	赤桑鎮	李達探母
	薛仁貴征東	朱痕記	飛虎山	艷雲亭	遇后龍袍	李達負荊
	薛禮嘆月	青衫淚	五侯宴	紅梨記	鍘包勉	醉打山門
	樊江關	白衣童子		五桂聯芳	太君辭朝	扈家莊
	馬上緣	紅線盜盒		寇萊公思親罷宴	昊天塔	烏龍院
	銀屏公主	雙紅記		瀟湘夜雨	香囊記	活捉三郎
	西遊記	元宵謎		王伯東告御狀	擋馬	快活林
	豬八戒招親	還珠吟		君臣情深	王華買父	打漁殺家
	魏徵斬蛟龍	雪擁藍關		狸貓換太子	刁窗	
	誤斬馬周			丹心救主	張明下書	
	打李道宗			金水橋畔	青袍記	
	薛丁山征西			秋江煙雲	藏珍樓	
	蘆花河			人間盜	醉皂	
	白馬寺			狀元媒	三岔口	
	謝瑤環			金沙灘	拜月亭	
	廉錦楓			李陵碑	萬花樓	
	徐策跑城			夜審潘洪	楊家將	
	薛剛反唐			風波亭	佘賽花	
	劉辟責買			賣油郎獨佔花魁	楊宗保與穆桂英	
	汾河灣			天波樓	穆柯寨	
	棋盤山			斬蛟龍	轅門斬子	
	換金斗					
	舉鼎觀畫					
	杏元和番					
	紫釵記					
	酸棗嶺					
	巴駱和					
	金琬釵					

八郎回營
四郎探母
女探母

德 薛湘靈

幽默詼諧的相聲，可能是聽眾最多的民俗藝術，我小時候一家人常聚在收音機前，專注的對著一個小小的音箱聽相聲，不時的捧腹大笑。有時我聽不懂大人笑什麼，總想問清楚，一打斷母親就說：「等一下再問嘛！」那時最有名的相聲演員是吳兆南和魏龍豪。他們的開場白「吳兆南、魏龍豪上台一鞠躬！」也變成我跟哥哥搞笑的第一句台詞。

後來相聲不再侷限於電台，也成了很受歡迎的舞台表演。一九八五年三月，賴聲川導演，李國修與李立群主演的《那一夜，我們說相聲》在台北南海路的國立藝術館公演，我與仁喜坐在台下沒有合過嘴，不斷的捧腹大笑。當時的感覺真的超興奮，沒想到看完的後果超緊張。那是我們結婚那年，我從來不知道仁喜小時候害過氣喘病，那晚也許是大笑的時間太久，他沉寂近二十年的氣喘病發作了，回到家只能扶著桌邊站著喘，把我嚇壞了，趕緊送他到醫院。他戴上氧氣罩，有一口沒一口的吸氣，我則餘驚未止，在一邊直哭，他還邊用手勢安慰我哩。這筆帳，我可是永遠記在賴聲川頭上！賴導還理直氣壯的說：「讓你們大笑，妳才知道丈夫有氣喘呀，多麼難得的事！」

相聲，就是這麼一個讓人從笑裡記取故事，而且不會忘懷的劇種。但是一代一代的發音不一樣，媽媽總覺得現在的上海話，跟她那一代講的很不一樣，難免有點失落的感覺。

八〇年代台灣民歌興起，出了不少著名的民歌手，我自己也曾有過小小的參與。但最特殊也最受矚目的歌手，非「說唱詩人」陳達（1906—1981）莫屬。他的老家在屏東恆春，沒有上過學校，也不識字，卻能以一把月琴彈唱他從小熟悉的恆春民謠，尤以單弦撥唱的〈思啊思想起〉最扣人心弦。他的歌和詞都是隨興自創，每一首的引韻之後跟著七字仔的歌詞，但都會在其中加入「伊嘟」、「唉喲喂」等語氣轉換或感嘆的字句，加強整首歌的神韻，讓聽者更能體會其中的蒼涼感。

後來陳達不幸因車禍過世，年輕歌手蘇來邀賴西安作詞，自己譜寫了一首〈月琴〉向陳達致敬：「抱一支老月琴，三兩聲不成調，老歌手琴音猶在，獨不見恆春的傳奇……。」最後那句「再唱一段，思想起！」是我至今都非常懷念的。

台灣日據時代，南管只在少數團體演出，不像現在這麼普遍。南管的歷史經過久遠流變，據說最早可上溯至唐宋，後來在福建泉州、廈門一帶流行，稱為南音。它的結構嚴謹，曲風典雅，比較注重內心情感的流露。原籍泉州的王心心，嫁到台灣後大力推廣南管，成為這項演出的佼佼者。吳欣霏則是後起之秀。

崑曲是比京劇還早兩百年的劇種，它以竹製的崑笛為主要伴奏樂器，搭配三弦、二胡、琵琶、笙等絲竹樂器，以及鼓、板、小鑼、大鑼、鐃鈸等打擊樂器。崑曲的

情 虞姬

詞藻艱深華麗，身段優美，是非常細緻的表演藝術。梨園的由來，傳説是唐明皇在梨樹園內成立戲曲班底並演出，所以梨園子弟都以唐明皇為祖師爺。崑曲藝術一度因曲高和寡而沒落，熱愛崑曲的白先勇先生近十年來熱心推動，尤其是把明代湯顯祖的名著《牡丹亭》成功的重新詮釋，以絕美的陣容，華麗的服裝，精緻的唱腔，讓此劇種重新復活，受到兩岸三地老觀眾與年輕人的歡迎，是一個令人振奮的現象。

才 蔡文姬

　　京劇，我們也稱為國劇，已有四百多年歷史。它源起於徽班和漢調，進入北京後汲取了秦腔、崑曲及其他地方戲的優點而形成特殊的劇種。由於聲腔變化多，劇目豐富，得到清朝宮廷的賞識，而被視為中國的國粹。京劇的伴奏樂器為胡琴與鑼鼓，演員「行當」分生、旦、淨、丑四類。這四類又再細分，生有老（鬚）生，小生，武生；旦有正旦（青衣），老旦，花旦，花衫，武旦，刀馬旦，彩旦（丑角）；淨有花臉，又分正淨（銅錘花臉），副淨（架子花臉），武淨，毛淨，末配角；丑有文丑，武丑，女丑等。

　　京劇的演出形式，也分四類：唱是行腔，唸是唸白（又分京白、韻白、蘇白），做是指身段與表情，打則結合舞蹈與武術動作。

　　在人物的造型設計上，京劇最特別的是以假髮片貼在臉頰，同時以勒頭把眼角吊高，用以修飾臉型；生角還要戴鬍子，稱為髯口。京劇的化妝稱為「胭脂化妝」，務求角色的嫵媚與俊美。而且還利用臉譜的畫法，以揉、勾、抹之法突出角色的個性表情。「行頭」是京劇服裝的總稱；有蟒、靠、帔、褶、盔帽、靴鞋以及所有的服飾配件。京劇的舞台最為抽象，一桌二椅就代表了一切室內佈置。「砌末」是京劇道具的統稱，通常都有其獨特的象徵意義：「風旗」代表風，「車旗」代表車子，「馬鞭」代表騎馬。我將大部分的道具繪製於前章節中。

　　京劇後來還演變為北派與南派。北派中規中矩，較以唱功為主；南（海）派則以劇情為主，一齣戲可以像連續劇一樣連演三五天甚至十天半月，演員也比較多，一齣戲中，可能安排四位武生，各自較勁兒的表演絕活的空間。

　　本章節中的戲劇長軸表，我將中國的京劇、崑曲、歌仔戲、布袋戲、川劇、越劇等戲碼統計後，大約有五百多齣；其中重複的有一百四十多齣。我母親的戲碼有七十六齣，我自其中選擇了女主角不同造型，並代表著戲劇教育傳達的忠孝節義才德容情八個女人的代表，將之以鉛筆稿的方式，繪製如本文之旁。她們分別是忠：《韓玉娘》飾韓玉娘；孝：《荀灌娘》飾荀灌娘；節：《硃痕記》飾趙錦棠；義：《四郎探母》飾鐵鏡公主；才：《文姬歸漢》飾蔡文姬；德：《鎖麟囊》飾薛湘靈；容：《西施》飾西施；情：《霸王別姬》飾虞姬八位女性。

節 趙錦棠

左側（殘缺欄位）

夜泊〉

滿天，
愁眠。
山寺，
客船。

子吟〉

子身上衣。
恐遲遲歸。
尋三春暉。

張十八員外〉

如酥，
卻無。
好處，
皇都。

李司空師道〉

妾雙明珠。
在紅羅襦。

.
。
。
！

衣巷〉

草花，
陽斜。
前燕，
姓家。

農〉

滴禾下土。
粒皆辛苦。
收萬顆子。
夫猶餓死。

古原草送別〉

歲一枯榮。
風吹又生。
翠接荒城，
萋滿別情。

江雪〉

徑人蹤滅。
釣寒江雪。

婢〉

後塵，
羅巾。
如海，
路人。

離思〉

難為水，
不是雲。
懶回顧，
半緣君。

賈島〈尋隱者不遇〉

松下問童子，言師採藥去。
只在此山中，雲深不知處。

崔護〈題都城南莊〉

去年今日此門中，
人面桃花相映紅。
人面不知何處去，
桃花依舊笑春風。

杜牧〈泊秦淮〉

煙籠寒水月籠沙，
夜泊秦淮近酒家。
商女不知亡國恨，
隔江猶唱後庭花。

杜牧〈清明〉

清明時節雨紛紛，
路上行人欲斷魂。
借問酒家何處有，
牧童遙指杏花村。

韓翃〈寒食〉

春城無處不飛花，
寒食東風御柳斜。
日暮漢宮傳蠟燭，
輕煙散入五侯家。

李商隱〈樂遊原〉

向晚意不適，驅車登古原。
夕陽無限好，只是近黃昏。

李商隱〈無題〉

相見時難別亦難，
東風無力百花殘。
春蠶到死絲方盡，
蠟炬成灰淚始乾。
曉鏡但愁雲鬢改，
夜吟應覺月光寒。
蓬萊此去無多路，
青鳥殷勤為探看。

李商隱〈錦瑟〉

錦瑟無端五十弦，
一弦一柱思華年。
莊生曉夢迷蝴蝶，
望帝春心託杜鵑。
滄海月明珠有淚，
藍田日暖玉生煙。
此情可待成追憶，
只是當時已惘然。

秦韜玉〈貧女〉

蓬門未識綺羅香，
擬託良媒亦自傷。
誰愛風流高格調，
共憐時世儉梳妝。
敢將十指誇鍼巧，
不把雙眉鬥畫長。
苦恨年年壓金線，
為他人作嫁衣裳。

杜秋娘〈金縷衣〉

勸君莫惜金縷衣，
勸君惜取少年時。
花開堪折直須折，
莫待無花空折枝。

李煜（李後主）〈破陣子〉

四十年來家國，
三千里地山河。
鳳閣龍樓連霄漢，
玉樹瓊枝作煙蘿。
幾曾識干戈！
一旦歸為臣虜，
沈腰潘鬢銷磨。
最是倉惶辭廟日，
教坊猶奏別離歌，
揮淚對宮娥。

李煜（李後主）〈浪淘沙〉

簾外雨潺潺，春意闌珊。
羅衾不耐五更寒。
夢裡不知身是客，一晌貪歡。
獨自莫憑闌，無限江山，
別時容易見時難。
流水落花春去也，天上人間。

張泌〈寄人〉

別夢依依到謝家，
小廊回合曲闌斜。
多情只有春庭月，
猶為離人照落花。

歐陽修〈戲答元珍〉

春風疑不到天涯，
二月山城未見花。
殘雪壓枝猶有橘，
凍雷驚筍欲抽芽。
夜聞歸雁生鄉思，
病入新年感物華。
曾是洛陽花下客，
野芳雖晚不須嗟。

司馬光〈有約〉

黃梅時節家家雨，
青草池塘處處蛙。
有約不來過夜半，
閑敲棋子落燈花。

程顥〈春日偶成〉

雲淡風輕近午天，
傍花隨柳過前川。
時人不識余心樂，
將謂偷閒學少年。

程顥〈秋月〉

清溪流過碧山頭，
空水澄鮮一色秋。
隔斷紅塵三十里，
白雲紅葉兩悠悠。

蘇軾〈飲湖上初晴後雨〉

水光瀲灩晴方好，
山色空濛雨亦奇。
欲把西湖比西子，
淡妝濃抹總相宜。

蘇軾〈贈劉景文〉

荷盡已無擎雨蓋，
菊殘猶有傲霜枝。
一年好景君須記，
最是橙黃橘綠時。

李清照〈聲聲慢〉

尋尋覓覓，冷冷清清，
淒淒慘慘戚戚。
乍暖還寒時候，最難將息。
三盃兩盞淡酒，
怎敵他、晚來風急？
雁過也，正傷心，
卻是舊時相識。
滿地黃花堆積。
憔悴損，如今有誰堪摘？
守著窗兒，獨自怎生得黑。
梧桐更兼細雨，
到黃昏、點點滴滴。
這次第，怎一箇、愁字了得。

陸游/唐婉〈釵頭鳳〉

紅酥手，黃藤酒，
滿城春色宮牆柳。
東風惡，歡情薄，
一懷愁緒，幾年離索。
錯！錯！錯！
春如舊，人空瘦，
淚痕紅浥鮫綃透。
桃花落，閑池閣，
山盟雖在，錦書難託。
莫！莫！莫！

世情薄，人情惡，
雨送黃昏花易落。
曉風乾，淚痕殘，
欲箋心事，獨語斜闌。
難！難！難！
人成各，今非昨，
病魂常似秋千索。
角聲寒，夜闌珊，
怕人尋問，咽淚裝歡。
瞞！瞞！瞞！

朱熹〈春日〉

勝日尋芳泗水濱，
無邊光景一時新。
等閒識得東風面，
萬紫千紅總是春。

葉紹翁〈遊小園不值〉

應嫌屐齒印蒼苔，
十叩柴扉九不開。
春色滿園關不住，
一枝紅杏出牆來。

唐伯虎〈妒花〉

昨夜海棠初著雨，
數點輕盈嬌欲語。
佳人曉起出蘭房，
折來對鏡化紅妝。
問郎花好奴顏好？
郎道不如花窈窕。
佳人聞語發嬌嗔，
不信死花勝活人。
將花揉碎擲郎前：
請郎今日伴花眠！

東漢 (25~220AD)

蔡邕〈飲馬長城窟行〉

青青河邊草。綿綿思遠道。
遠道不可思。宿昔夢見之。
夢見在我旁。忽覺在他鄉。
他鄉各異縣。輾轉不可見。
枯桑知天風。海水知天寒。
入門各自媚。誰肯相為言。
客從遠方來。遺我雙鯉魚。
呼兒烹鯉魚。中有尺素書。
長跪讀素書。書中竟何如。
上有加餐食。下有長相憶。

蔡文姬〈胡笳十八拍〉

我生之初尚無為，
我生之後漢祚衰。
天不仁兮降亂離，
地不仁兮使我逢此時。
干戈日尋兮道路危，
民卒流亡兮共哀悲，
煙塵蔽野兮胡虜盛，
志意乖兮節義虧。
對殊俗兮非我宜，
遭惡辱兮當告誰。
笳一會兮琴一拍，
心潰死兮無人知。

三國 (220~265AD)

曹植〈七步詩〉

煮豆燃豆萁，漉豉以為汁。
萁在釜下燃，豆在釜中泣。
本是同根生，相煎何太急。

東晉 (317~420AD)

陶淵明〈飲酒詩之五〉

結廬在人境，而無車馬喧；
問君何能爾，心遠地自偏。
採菊東籬下，悠然見南山；
山氣日夕佳，飛鳥相與還。
此中有真意，欲辨已忘言。

唐 (618~907AD)

李世民〈賦蕭瑀〉

疾風知勁草，板蕩識誠臣。
勇夫安識義，智者必懷仁。

王勃〈滕王閣序〉之名句

落霞與孤鶩齊飛，
秋水共長天一色。

王勃〈送杜少府之任蜀州〉

城闕輔三秦，風煙望五津。
與君離別意，同是宦遊人。
海內存知己，天涯若比鄰。
無為在歧路，兒女共沾巾。

賀知章〈回鄉偶書〉

少小離家老大回，
鄉音無改鬢毛衰。
兒童相見不相識，
笑問客從何處來。

陳子昂〈登幽州臺歌〉

前不見古人，後不見來者。
念天地之悠悠，獨愴然而涕下！

王翰〈涼州詞〉

葡萄美酒夜光杯，
欲飲琵琶馬上催。
醉臥沙場君莫笑，
古來征戰幾人回？

王之渙〈出塞〉

黃河遠上白雲間，
一片孤城萬仞山。
羌笛何須怨楊柳，
春風不度玉門關。

王之渙〈登鸛雀樓〉

白日依山盡，黃河入海流。
欲窮千里目，更上一層樓。

孟浩然〈春曉〉

春眠不覺曉，處處聞啼鳥。
夜來風雨聲，花落知多少。

王昌齡〈出塞〉

秦時明月漢時關，
萬里長征人未還。
但使龍城飛將在，
不教胡馬度陰山。

王昌齡〈閨怨〉

閨中少婦不知愁，
春日凝妝上翠樓。
忽見陌頭楊柳色，
悔教夫婿覓封侯。

王昌齡〈芙蓉樓送辛漸〉

寒雨連江夜入吳，
平明送客楚山孤。
洛陽親友如相問，
一片冰心在玉壺。

王維〈九月九日憶山東兄弟〉

獨在異鄉為異客，
每逢佳節倍思親。
遙知兄弟登高處，
遍插茱萸少一人。

王維〈相思〉

紅豆生南國，春來發幾枝；
願君多採擷，此物最相思。

王維〈雜詩〉

君自故鄉來，應知故鄉事。
來日綺窗前，寒梅著花未？

王維〈渭城曲〉

渭城朝雨浥輕塵，
客舍青青柳色新。
勸君更盡一杯酒，
西出陽關無故人。

李白〈靜夜思〉

床前明月光，疑是地上霜。
舉頭望明月，低頭思故鄉。

李白〈早發白帝城〉

朝辭白帝彩雲間，
千里江陵一日還。
兩岸猿聲啼不住，
輕舟已過萬重山。

李白〈月下獨酌〉

花間一壺酒，獨酌無相親。
舉杯邀明月，對影成三人。
月既不解飲，影徒隨我身。
暫伴月將影，行樂須及春。
我歌月徘徊，我舞影零亂。
醒時同交歡，醉後各分散。
永結無情遊，相期邈雲漢。

李白〈將進酒〉

君不見黃河之水天上來，
奔流到海不復回。
君不見高堂明鏡悲白髮，
朝如青絲暮成雪。
人生得意須盡歡，
莫使金樽空對月。
天生我材必有用，
千金散盡還復來。
烹羊宰牛且為樂，
會須一飲三百杯。
岑夫子、丹丘生，
將進酒，杯莫停。
與君歌一曲，請君為我傾耳聽。
鐘鼓饌玉不足貴，
但願長醉不願醒。
古來聖賢皆寂寞，
惟有飲者留其名。
陳王昔時宴平樂，
斗酒十千恣歡謔。
主人何為言少錢，
逕須沽取對君酌。
五花馬，千金裘，
呼兒將出換美酒，
與爾同消萬古愁。

李白〈清平調〉

雲想衣裳花想容，
春風拂檻露華濃。
若非群玉山頭見，
會向瑤臺月下逢。
一枝紅豔露凝香，
雲雨巫山枉斷腸。
借問漢宮誰得似，
可憐飛燕倚新妝。
名花傾國兩相歡，
常得君王帶笑看。
解釋春風無限恨，
沉香亭北倚闌干。

崔顥〈黃鶴樓〉

昔人已乘黃鶴去，
此地空餘黃鶴樓。
黃鶴一去不復返，
白雲千載空悠悠。
晴川歷歷漢陽樹，
芳草萋萋鸚鵡洲。
日暮鄉關何處是，
煙波江上使人愁。

杜甫〈贈花卿〉

錦城絲管日紛紛，
半入江風半入雲。
此曲只應天上有，
人間能得幾回聞？

杜甫〈夢李白〉其二

浮雲終日行，遊子久不至；
三夜頻夢君，情親見君意。
告歸常局促，苦道來不易。
江湖多風波，舟楫恐失墜。
出門搔白首，若負平生志。
冠蓋滿京華，斯人獨憔悴。
孰云網恢恢，將老身反累。
千秋萬歲名，寂寞身後事。

杜甫〈春望〉

國破山河在，城春草木深。
感時花濺淚，恨別鳥驚心。
烽火連三月，家書抵萬金。
白頭搔更短，渾欲不勝簪。

杜甫〈佳人〉

絕代有佳人，幽居在空谷。
自云良家子，零落依草木。
關中昔喪亂，兄弟遭殺戮；
官高何足論，不得收骨肉。
世情惡衰歇，萬事隨轉燭。
夫婿輕薄兒，新人美如玉。
合昏尚知時，鴛鴦不獨宿。
但見新人笑，那聞舊人哭？
在山泉水清，出山泉水濁。
侍婢賣珠回，牽蘿補茅屋。
摘花不插髮，采柏動盈掬。
天寒翠袖薄，日暮倚修竹。

詩詞與格言

我幼年時還什麼都不懂，老師就開始叫我們背唐詩。如果以西方的教育體系而言，似乎有違孩子的認知。但人的記憶力以幼年時代最好，我們中國人的教育自古就懂得利用這項優點。能讓孩子多背誦一首詩，等於在他的文化戶頭裡增加一筆定存，長期的一筆一筆累積起來，幾十年後用到的當下，一定感恩當年的投資。

在我們的中文教學裡，詩詞與成語、世說新語一樣，在學生時代佔有重要的比例。當時我也不知道背的是什麼，有什麼意義，只知道是為了應付考試。年齡稍長後，常常在生活中感受到背過的某一首詩的情境，彷彿大詩人就站在我的肩膀上，教我看到了他的眼界與心聲，也才了解老師們當年的用心。而且相同的一首詩，在不一樣的年齡閱讀，會有不一樣的領悟，引發對真善美的不同詮釋與對人事物的感動；那是生命中最美好的時刻。而格言教育，也是學校教我們要讀背的，這些都是智者雋永的生活智慧，意味深長的體悟，提供給我們判斷的智慧，做人的規範。

中國最早的詩集，書名就叫《詩》，收錄三〇五首，是西周初期至春秋中葉（約公元前十二世紀至公元前六世紀），歷經六百年的採擷，篩選，整編而成；採擷範圍涵蓋黃河流域，從山東以西至甘肅等數省。其後不斷有人注釋、推廣，至漢朝時被儒家奉為經典，遂改名為《詩經》。西漢初年（約公元前二世紀）的《毛詩序》，是現存最早的《詩經》注釋，序中有云：「詩者志之所之也，在心為志，發言為詩……，故正得失，動天地，感鬼神，莫近于詩……。」簡單幾句話就闡明了《詩經》的要義。

《詩經》作品的性質分為三大類：「風」是指民間詩歌，有一六〇篇；「雅」是指貴族官吏的詩歌，有一〇五篇；「頌」是指宗廟祭祀的詩歌，有四十篇。它的表現手法也分三大類：「賦」是直述法；「比」是比喻法；「興」是聯想法。我最喜愛的是「風」（又稱《國風》篇），大多是描寫庶民生活的抒情詩，有男女之情的唱和，有季節時令的歌詠，也有罵人告狀的，歌功頌德的……，可說無所不有。我覺得很像台灣的現代歌謠〈望春風〉、〈補破網〉、〈綠島小夜曲〉，情感直接流露，詞句卻婉約動人。

我們偉大的國師孔子也深研《詩經》，同時教育他的孩子要好好閱讀；因為「不學詩，無以言。」他還說：「小子何莫學夫詩？詩可以興，可以觀，可以群，可以怨，邇之事父，遠之事君，多識於草木鳥獸之名。」──看這兩句話，孔子可不是要我們唸儒家的四維八德喲！他是要我們背像〈望春風〉那種我所謂的真性情的體會，並且認識自然界的花草樹木，蟲魚鳥獸，豐富我們對宇宙間其他生命的常識，也可以發抒自我的心情轉折。這讓我對印象中的孔老夫子，感覺親切多了！

一部《詩經》可以受惠這麼多，當然要好好的研讀。可惜相隔年代久遠，其中很多古字都必須靠前人註解才能看懂，現代年輕人恐怕沒多少人能耐心閱讀了！

我不敢鼓勵我的孩子一定要讀《詩經》，但一定要認識我最愛的屈原、陶淵明、王維、李白、杜甫、白居易、李商隱、蘇軾、辛棄疾、孟浩然、鄭板橋、唐伯虎、胡適、徐志摩等偉大的詩詞作家及其作品。因為欣賞大師的經典作品，就像借助他們的眼睛，看到他們對美的感受，也像借助他們的耳朵，聽到他們心中的志向；經由他們的感官經驗，學習到他們的品格與氣度，也學習到情感的表達，景物描述的技巧。

我的女兒姚姚初到美國讀大學那年，寫信回來請我寄《三字經》與《唐詩三百首》給她。他們很小的時候，我們坐車回家的路上常常聽那些古典作品的錄音帶，難得她到了國外還會想要這兩本經典重溫舊夢。

關於《三字經》，有個好感人的場面是我永遠不會忘記的。孩子小的時候，我請了一個阿婆幫忙照顧，那時她已七十幾歲了，不識字，只會講閩南語，常常講她從小做養女的故事給我聽。但她不是抱怨自己的遭遇，而是跟我說誰對她好，她總是念念不忘。

那時候，我每天教孩子背一句三字經。有一次背到「孝經通，四書熟，如六經，始可讀……」，電話響了，我去接，等回來的時候，聽到阿婆用閩南語接著在唸「詩書易，禮春秋，號六經，當講求……」。她看到我回來，不好意思的停下來，我熱切的鼓勵她繼續唸，不要停，於是她一口氣唸下去，一直唸到最後一句「口而誦，心而惟，朝於斯，夕於斯，昔仲尼，師項橐，古聖賢，尚勤學。」為止！

我瞪大了眼睛，簡直不敢置信。阿婆說，她其實不知道那些字句的意思，是小時候聽養家的哥哥在背，她也跟著背起來的，幾十年都沒忘記哩。

《三字經》的作者是誰，現在已不可考，但它是中國蒙學最重要也最普遍的一本書；連一個不識字的阿婆都能用閩南語背到七十幾歲而未忘，原因之一就是它便於背誦的音韻。

在中國文學史上，《詩經》是北方文學的代表，《楚辭》是南方文學的代表。漢朝的樂府，唐朝的詩，宋朝的詞，也都曾佳作疊出，大放光芒。尤其是節錄了七十七位大家的《唐詩三百首》，也是許多孩子朗讀的啟蒙書。我很欣慰女兒要我寄啟蒙年代背過的《三字經》與《唐詩三百首》給她，因為我知道，早年的投資有了回報，孩子已經知道領受生命中最美好的事物了。

在本節附表中，我把各朝代著名詩人依照年代排列，並把流傳的著名詩詞列出來。

余光中〈鄉愁四韻〉

給我一瓢長江水啊長江水
那酒一樣的長江水
那醉酒的滋味是鄉愁的滋味
給我一瓢長江水啊長江水
給我一張海棠紅啊海棠紅
那血一樣的海棠紅
那沸血的燒痛是鄉愁的燒痛
給我一張海棠紅啊海棠紅
給我一片雪花白呀雪花白
那信一樣的雪花白
那家信的等待是鄉愁的等待
給我一片雪花白呀雪花白
給我一朵臘梅香呀臘梅香
那母親一樣的臘梅香
那母親的芬芳是鄉土的芬芳
給我一朵臘梅香呀臘梅香

洛夫〈不雨〉

久晴不雨
此心早已龜裂
如果你是凝聚不滴的淚
我多麼想
化為你眼中的魚啊

杜潘芳格〈含笑花〉

含笑花喲含笑花
你來過我的房間和我共下食三餐
共下去散步
生生的含笑花
你甜甜的抱著我
我家不曾斷花香　也不曾斷愛心

蓉子〈生命〉

生命如手搖紡車的輪子
不停地旋轉於日子底輪軸
有朝這輪子不再旋轉
人們將丈量你織就的布幅

商禽〈五官描述之二-眉〉

只有翅翼
而無身軀的鳥
在哭和笑之間
不斷飛翔

商禽〈五官描述之四-眼〉

一對相戀的魚
尾巴要在四十歲以後才出現
中間隔著一道鼻梁
（有如我和我的家人
中間隔著一條海峽）
這一輩子是無法相見的了
偶爾
也會混在一起
祇是在夢中他們的淚

瘂弦〈如歌的行板〉

溫柔之必要
肯定之必要
一點點酒和木樨花之必要
正正經經看一名女子走過之必要
君非海明威此一起碼認識之必要
歐戰，雨，加農砲，天氣與紅十字會之必要
散步之必要
溜狗之必要
薄荷茶之必要
每晚七點鐘自證券交易所彼端

草一般飄起來的謠言之必要。旋轉玻璃門
之必要。盤尼西林之必要。暗殺之必要。晚報之必要。
穿法蘭絨長褲之必要。馬票之必要
姑母遺產繼承之必要。
陽臺，海，微笑之必要
懶洋洋之必要

而既被目為一條河總得繼續流下去的
世界老這樣總這樣：──
觀音在遠遠的山上
罌粟在罌粟的田裡

鄭愁予〈錯誤〉

我打江南走過
那等在季節裡的容顏如蓮花般開落...
東風不來，三月的柳絮不飛
你的心如小小的寂寞的城
恰若青石的街道向晚
跫音不響，三月的春帷不揭
你底心是小小的窗扉緊掩
我達達的馬蹄是美麗的錯誤
我不是歸人，是個過客...

白萩〈流浪者〉

望著遠方的雲的一株絲杉
望著雲的一株絲杉
　一株絲杉
　　絲杉
　　　在
　　　地
　　　平
　　　線
　　　上
　一株絲杉
　　絲杉
　　　在
　　　地
　　　平
　　　線
　　　上
他的影子，細小。他的影子，細小
他已忘卻了他的名字。忘卻了他的名字。祇
站著。　　　　　　　　　祇站著。孤獨
　地站著。站著。站著
　　　　　站著
　　　向東方。
　　　孤獨的一株絲杉。

楊牧〈孤獨〉

孤獨是一匹衰老的獸
潛伏在我亂石磊磊的心裡
背上有一種善變的花紋
那是，我知道，他族類的保護色
他的眼神蕭索，經常凝視
遇遠的行雲，嚮往
天上的舒捲和飄流
低頭沉思，讓風雨隨意鞭打
他委棄的暴猛
他風化的愛

孤獨是一匹衰老的獸
潛伏在我亂石磊磊的心裡
雷鳴剎那，他緩緩挪動
費力地走進我斟酌的酒杯
且用他戀慕的眸子
憂戚地瞪著一黃昏的飲者
這時，我知道，他正懊悔著
不該貿然離開他熟悉的世界
進入這冷酒之中，我舉杯就唇
慈祥地把他送回心裡

席慕蓉〈一棵開花的樹〉

如何讓你遇見我
在我最美麗的時刻　為這
我已在佛前　求了五百年
求他讓我們結一段塵緣
佛於是把我化作一棵樹
長在你必經的路旁
陽光下慎重地開滿了花
朵朵都是我前世的盼望
當你走近　請你細聽
那顫抖的葉是我等待的熱情
而當你終於無視地走過
在你身後落了一地的
朋友啊　那不是花瓣
是我凋零的心

納蘭容若〈采桑子〉

…才道當時錯，心緒淒迷。
…愁垂，滿眼春風百事非。
…此後來無計，強説歡期。
…如斯，落盡梨花月又西。

鄭板橋〈難得糊塗〉

…難，糊塗尤難，
…明而轉入糊塗更難。
…著，退一步，
…心安，非圖後來福報也。

板橋〈滿江紅‧思家〉

…揚州，便想到揚州夢我。
…是隋堤綠柳，不堪煙鎖。
…丁三更瓜步月，
…十里紅橋火。
…鮮，冷淡不成圓，
…顆。
…向，江村躲；
…上，江樓臥。
…詩人某某，酒人個個。
…經不無新點綴，
…鳩頗有閒功課。
…頭，供作折腰人，
…左。

梁啟超〈東歸感懷〉

…日中原暮色深。
…花負盡百年心。
…將涕淚三千斛，
…得頭顱十萬金。
…拜故林魂寂寞，
…華表氣蕭森。
…儿稠疊盈懷抱，
…卑空為梁父吟。

胡適〈夢與詩〉

…是平常經驗，
…是平常影像，
…然湧到夢中來，
…幻出多少新奇花樣！
…是平常情感，
…是平常言語，
…然碰著個詩人，
…幻出多少新奇詩句！
…過才知酒濃，
…過才知情重；──
…不能做我的詩，
…如我不能做你的夢。

徐志摩〈偶然〉

…是天空裡的一片雲，
…爾投影在你的波心──
…不必訝異，更無須歡喜──
…轉瞬間消滅了蹤影。
…我相逢在黑夜的海上，
…有你的，我有我的，方向；
…記得也好，最好你忘掉，
…這交會時互放的光芒！

徐志摩〈再別康橋〉

輕輕的我走了，
正如我輕輕的來；
我輕輕的招手，
作別西天的雲彩。
那河畔的金柳
是夕陽中的新娘
波光裏的豔影，
在我的心頭蕩漾。
軟泥上的青荇，
油油的在水底招搖；
在康河的柔波裡，
我甘心做一條水草，
那樹蔭下的一潭，
不是清泉，是天上虹，
揉碎在浮藻間，
沉澱著彩虹似的夢。
尋夢？撐一支長篙，
向青草更青處漫溯，
滿載一船星輝，
在星輝斑斕裏放歌，
但我不能放歌，
悄悄是別離的笙簫；
夏蟲也為我沈默，
沈默是今晚的康橋！
悄悄的我走了，
正如我悄悄的來；
我揮一揮衣袖，
不帶走一片雲彩。

聞一多〈紅燭〉

紅燭啊！
這樣紅的燭！
詩人啊吐出你的心來比比，
可是一般顏色？
紅燭啊！
是誰製的蠟---給你軀體？
是誰點的火---點著靈魂？
為何更須燒蠟成灰，
然後才放光出？
一誤再誤；矛盾！衝突！
紅燭啊！不誤，不誤！
原是要「燒」出你的光來---這正是自然的方法。
紅燭啊！既製了，便燒著！燒吧！燒吧！
燒破世人的夢，
燒沸世人的血---也救出他們的靈魂，
也搗破他們的監獄！
紅燭啊！你心火發光之期，
正是淚流開始之日。
紅燭啊！匠人造了你，原是為燒的。
既已燒著，又何苦傷心流淚？哦！
我知道了！是殘風來侵你的光芒，
你燒得不穩時，才著急得流淚！
紅燭啊！流罷！你怎能不流呢？
請將你的脂膏，不息地流向人間，
培出慰藉的花兒，結成快樂的果子！
紅燭啊！你流一滴淚，灰一分心。
灰心流淚你的果，創造光明你的因。
紅燭啊！「莫問收穫，但問耕耘。」

李金髮〈棄婦〉

長髮披遍我兩眼之前，
遂隔斷了一切羞惡之疾視，
與鮮血之急流，枯骨之沈睡。
黑夜與蚊蟲聯步徐來，
越此短牆之角，
狂呼在我清白之耳後，
如荒野狂風怒號，
顫慄了無數游牧。
靠一根草兒，與上帝之靈往返在空谷裡。
我的哀戚惟遊蜂之腦能深印著；
或與山泉長瀉在懸崖，
然後隨紅葉而俱去。
棄婦之隱憂堆積在動作上，
夕陽之火不能把時間之煩悶
化成灰燼，從煙突裡飛去，
長染在游鴉之羽，
將同棲止於海嘯之石上，
靜聽舟子之歌。
衰老的裙裾發出哀吟，
倘徉在秋墓之側，
永無熱淚，
點滴在草地
為世界之裝飾。

艾青〈我愛這片土地〉

假如我是一隻鳥，
我也應該用嘶啞的喉嚨歌唱：
這被暴風雨所打擊著的土地，
這永遠洶湧著我們的悲憤的河流，
這無止息地吹刮著的激怒的風，
和那來自林間的無比溫柔的黎明……
──然後我死了，
連羽毛也腐爛在土地裏面。
為什麼我的眼裏常含著淚水？
因為我對這土地愛得深沉……

卞之琳〈斷章〉

你站在橋上看風景
看風景人在橋上看你
明月裝飾了你的窗子
你裝飾了別人的夢

覃子豪

意志囚自己在…
屋裡有一個崩…
耳邊飄響著一…
胸中燃著一把…
把理想投影在…
在方塊的格子…
火的種子是注…
全部殞落在黑…
當火的種子燃…
他將微笑而…

紀弦

我乃曠野裡獨…
不是先知，…
沒有半個字的…
而恒以數聲悽…
搖撼彼空無一…
使天地戰慄如…
並颳起涼風颯…
颯颯颯颯的…
這就是一種…

周夢蝶

依然空翠迎人…
小隱潭懸瀑升…
問去年今日…
花光爛漫，不…
人面與千樹爭…
不許論詩，不…
更不敢說愁說…
怕山靈笑人…
只容裙影與蝶…
在回顧已失的…
直到高寒最處…
想大海此時…
誰底掌中握著…
誰底眼裏宿著…
多樣的出發…

林亨泰

防風林
外邊 還…
防風林
外邊 還…
防風林
外邊 還…
然而海…
然而海…

守謙是處世第一法，涵容是待人第一法，恬淡是養心第一法。

氣忌盛，心忌滿，才忌露。

逆境順境看襟度，臨喜臨怒看涵養。

持躬類

事當快意處須轉，言到快意時須住。

花繁柳密處撥得開，方見手段。風狂雨驟時立得定，才是腳跟。

應變處之人愈厲，處至急之事愈宜緩。

怒時之言多失體。

惠不在大，在乎當厄。怨不在多，在乎傷心。

接物類

論人當節取其長，曲諒其短。做事必先審其害，後計其利。

人之謗我也，與其能辯，不如能容。人之侮我也，與其能防，不如能化。

林退齋臨終，子孫環跪請訓。曰：無他言，爾等只要學吃虧。

任難任之事，要有力而無氣。處難處之人，要有知而無言。

惠吉類

《謙》卦六爻皆吉，恕字終身可行。

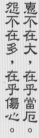

悖凶類

盛者衰之始，福者禍之基。

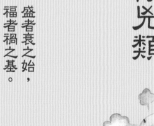

■摘自弘一法師《格言別錄》

格言

以恕己之心恕人，
則全交。
以責人之心責己，
則寡過。

以淡字交友，
以聾字止謗，
以刻字責己，
以弱字禦侮。

先益後損，則恩反為仇，
前功盡棄。
先鬆後緊，
則管束不下，
反招怨怒。

又云：論人須帶三分渾厚。
非直遠禍，
亦以留人掩蓋之路，
觸人悔悟之機，
養人體面之餘，
猶天地含蓄之氣也。

學問類

為善最樂，
讀書便佳。

存養類

宜靜默，
宜從容，
宜謹嚴，
宜儉約。

敦品類

善化人者，心誠色溫，
氣和辭婉；容其所不及，
而諒其所不能；恕其所不知，
隨事講說，隨時開導。

修己以清心為要，
涉世以慎言為先。

處事類

敦詩書，尚氣節，慎取與，
謹威儀，此惜名也。
競標榜，邀權貴，務矯激，
習模棱，此市名也。
惜名者，靜而休。
市名者，躁而拙。
辱身喪名，其不由此。
求名適所以壞名，
名豈可市哉！

持身不可太皎潔，
一切污辱垢穢要茹納得。
處世不可太分明，
一切賢愚好醜要包容得。

盛喜中勿許人物，
盛怒中勿答人書。

讀我母親

曾經有人說：「真實的人生比小說更為曲折。」對於母親的大半生，我深深的覺得這句話尤具沉重的意義。童年的時候，我只覺得母親很美，聲音更美。二十歲以後，我才逐漸了解「顧正秋」的藝術之美和情操之美。一九九七年，母親出版《休戀逝水——顧正秋回憶錄》，她在這書裡提到的事情，有些我以前知道，有些只朦朧知道，有些則根本不知道。通過她的回憶和陳述，我終於都明白了。很多事使我感動，有些事使我心痛，還有些事使我油然生敬。這使我更進一步了解了我的母親；在美的背後，影影綽綽都是滄桑。母親生命的每一頁，總有那許多迂迴曲折、傳奇多彩的故事。那些故事，磨練了她的意志，成就了她的藝術，也豐富了她的人生；恰如柏楊先生當年訪問金山農場後所說：「非大智慧的人不能如此」。

母親自一九五三年結束
年的戲迷一直難忘她的舞台
次她應邀義演，總是轟動一
她在國軍文藝中心義演《漢
即建議母親出一本書，把她
置可否，只淡然的答道：

「顧劇團」、退休結婚後，當
風采，不時催她復出公演。每
時，一票難求。一九八六年，
明妃》、《四郎探母》後，我
和父親的故事記錄下來。她不
「以後再說吧。」

看完她的回憶錄，我
的背後，其實仍有著驚弓
解嚴，許多事還不能說出
痛，也使我佩服。

才明白那句「以後再說吧」
之鳥的心情；因為當時還沒
來。她的隱忍和毅力，使我心

「此曲只應天上有，人間難得幾回聞」，此為已故台北故宮博物院院長秦孝儀先生送給顧正秋女士的墨寶，是人稱「秦孝公」的著名「秦體」書法。

母親和父親的故事，在歷史之流裡也許只是一小滴，但對我們這一家以及父親的另一個家來說，這是歷史中的歷史；無人可取代，也無人可抹煞。一九九五年母親終於決定出版回憶錄時，我們曾討論撰寫的內容。當時她說過一句讓我印象十分深刻的話：

——遵照事實——

她還說：「事情如有傷害到別人，可以不說」，但是，「沒有的事情，決不能說有。」

終於，她說出了當年經歷的一切，讓真相大白於天下。對於她的勇氣和智慧，我們作為子女的，只有更加敬重和感激。

此為顧正秋女士飾演《鎖麟囊》劇中女主角薛湘靈，在〈春秋亭〉一折中的劇照。

母親與父親的愛情故事，在現代人看來，已經有點像神話。他們的結合，曾經歷許多波折，父親對母親一直疼愛有加、呵護備至；母親對父親也一往情深，總是體貼溫柔。有一次父親還對我們說，他費盡千辛萬苦炸山拓路，開闢金山農場，就是下定把母親「帶到天涯海角」的決心。

我們在金山農場的家，是沒有鄰居的，半山腰孤伶伶的四、五間磚砌的房子，屋頂蓋的是茅草，光線也不好。那時候的日子，農場沒有電，晚上點的是馬燈，吃用的水是用明礬沉澱過的溪水。颱風來的時候，母親總和父親守在窗口，耽心屋頂被風刮下來，或田裡的作物是不是被雨打壞了。天氣好的時候，母親忙裡忙外，也不時拉著我的手到田裡探望女工工作，和她們聊聊天。父母台北的朋友，也常常到農場來，老朋友聚在一起有說有笑，好令人羨慕。那時候的母親，打扮得很樸素，在我看起來也有點滑稽：冬天的時候，總是上身穿著厚厚的旗袍，下身套條長褲，腳上則穿著球鞋，沒有脂粉的臉上，總浮著明亮動人的微笑，小小的我有時痴呆的看著她的臉，覺得她好美。那段日子，物質生活雖然貧乏，現在回想起來，卻也是母親精神生活最安寧、富足的一段歲月。

父親有一部下雨會漏水的老吉甫車，有時黃昏後也會帶著母親和我們三個孩子到台北看朋友，買些日常用品。山上的霧很大，一過傍晚就一片霧茫茫，幾乎伸手不見五指。我印象最深刻的畫面是父親開著車子，母親不停的用抹布幫著擦拭車窗的霧氣，也不時的把頭伸出窗外看路，我們一家人就這樣一晃一晃回到半山腰的家。

不記得幾歲，只記得我很小很小的一晚，我們那老爺車晃過了馬槽再過去的路段，車子拋錨了。我被爸爸一個把車門關上的聲音吵醒，爸爸必須走一個半小時的路回山上求救援，母親與我們待在車子裡面等。天好黑好黑，空氣好像凝結住一般。爸爸離開車子一陣子後，只聽見遠處傳來野狗狂吠，叫聲淒厲。我也不記得自己有沒有害怕，因為躺在母親身邊，她用一個小小的手電筒照著她的腳指頭，正演戲安撫我們呢！「噓，不要吵喲，你們看，」她說：「老大瞌頭瞌頭，老二點頭點頭；老大瞌頭瞌頭，老二點頭點頭……。」我好像又睡著了。幾十年後，我自己住在山裡，聽到野狗狂吠，想著那天涯海角的深邃夜晚，鎮靜的母親、勇敢的父親吞忍著的生存。這無盡無期無聲的黑暗，對照的是舞台上的燈光閃耀鑼鼓喧嘩。那一呼百應，拯救國家經濟存亡關鍵的掌舵者，對照的是狂奔逃避野狗群追逐的倉惶！

在金山時，父親還常逗我們說：「你們媽媽是一條蛇（媽媽屬蛇），我們住在《白蛇傳》中的金山寺，所以我叫這裡金山農場。」然後假裝自己是許仙，一本正經的對母親一鞠躬，親熱的叫一聲「白娘子！」我真的相信父親的話，以為金山農場的由來跟白蛇傳有關。直到一九九七年秋天，母親才在回憶錄中說出了真相。原來，他們是被「逼上金山」的；因為有人要他們「不可在鬧市行走」，「不可在公共場合露面」，「不可在台北市區做生意」……天哪，那個時代的政治，怎麼可以把人逼到那個地步！

此為顧正秋女士飾演《四郎探母》劇中女主角鐵鏡公主，在〈坐宮〉一折中的劇照。

對於母親藝術生命裡的種種，我是稍解世事才從別人的讚美以及文字、照片的報導了解的。幼小的時候，有個戴眼鏡的小學同學對我說：「我好羨慕妳有這樣的母親。」那時候的我，是一點也不懂那句話的真義的。我只是說：「有什麼好羨慕呢？別人的母親會做飯、打毛衣，還會給孩子送飯盒到學校，我的母親可都不會啊！」

我只覺得母親管教我非常的嚴格，例如教我們做人不可有「懶相」；行、坐、站都要有個樣子；穿鞋走路每一步都要提起腳跟，不可拖著走。光是為了走路不可出聲，粗心的我不知被罰跪過多少回才改了過來。在日常生活中，只要她對我使個眼色，我就知道一定有什麼地方又做錯了。

我還記得上初中的時候，正是所謂的叛逆期，心眼特別敏感。有一次在學校裡頂撞了英文老師，鬧到要被記小過。回家之後，我自覺委屈，在房間裡哭個不停。母親走進來，默默的聽我數落老師的不是，陪著我掉眼淚，讓我覺得終於有一個忠實的「戰友」。她的陪伴和安慰，使我漸漸忘掉了學校的不愉快，安靜的睡著了。

過了一個禮拜，當我幾乎已忘了那件事時，母親卻關起門來，平靜的叫我把事情發生的經過仔細重複一次。母親的平靜一向有一種威嚴，我結結巴巴的說著，越說越覺得自己的不對，慚愧的低下頭，幾乎說不出話來。到了那時，母親才嚴厲的數說我的不是，說得我許久不敢抬頭看她一眼。她的這番教誨，使我不安了好多天，終於主動寫了一份悔過書，親自去向老師道歉。

青春期的叛逆孩子，有幾人像我這麼幸運呢？大部分的母親碰到這種事，不是立即當面責罵就是冷嘲熱諷，我的母親卻以她的智慧撫平了我的叛逆，讓我口服、心服，一直引以為惕。我的孩子進入叛逆期時，每次要教誨他們，我總想起了母親的智慧，才能順利的陪孩子們走過成長的歲月。

母親自己從戲劇及師長那裡學到的紀律，規範，榜樣，以現代人的眼光去看是那樣的嚴謹，但她從不說一聲苦，自自然然的化為血肉和生命，至今謹守不違。我雖然沒有學習戲劇，母親在生活中仍以舞台藝術不得有一點錯誤的那種方式管教我，我所承受的家教確實比一般孩子嚴格得多。

記得將近二十歲那年，有個長輩過大壽，家人替他辦了個隆重的慶生會，我也被點名上台，表演我學過的「鳳陽花鼓」，又要唱又要跳。我穿上領口繡花的藍色鳳仙裝，舞鞋上繫個小球，跳起來會在半空中閃呀閃的，好不熱鬧，台下的長輩們都帶著微笑看著我表演，我也忘掉緊張盡情的唱跳著。後來有個優美的過門動作，左手的鼓棒梅花轉的平放著，右手的鼓棒在空中轉一圈到頭頂的上方，頭則由上方隨著旋律的節奏轉向觀眾，眼睛要嫵媚有神的落到觀眾席的一個定點；好巧不巧，我的眼神那一刻剛好落到我母親的臉上，我看到幾百個人帶著微笑，卻只有她臉上全無笑容，用嚴厲的眼神看著我，我臉上的笑容馬上僵住了，心想是哪裡出錯了嗎？身上也不免嚇出汗來了。

等我卸了妝來到她旁邊用餐，所有人都讚

美我表演的好，我也規矩的站著向他們一一舉杯敬謝。我知道母親從不輕易誇獎我，坐下來後就找個空檔側過頭問她：「媽，還好嗎？」

她沒有用正眼看我，只輕聲說了一句：「調門太低了！」

事後回想，對於藝術工作者而言，不能犯錯是最基本的法則，他們一直是用挑剔的眼神在看待自己的「作品」；對母親而言，我也是她的「作品」啊！

一場「鳳陽花鼓」的眼神，我一輩子也不會忘！而我這凡事講求完美的個性，不也來自母親從傳統戲劇學來的教養？

在現代化的過程中，有人懷疑傳統的價值，但母親對她師承的傳統，從來不疑。這點我真的受她的影響很深，所以我的朋友都叫我「裹小腳的」，我也不以為意。

蔣勳老師曾在〈顧正秋傳奇〉一文中說：

「一九七〇年代，顧正秋的名字已成為台北傳奇的一部分。……顧正秋的藝術和人生都變成了傳奇。……顧正秋的美學成為傳奇，是她創造了聲音的獨特品質。……顧正秋在舞台上回憶著，好像諸多繁華都在眼前一一閃過，多麼自負，又多麼蒼涼……。」

林懷民老師則在很多年前就告訴我：

「任祥呀！妳生來的責任就是把媽媽照顧好！」

他們了解母親是背負著太多繁華與蒼涼的傳奇人物。我也謹記著他們話裡的深厚情意，要細心的呵護這位我在這世界上最崇拜的偶像。

母親有一齣著名的戲《鎖麟囊》，劇情敘述一位富家少婦因天災逃難，淪落為替人帶孩子的保母，其中有一段二簧慢板唱腔的唱詞非常感人：

「一霎時把七情俱已昧盡，參透了酸心處淚溼衣襟。我只道，鐵富貴一生鑄定，又誰知人生數頃刻分明。想當年，我也曾撒嬌使性，到今朝哪怕我不信前塵，這也是老天爺一番教訓，他教我收餘恨，免嬌嗔，且自新，改性情，休戀逝水，苦海回生，早悟蘭因……。」

以前聽到這一段，我總會想起母親的大半生，在現實生活裡也經歷過種種辛酸。看到她的回憶錄叫《休戀逝水》，就明白她想讓過去的一切都過去。書出之後這十幾年，她的生活確實過得很平靜。兩個哥哥已先後往生，母親膝下如今只有我一個孩子，生活的重心大多關注在國內外讀書的兒孫們的活動，從那關注裡也獲得很多欣慰與滿足。

最近這幾年，因為製作這套書，我總三天兩頭的出些新花樣，讓她平靜的生活有些驚喜，碰到不懂的難題也去向她討教。尤其是她的上海回憶，既生動又詳實，使我的寫作材料豐富不少。

中國人有句老話：家有一老，如有一寶。母親何止是我們家的寶，還是眾人心目中的國寶啊！

我珍惜著我們的母女緣，我會好好的照顧這個國寶！

底圖照片為顧正秋女士飾演《玉堂春》劇中女主角蘇三，在〈三堂會審〉一折中的劇照。

讀我父親

很多長輩們看到我，談話間都會說起我的父親。

「他是做事的人，不是做官的人」；「精明幹練，很有親和力，但是鋒芒太露。」……

父親在官場的年代，我尚未出生。等我開始有記憶時，他已卸職多年，在一望無際的金山荒野間開墾農場，經常穿著長筒膠鞋在田野裡忙進忙出。長大後聽人說起官場的父親，我的腦海就浮起那穿著膠鞋的影子，二者之間是多麼不同的形象啊！

母親說，他們初到金山種田時，因為沒經驗，鬧了不少糗事。譬如一開始種了一大片高麗菜，眼見著逐漸長大，內心充滿了將要收成的喜悅，哪知高麗菜的葉子一直長高，就是不會包起來，一季的心血全白費了。——我自己開始種菜後才知道，陽明山、金山的高麗菜，如果晚了十天下種，結果可是天壤之別呀！

一九六一年秋天，柏楊先生曾到金山農場採訪，十月初於《自立晚報》的「冷暖人間」系列，發表〈兩個天地間的任顯群和顧正秋〉，其中一段話是這麼說的：

關於任顯群，知道的人太多了，他當過台灣省政府財政廳長，在滿街都是駱駝牌美國煙，公賣局賠錢過日子，私宰如熾，財經紊亂得一塌糊塗的時候，他以絕頂的才能使全國面目一新。當去年所有的公務員拿不到年終獎金，大家再度的想起了他，對於全國的老百姓而言，使現在這些只會做官的人如此窩囊下去，而使一個能幹，而且有成績的人才在荒山上埋沒，這不僅僅是一齣「冷暖人間」的諷刺劇，也是一幕時代的悲劇。——

柏楊先生來金山農場時，我才兩歲，什麼也不記得。三十六年後，母親的回憶錄《休戀逝水》（一九九七，時報出版）面世，我在書裡讀到那篇文章，想到去世已二十多年的父親，不禁痛哭流涕。如今引述上面這段文字，是一個紀念，也是與長輩們的話做個印證。

在我的心目中，父親是全世界最好的人。

我們住金山農場時，他每天和工人一起工作，關心他們的生計，幫很多屬下做生活規劃。吃飯時間到了，他大聲的喚著他們：「吃飯皇帝大，先來吃飯！」

後來為了哥哥和我上學方便，母親帶我們搬到仁愛路四段，父親那時也在台北市區開了一家建築公司，請了司機，在台北和金山之間來來去去。他的司機黃聰賢就是金山鄉的人，跟了他很多年，父親把他當兒子一樣看待。

我小學三四年級時開始愛漂亮了，偶而會到信義路的一家裁縫店改衣服。那家店的老闆娘也幫熟客做衣服，請了幾個小姐幫忙，其中一個叫秀蘭，雖然長得不高，臉孔卻很漂亮，我表姊給我的衣服要改小，都由她幫我量身，簡單的衣服也都請她改。秀蘭有雙水汪汪的眼睛，我很喜歡她，有一次聊天得知她也是金山鄉的人，心裡跳了一下，覺得更親切了，回家就跟父親說：「我想把秀蘭介紹給黃聰賢好不好？」父親說：「秀蘭的人品怎麼樣啊？」我說她很漂亮，人品應該也不錯吧？他就說：「好呀，我幫黃聰賢去看看。」

父親可不是敷衍我說說就算了，真的要去看秀蘭！但又擔心一個大男人跑去裁縫店顯得太突兀，就說總要想個比較自然的方式才好。我說有啊，表姊的牛仔褲穿不下，最近剛送給我，我要拿去改長度，你陪我去不就能看到她嗎？於是我們父女相偕去那裁縫店。老闆娘見到他，一臉意外的表情。「我女兒要把她的牛仔褲改成短褲。」他對老闆娘說。我在旁邊擠眉弄眼說是改短不是改成短褲，但他完全沒有意會到，大而化之的繼續說：「是不是有個秀蘭幫我女兒改呀？」秀蘭從後邊走出來，紅紅的臉說：「任小姐的尺寸我有，您放著就好！」父親盯著她打

量，問她家在哪？幾歲啦？老闆娘與其他的小姐都圍過來看，弄得秀蘭很不好意思。最後他對秀蘭說：「哪天改好？我請司機來拿。」秀蘭說了個日期，我們才走出裁縫店。回家的路上我直跟他抱怨：「我等了多時的牛仔長褲，變成了短褲！」他也沒聽進去，只是歡喜的說：「不錯不錯，妳有好眼光……。」

接下來就由我這個小媒人請秀蘭與黃聰賢到那時的「頂好」喝飲料相親。黃聰賢穿了體面的衣服，頭上塗滿了髮油，很慎重其事的樣子。再後來就由父親代表黃聰賢去秀蘭家提親，轟動了金山鄉，也成就了一椿好姻緣。

在我的記憶裡，父親總是關心最需要幫助的弱勢者。我讀復興中學時，他當家長會長，當時老師的待遇微薄，他特別幫他們成立了「職工福利委員會」；這在當年可是聞所未聞的事呀！

父親對人好，不只出於關心和行動，而且從不說傷人自尊的話。我上初中時成績不太好，考試常常倒數第一名，有一次學校老師請他去，我覺得讓他沒面子，內心很慚愧，擔心他回來會數落我一番。沒想到他一進門就說：「老師說妳很愛笑，我聽了很高興！女孩子就是要笑咪咪的，將來先生累了一天回到家，太太臭個臉，那怎麼

行！我告訴妳呀，笑容可掬跟好成績，我當然要妳笑容可掬呀！只要六十分及格就好！」

從小到大，我知道自己有位好父親，一九七五年他去世，十六歲的我才見識到他有著多麼不凡的人際關係。我們沒有給親友寄訃聞，僅在報上刊登，結果出殯當天送他上山的車隊綿延了兩公里，金山鄉民還主動在路邊設案祭拜送行。我想，父親能得到這樣的人緣，最重要的是他做事認真，待人真誠，而且滿腔熱腸。

父親出生於一九一一年，老家在江蘇宜興的「任家花園」，是當地的望族，從小過著園林廣闊的富裕生活。東吳大學法律系畢業後，他東渡日本，在東京的中央大學政治研究所深造。一九三七年七月盧溝橋事變，對日抗戰全面爆發，他立即由日返國，隨後進入鐵道部任專員；同年十月隨軍事家蔣百里前往歐洲考察，並進入羅馬皇家大學專研行政管理。一九三八年三月返國後，陸續在交通部、糧食部等單位任職，負責大西南各省及遠征軍的物資運輸與糧食調度，從專員、副處長到處長，受到蔣介石與第六戰區長官陳誠的賞識；一九四四年升任川湘公路局少將局長，後來又升任後勤總司令部中將通信運輸處處長。……

多年後我就讀復興中學時，有天數學老師突然說起當年他隨軍隊從混亂的城市到達了川湘公路區，說當地的陣容整齊，也沒有食物匱乏的憂慮；「據說局長任顯群很善於管理。」我同學指著我說，「是她爸爸！」

又過了幾年，在世界新聞專科學校上國文課，女老師也說她到過川湘公路營區，不但物資不虞匱乏，連廁所的衛生條件等等也與別處有著天壤之別。我同學又指著我說，「是她爸爸！」——兩次在課堂上意外聽到這些對父親的讚美，少小的我好高興又好驕傲啊。

一九四五年抗戰勝利後，父親辭去公職，準備好好發展自己的事業，遂與川湘公路局的幾個老同事在上海創立中華旅運社，承辦華中、華南、西南及長江的水陸運輸，是當時國內最大的民營運輸公司，他擔任董事長兼總經理。

如果他繼續經營運輸業，也許能賺大錢，而且不會捲入後來的政治紛爭，還被人構陷入獄。然而命運的多變，「如果」是看不見的。一九四六年四月，台灣省行政長官陳儀親自從台北到上海的中華旅運社，請他出任台灣省交通處長。陳儀比他年長三十歲，彼時已六十四歲，又態度懇切的不辭遠路登門，他實在無法婉拒這位長者，只好答應五月一日抵台就任新職。他在任內創設了台灣省公路局，改善島內交通，並創設台灣航運公司，劃分松山軍用機場的一半為民營，計畫發展台灣對外的海空運輸。次年發生了二二八事件，台省人士組成「二二八事件處理委員會」，需要長官公署一級主管參加，當時沒有人敢去，父親是唯一去的一級主管，而且單獨赴會，在中山堂坦然面對「處委會」人士的提問。對於能負責解決的問題，當場承諾；不能負責的，則說明理由，保持跟「處委會」溝通的管道。四月陳儀被撤離台，父親也隨之離職，不久

被上海市長吳國楨聘為「上海市民食調配委員會」主委，解決了配糧不公引起的工潮、學潮的問題。一九四八年六月，陳儀出任浙江省主席，父親又被他找去任杭州市長。一九四九年二月，陳儀疑涉通匪案被撤職，父親又隨之離職。同年八月，美國總統杜魯門發表《中美關係白皮書》，十二月七日，國府遷移台灣，十二月十五日，吳國楨出任台灣省主席，父親被聘為財政廳長兼台灣銀行董事長。那也許是他公職生涯的高峰期，卻也相對面臨了最大的挑戰。在三年四個月的任期內，除了應付眼前的種種財政難題，還未雨綢繆的在國立台灣大學法學院創設「財經人員訓練班」，前後培訓了兩千多名人員，成為後來台灣財經界的重要幹部。

父親出任新職時，才發行半年多的新台幣還在舊台幣四萬元兌換新台幣一元的期限內，而市面上的美元奇缺，台幣兌美元匯率一度暴跌。況且軍中永遠要錢，內政更是要錢，怎樣分配這缺糧之倉？巧婦難為啊！

一九四六年即來台灣省政府任職的鮑亦榮先生，一九九一年十月在《稅務旬刊》四十周年發表〈慶四十‧懷故人──任顯群先生功在國家〉長文，對當時的情況也有個人的觀察：

那時臺灣恍如末日來臨，處在驚風駭浪之中。在整個政府環節上，財政為國家命脈，尤其在大陸惡性通貨膨脹之餘，痛定思痛，幾乎認定「沒有好財政，便沒有好政府」。而當時政府財政必須遏止赤字，力求平衡，平衡之道，又必須整頓稅收，改革稅制。任廳長掌握財政重任，最盡力者乃是外匯的調度，出口完全依賴糧食、台糖與香蕉，李連春、楊繼曾負責增產，尹仲容負責銷售，居其間者任廳長兼台銀控制輸入審核，每日忙碌萬分。總統府設財經會報，每周由總統親自召集……舟山撤退，軍用蚊帳，各軍事單位、首長特支費，層出不窮的需求，任廳長每次遵令籌措，決不折扣。錢從何處來？……

一九四九年春天即到台灣的南懷瑾老師，二○○七年十二月十五日在太湖的「大學堂」講堂對中國銀行業監督管理委員會的二百多名全國代表演講「漫談中國文化與金融問題」時，也曾敘述父親當年化解貨幣危機的故事。

南老師說，那時他在楊管北（1896─1977）家中定期講授佛學，聽課的包括何應欽、顧祝同、蔣鼎文等重要的文官武將，他見到我父親兩次去找楊管北，談的都是財經面臨危機，可能生命不保的事。我父親在上海時曾與蔣伯誠、洪蘭友、吳開先、張劍鳴、江一山、楊管北、劉丕基、嚴欣淇等八人結拜兄弟，他最小，稱「老九」；楊管北第六，父親叫他「六哥」。楊管北來台後擔任立法委員，也繼續經營輪船公司，我父親有什麼事常找他商量。南老師說：

有一天，我在上課，看到任顯群來見楊管北。……他說，六哥啊！我告訴你，我今天來見你一下，明天或者後天我就坐牢去了，也許要槍斃，楊管北問，為什麼？他說，實在沒辦法，台

灣這個局面我怎麼維持？你看這兩天的美鈔飛漲，很快的漲上來，我沒有來源，抵不住啊！抵不住，責任就在我身上，我準備坐牢，槍斃就槍斃！老頭子一問到我，我說沒有辦法，又無來源，這個時候美元外資都沒有，什麼都沒有。當時台灣同香港、新加坡只有船的來往，還沒有航空。……最後怎麼辦呢？楊委員命令自己香港載貨的輪船，公開地買美鈔過來，錢由他公司裡出，政府將來再還他。買了以後，任顯群怎麼辦？把行政幹部訓練班的學生找來，穿便衣上街去賣美鈔，比如說，美元九塊，這些學生講：我有，八塊半要不要？那個學生又來：我也有，八塊要不要？結果，三天，把通貨膨脹壓了下去。

南老師第二次見我父親去找楊管北，是他跟蔣介石為了黃金吵架的事。國府撤退來台時帶來大批黃金，是準備有朝一日「反攻大陸」之用，平時不準動用。南老師說：

有一次，任顯群先生又跑來了……任顯群說，老先生突然叫我去，一看到我，他臉色發青說：「顯群，你該死！」我就說：「請問總統什麼事啊？」蔣先生說：「人家報告我，運過來台灣的黃金，你通通給我用了一半，怪不得你做得那麼好！」我就說：「報告總統，黃金絲毫沒有動，放在台灣銀行倉庫，我不但沒有少一分一毫，我還給你增加了多少。現在我不走，你立刻派人去查。」這下子，老頭子愣了一下：「啊！真的啊？」我說：「這個怎麼行呢？總統一聲令下，一顆子彈我就沒命了，這不是開玩笑，我不走了，你們立刻派人去查。結果老頭子電話打過

去，真的是這樣。這是財金金融的故事，也是經驗。……

南老師在演講中也提到父親創辦愛國獎券與統一發票等措施的功效：

用這樣幾個辦法湊攏來救急，把通貨膨脹壓下去，過了財經金融這一關。……為什麼台灣後來變成「亞洲四小龍」之一，經濟這樣發展？我剛才報告的是初期的台灣。我說台灣能夠穩定財政金融的是任顯群，跟著下來的是尹仲容，後來是李國鼎，至於其他的再說了。我說他們都很有功勞，了不起！

父親致力防止通貨膨脹，嚴格執行緝私計畫，確立預算制度，訂定各項稅捐統一稽徵條例，在一九五〇年四月發行愛國獎券，一九五一年元月實行統一發票制度。但蔣介石在一九五〇年五月二十七日的日記中，對愛國獎券的發行似乎頗為疑慮：

臺省在一個月半間要發行獎券八千萬台幣聞之驚悖惟賴天佑得以順利進行渡此經濟重大難關也。

後來事實證明，愛國獎券幫助許多中下階層民眾解決了生活問題，統一發票讓稅務制度走上軌道；二者都增加國庫稅收，改善國府經濟窘境。

愛國獎券發行了三十七年半，於一九八七年十二月底走完階段性任務後停止發行，統一發票制度則延續至今六十年。每次去商店購物，從店員手中接過那薄薄的統一發票，我都彷彿接到父親的手澤，內心溫暖又感動。

蔣介石的日記中還曾多次提到父親，如一九五○年二月八日：

約見少谷與任顯群等關於台灣財政與緝私問題之研討依之建議實施也。（黃少谷時任總裁辦公室秘書主任）

一九五○年十月二十六日在角板山：

自忖復職以來行將八月軍事政治與黨務皆以重起爐灶之精神已建立初基惟外交尚在危險之困境而經濟財政亦未能完全脫險惟基本漸臻穩定至於軍事與防奸方面得力者為政治部之經國與郭寄嶠政治經濟方面則為國楨顯群與雪艇為最優也而最大之成果乃為研究院與軍議團之訓練事業彭孟緝實為後起之俊秀也。

一九五一年六月六日：

任顯群談台灣自花蓮經霧社至台中全程橫斷公路籌款辦法決定期預定於明年二月完工寸心為慰此為台灣最重要之建設亦為最艱難之工程也。

然而，父親的長官吳國楨與行政院長陳誠及蔣經國（時任國防部總政治作戰部主任）不合，堅持於一九五三年四月辭職並於五月下旬赴美，父親也受到政治鬥爭波及而離職。由於不願順從當局誣告吳國楨，他決定永遠告別官場。

袁方先生一九九六年十一月在《傳記文學》六十九卷第五期發表〈任顯群的故事〉，說是早在一九五四年三月，**陶希聖曾要求任顯群提供吳國楨的「不法證據」受到任顯群的斥責。陶乃發**動相關人員查核省府購置物品的虛實，據說連省府買茶葉的發票也持往店家核對有無訛報……。

袁方先生說，一九五三年四月父親卸任後，他於五月的一個下午兩點多去家中探望，見他正在吃中飯，詢問原因才知是老先生（指蔣介石）邀去吃午飯，問了許多話，他要凝神諦聽又要回答問題，沒什麼機會動筷子，餓著肚子回家。—— 這使我想起小時候曾問父親：「爸爸，你有沒有見過蔣總統？」他說有，常常要去跟蔣總統報告事情，還說每次被邀去吃飯會報，蔣夫人總在一旁對他說：「你要多吃一點。」然而正如袁方先生所述，因為要向總統報告，父親幾乎沒什麼時間吃東西。

袁先生在同一篇文章中又說，他曾詢問我父親為何吳國楨要辭職，父親幽默的答道：「吳先生精通外科、老人科、內科，就是不通小兒科。」父親說完還進一步解釋：「吳先生和美國的關係很好，夫婦倆與老先生、夫人的關係也不錯，就是和蔣經國的關係沒搞好。」袁先生因而加上一句按語：那段時期的政壇人士，因不通「小兒科」而落馬的大有人在。

袁先生還提到吳國楨赴美前，曾上陽明山謁見老先生，回程要下山時，發現座車輪子的螺絲被鬆脫了，幸而當時車子剛起動不久，未釀成墜崖之禍。—— 經歷了那樣的險境，換誰都會下定決心一走了之不再回來的！

袁方先生發表這篇文章時，父親已去世三十多年，他的結論是：

任顯群在台灣從政，先後僅四年多，計任

交通處長一年，財政廳長三年四個月，均政績斐然。他勇於負責，待人坦誠，深受台省朝野人士擁護。

父親辭去財政廳長後，與顧姚仁先生合作「群友法律會計事務所」，然而再度創業的時間也僅一年半，就因「知匪不報」於一九五五年四月十一日被捕入獄。

母親每次說起父親被捕的事，總還心有餘悸。因情治人員在家裡翻箱倒櫃了三天，連天花板都拆下來搜查。且當局不告知他被關在何處，外面也謠言紛紛，有說被關在台中或台南，有說被送去綠島，有說已被處死……。提心吊膽了四個月，才獲知他被羈押在西寧南路保安司令部保安處；一年後判決定讞，心情才稍微篤定下來。

父親被捕之前兩天，蔣介石的日記於一九五五年四月九日如此記載：

十時入府令鄭毛追究任顯群包庇匪諜案。

鄭指當時國安局長鄭介民，毛指情報局長毛人鳳。可見逮捕父親這件事，是蔣介石親自定奪的。而所謂的「包庇匪諜案」，是一九五〇年發生的事，為什麼五年之後才要「追究」？是誰有意的羅織了那些舊資料給他？

「包庇匪諜案」的「匪諜」，指的是父親的族叔任方旭，大陸淪陷時未及逃出，任職於中國人民銀行杭州銀行。一九五〇年八月終於逃到香港，輾轉與我祖母徐寶初取得聯繫，希望能夠來台灣。當時外人來台需有保人，祖母乃令我父

親保任方旭入境。父親一向事母至孝，樂於助人，何況是自己的族叔，於是按照行政作業規定向保安司令部提出申請，並經該部副司令彭孟緝審核批准，入境後也幫他找到工作安頓下來。一九五三年十月父親與母親結婚，兩個月後任方旭突在台南被捕，羈押獄中不予起訴。一年半後父親偕母親參加張正芬的婚禮，照片上報一周後父親也遭逮捕；直到一九五六年四月十一日，兩人才同時由保安司令部軍法處宣判。

一九九七年我才有機會看到那份判決書：任方旭判刑十年，罪名是在大陸任職的人民銀行「均屬叛亂組織之一種」，來台後「既未據聲明脫離亦不向政府治安機關自首……。」任顯群判刑七年，罪名是「曾接受高等教育，歷任政府要職，竟不知『大義滅親』之義，明知匪諜而不告密檢舉……。」

關於父親的刑期，聽說當局原先要判他死刑，後來又聽說要判十年，最後七年定讞，服刑兩年半獲得假釋出獄。我想，蔣介石處理過無數生殺大事，會選擇最輕的判決，大概是念及父親曾對國家有過貢獻，而且了解他從未做出對不起國家的事吧？

但是，父親一向把做人該有的原則放在最前面，也因此做了些讓當道不滿的事。例如陳儀於一九五〇年六月十八日在新店軍人監獄被槍決，遺體停在殯儀館，至親好友怕得罪當道都不敢去弔祭，父親則認為政治歸政治，情義歸情義，一

得知消息就第一個去弔祭老長官，也是唯一去弔祭的政府首長。而且陳儀去世後，其日籍太太生活無著，返回日本娘家依親，後來如有親友赴日，父親都悄悄託人給她送點生活費。父親曾對母親說，陳儀太太從不用公家車，每天自己拎菜籃上菜場買菜，夫婦倆的生活一直很儉樸。——他當然知道去弔祭老長官的消息傳到蔣介石等人的耳裡會影響官運，但他並不在意。

又如吳國楨一九五三年十一月在美國發表批判國府的言論後，他的屬下都受到種種調查，要他們提供對他不利的證據。父親不但曾被保安司令部保安處的人約談兩次，每次都是晚上八點多去，十二點多回來，查問吳國楨在省主席任內有無貪污，買金子，虛報帳目等，之後則開始被跟蹤，事務所與住家都受到監控，連往來的公司也被查帳。最荒謬的是我同父異母的大姊任景文要赴美留學，出境當天不但行李被海關逐一打開檢查，連新做的旗袍領子也被一件件拆開！——當局大概懷疑父親託我大姊帶什麼密謀的信函給吳國楨，而信函可能藏在旗袍領子裡。

但父親對這一切困擾，從來沒有一句怨言。

母親說，父親書讀得多，見過的世面也不少，深悉人情義理之道，對自己的一切看得很豁達。一九五一年有人持槍闖入他辦公室行刺未遂，刺客被送到刑警總隊問訊，但十二小時之後刑總竟說刺客已跳樓自殺，對其身世背景及行刺動機「只說很複雜，內情卻不透露」。父親對母親說，他後來曾去刑警總隊拜訪隊長劉戈青，看

到整幢樓的窗上都有鐵柵欄，「怎麼可能跳得出去？」這件事始終真相不明，後來不了了之，父親卻一直耿耿於懷；母親說，他倒不是為了自己的安危，而是擔心那個叫高正大的刺客已被殺害滅口了。鮑亦榮先生也曾在《稅務旬刊》第一六四三期發表文章，詳述那件事的經過，並說在事過四十六年後寫出來，是因「我不禁想起今日所謂『白色恐怖』而震撼，豈容青史終成灰，是以不得不記敘之。」

父親不但心胸豁達，而且聰敏好學，從不虛度光陰。別人坐牢大多怨天尤人，意氣消沉，他坐牢兩年九個月，不但以他和母親的故事編了一齣劇本，還編了一本八百多頁的《中文字典》於出獄後出版。他的專長是法律與財經管理，誰也沒想到他會編字典，並以自己獨特的見解另闢蹊徑，把自古以來的部首做了大調整。他的「弁言」不足一千字，簡潔扼要，無一句提及身繫牢獄編書的背景，開宗明義即道：

「字典為吾人求學治事所必用之工具書。工具書之基本要件有二：一為便於檢查，二為適於實用。本字典之編輯，於此兩端，特予重視。

就便於檢查而言，因鑒於我國一般辭書慣用之部首，檢查頗不容易；本字典遂將傳統之二百一十四個部首作下列之調整……。」

我上初中時，父親送我那本字典，我還不太了解那些部首的變化，但他說的一句話至今深藏在我心中：

「要記住呀，天下無難事，我的字典裡可沒有『難』這個字喲！」

我照他獨創的筆劃分類翻找，真的沒找到「難」，倒是發現了「艱」。我們常把「艱」、「難」連在一起，但他對「艱」的注釋裡也沒有「難」這個字：

艱（堅）ㄐㄧㄢ

①父母的喪事，如「丁艱」，即遭了父母死亡之事。②不容易的，如「行之匪艱，知之維艱。」③不富裕的，如「艱苦」，「艱窘」。④文章不通俗不流暢的，如「艱澀」，「艱奧」。⑤奸險，如「其心孔艱」。

我當時想，一個被關在牢裡的人，不願承認生活有「難」，意志多麼堅強，而且胸懷多麼寬闊啊！不過後來我在慣用的部首索引裡意外找到了他說沒有的那個字：

難（南）ㄋㄢˊ

①不容易的，如「難得」，「難辦」，「難產」，「蜀道難，難於上青天」。②禍患，如「蒙難」，「臨難勿苟免」。」③質問，如「詰難」。

我於是拿著字典去指給父親看：「爸爸，你不是說沒有這個字嗎？」

父親哈哈大笑說：「那是在別人慣用的部首裡呀！在我編的筆劃裡，是沒有這個字嘛！不過我那麼跟妳說也是在考驗妳，看妳有沒有發現的

精神？要記住呀，讀書也好，做事也好，都要有發現的精神。」

我聽了以後更崇拜父親了；有發現的精神，當然天下無難事啊！

於是我以發現的精神另外查了父親與我的姓氏：

任（認）ㄖㄣˋ

①職責，如「責任」，「任務」。②派遣，如「任命」，「任用」。③擔當，如「擔任」，「任勞任怨」，「任以為己任」。④信託，如「信任」「任賢使能」⑤隨意，如「任意」，「任便」。⑥姓。

我也知道父親坐牢時最想念的人是母親，且看他如何注釋她的姓氏：

顧（故）ㄍㄨˋ

①看，如「回顧茫然」，「回顧前塵」。②眷念，如「顧念」。③照拂，如「照顧」。④畏忌，如「顧忌」。⑤拜訪，如「三顧茅廬」。⑥憫惜，如「顧惜」。⑦買主，如「主顧」。⑧乃、卻，如「顧乃」。⑨但。⑩難道。⑪姓。

顧曲，觀劇之意。

我邊看邊微笑，卻也不免感傷。微笑，是他字裡行間流露了對母親的深情；感傷，是他獄中思念母親的無奈。注釋的開始應是他初入牢獄時的心境，其後的字句則揉和了他與母親交往、結婚前後的轉折和相惜。最特別的是注釋之後另立一行，有意的突顯「顧曲，觀劇之意」。——他寫著那一行字時，腦海一定浮現當年坐在永樂戲

院台下觀賞母親演出的盛況吧？

父親一九五八年元月假釋出獄後，還被警告刑期未滿前，不可與母親在熱鬧的公共場合露面，「也不能在台北市區做生意」，後來只好與母親遠走金山開闢農場，住在沒水沒電，屋頂蓋著茅草的矮屋裡。

我記得小時候問過父親：「爸爸，你有沒有坐過飛機？」

他說有，不好玩，因為是為了要載金子給「上面」清點。

我也問過他：「爸爸，你有沒有信什麼教？」

他回說：「我信仰過三民主義，但現在我信睡覺！」

我初中時想去教會，父親勸我要知道分辨，因為「很多時候，組織都是利用年輕人的熱血，最後受傷的是自己！」

父親的弱點是愛抽菸，晚年得了肺癌。由於被限制出境，申請出國就醫亦未獲准。他臥病期間，我常常陪他，幫他按摩，聽他講故事。他也一再告誡：「你們以後不可以從政！」

最近幾年大家時常議論的省籍問題，父親當年與蔣介石午餐會報時，就曾向他提出建議：讓外省籍父母在台灣生的孩子報戶口時將「籍貫」改為台灣，以消弭外省人與台灣人的情感隔閡。但蔣介石對此提議極為不悅，悍然拒絕。——現在想想，父親的熱心提議確是深謀遠慮，如果當時就施行，也許可以預防不少問題。然而在當時

的嚴峻環境裡，父親的熱心被視為天真，缺乏所謂的「政治正確」。他的熱情報國之心最後遭到不平的後果，難怪會告誡孩子們明哲保身之道。

父親說得最多的當然是與母親的愛情故事，他總是說：「妳媽媽嫁給我，是委屈她了！妳媽媽可是位能幹的顧老闆喲！」

母親主持顧劇團時，團員都稱她「顧老闆」，父親有時也這麼喊她。有次我們家的電線突然冒煙走火，母親立即一個箭步過去，把插頭踢離插座，並用鞋底把火源踩滅。父親回過神來，笑著對我說：「妳看看這位顧老闆！要得！當家的氣勢喲！」

父親對母親很體貼，從不曾對她大聲講話，生活一直非常恩愛。也許是受到他們的影響，我一直以為每一對夫妻都該是那樣恩愛相待的。一九九七年母親出版回憶錄，以三章的篇幅把她與父親的結緣，父親的功績和委屈，竭盡所能的向歷史及所有關心的人作了交代；最後並將父親的判決書附錄於書後，讓後人了解他被捕入獄的經過。母親當年見過的人那麼多，會選擇父親作為伴侶，終生對他念念不忘，一定是因為他的人品、幽默與才氣吧！

我時常在想，在過去那一長段被扭曲的歷史裡，父親該有怎樣的歷史定位呢？

也許，就是長輩對我說的兩句話吧：

是做事的人，不是做官的人。

後記：

　　為了寫這篇〈讀我父親〉，二〇一〇年二月間仁喜特別陪我到史丹佛大學的「胡佛研究中心」，翻閱《蔣介石日記》的原稿。那幾天北加州濕冷陰雨，面對一冊冊森森然的歷史檔案，我的心緒激動，手也不停顫抖。在父親隨吳國楨下台以及被羅織罪名入獄的前後數年間，我以兩天快速播放的方式逐一檢視日記，找到與父親有關的敘述就停格下來，一共抄錄了十六條與我父親有關的內容。我也因而看到「一代偉人」敘述夢中出現毒蛇，盤轉在每一個他走過的柱頭。我也看到他日夜的猜疑，不安與長期的失眠。——　曾經做過多少錯誤的決定，才會有那麼多的疑慮那麼深的不安？諸多章節，使我彷彿看到血跡漫過日記，漫延到桌上，又一滴滴的滴落，染紅了地毯……。

　　回家之後我陷入極大的痛楚，幾乎沒有辦法提筆。等緩緩回過神來，才慢慢拼湊出一九四九之後那幾年父親的臉龐，母親的臉龐，那字裡行間其他人的臉龐，他們家人的臉龐，奉命行事者的臉龐……。

　　附圖這張五十幾年前的公文，是蔣介石於一九五五年四月九日日記所載：「**十時入府令鄭毛追究任顯群包庇匪諜案。**」後四天所發佈的，凍結父親所有的財務來源，讓父親的兩個家即刻面臨生存的問題，家人的焦慮，現實的困頓，置人於死地。

　　完成〈讀我父親〉後，仁喜搶著先讀，讀完卻問：「妳怎麼寫得這麼客氣？」我無奈的答：「我又能怎麼樣呢？」

　　我的回答好像也是在替父親仰天長問：我又能怎麼樣呢？

　　但是青史豈容盡成灰，親愛的父親，希望這篇不能怎麼樣的文章，能聊慰您過世三十五年的在天之靈。

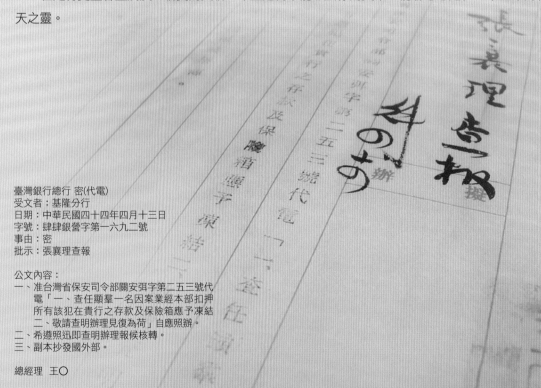

臺灣銀行總行　密(代電)
受文者：基隆分行
日期：中華民國四十四年四月十三日
字號：肆肆銀營字第一六九二號
事由：密
批示：張襄理查報

公文內容：
一、准台灣省保安司令部關安強字第二五三號代
　　電「一、查任顯羣一名因案業經本部扣押
　　所有該犯在貴行之存款及保險箱應予凍結
　　二、敬請查明辦理見復為荷」自應照辦。
二、希遵照迅即查明辦理報候核轉。
三、副本抄發國外部。

總經理　王〇

結痂_的傷痕

我們一家人去歐洲旅行時，仁喜都會帶我們去看博物館建築。很多博物館與猶太人的流離歷史有關，我看完離開時總沉重得說不出話來。其中印象最深刻的，是由猶太裔美國當代解構建築大師Daniel Libeskind所設計的柏林「Jewish Museum Berlin」博物館。我們在一個陽光溫馴的午後走入那座幽暗曲折的空間，光線由不規則形狀的窗戶直接或間接的射入室內。斷裂的造型設計，象徵著猶太人扭曲破碎的命運。我專注的看著，不知何時與家人分散了方向，獨自沿著一道大樓梯往下走，見到一個狹長形的展示會場，上頭的光線筆直照著地上的人臉；原來，每一個參觀者的腳下，都踩著幾萬個生鐵鑄造的臉孔！霎時之間我被震撼得雙腳一軟，跪下來蒙著面嚎啕大哭，久久不能自已。

雖然館方希望超越大屠殺博物館的型態，進而呈現各種面貌的德國猶太文化，但其中呈現的人性痛楚，總是最尖銳刺人的傷痕。

柏林圍牆的旁邊，展覽著巨幅的歷史照片，敘述著冷戰期間東西德的變革與發展，也有一些跟人性有關的溫馨故事。我們最喜歡的一則是三個感情好的兄弟，老大先從東德逃出來，再設法把老二接出來，最後老大老二乘著自己做的熱氣球，去把老三接出來。所有八竿子打不著的觀光客，看到這個結局都替他們鼓掌叫好。而那結了痂的傷痕，如今已具體的變成了地上的一條線，穿過了都市更新後的城，明顯的畫在所有的馬路，公園，店家，也留在每一個人的心裡。

猶太人與東西德的劇情，好比一杯純釀的威士忌酒，而中國人的兩岸分隔劇，則除了威士忌還混合了米與高粱做的不同原料的酒，更濃烈更嗆鼻，一口喝下去大概會讓人把五臟六腑的東西全吐出來。我們這一代，只是聽著或讀著上一代的故事就已經非常沉重，更何況是那些以血肉之軀親歷過那段歷史的人。從小到大，隨便跟個像我一樣年齡的人聊聊，都會碰觸到那個軍閥與革命者廝殺的年代，那些使我們上一代經歷過無數離苦的鬥爭與戰亂！但我現在要跟孩子們敘述那段歷史時，卻感覺像在用另外一種語言一樣的困難。孩子們生長的年

代，吸的是自由的空氣，吃的是人權的食物，他們總用理直氣壯的口吻，高調的聲音，跟我們談論著自由與人權，尊嚴與意識；跟我們的上一代相比，變化確實太大了！然而，那段造成千百萬人生離死別的歷史是不能遺忘的，也希望所有的後代都不要重演歷史的錯誤。

我讀書或看電影的時候，總是情不自禁的產生同理心，跟著劇中人的故事起伏不停，常常哭得眼睛紅腫。人入中年之後，雖然心緒磨練得比較堅強，但眼睛也已不能承受椎心之痛，每哭一場就腫得像熊貓的眼眶一樣大，整個人陷入昏沉狀態，總要一個多禮拜才能恢復正常。二〇〇九年秋天讀了龍應台的《一九四九大江大海》，那些證據確鑿的數據，從各省各角落挖出的歷史傷痕，以及兜起來的拼圖板塊，使我又像親歷其境一般，替那千萬個亡魂與活下來的人泣血，替那曾經是殺人者的手顫抖！我的眼睛有如被燒傷一般，無法看清這浩劫的真相。我的心像大江大海般翻湧，痛得無法停下來。一九四九的傷痛，彷彿一個人被推進了手術室，剖開了胸腔與肚皮，在強烈的燈光與放大鏡下被巨細靡遺的檢視著，同時電腦連線到巨大螢幕上，讓人們清楚的看見傷口的脈絡與血痕，看見那些經久不癒，淤積於心靈深處的膿瘡。

中學時，我看過一本描述文化革命初期的書《天讎》，第一次看到兩岸分隔後的大陸震盪。當時雖然也頗為震撼，印象中並沒有哭。哪想到幾十年後，與一些跟我同年齡層的大陸藝文界朋友聚餐，我們像小孩子一樣的笑語喧譁，他們說：「我們被教導的是你們窮得吃香蕉皮！」我們則立即回說：「我們被教導的是你們水深火熱，吃草根啃樹皮！」——這十多年來的兩岸變化也確實太大了！

我不知道吃香蕉皮或啃草根樹皮的日子是否存在過，但是，二二八的槍聲猶在耳際，白色恐怖的陰霾籠罩不去，文化大革命的亡魂哀嚎未絕，水深火熱的日子的確存在過，求個活下來的日子的確存在過，為了保護自己而傷害別人的日子的確存在過，挾個人恩怨造成政治迫害的日子的確存在過，荒謬不知所以的錯亂的確存在過，考驗人性尊嚴的時代的確存在過……。那些存在的痛楚，後來轉換成紙上的文字，像把刀一樣的切開淤積的膿瘡，讓人閱讀時又痛得追憶起過去的恩怨與遺憾。但也只有清楚的記憶那些痛，我們才有勇氣跟歷史對話，並且諒解那個多難的時代。屬於我們的歷史傷口，經歷了時間的撫慰，終將變成結痂的傷痕，留存於中國人的心裡，讓我們引以為惕。我由衷的希望，我們的後代都能知道祖先們曾經受過那麼多的磨難，我也祈求上蒼，讓世人彼此了解，彼此尊重，免於戰爭的禍害，遠離那歷史錯誤的痛苦，不要再出現我們的上一代與我們這一代引以為懼的，血淚斑斑的傷痛文學。

讀我公公

我的公公姚望林先生今年八十五歲，每天都還在想怎樣寫出更好的日本和歌。他從小受日文教育，在銀行界退休後，除了做慈濟義工，生活中最重要的事就是寫和歌；從日常生活的觀察與體會中，按照和歌的嚴謹規律詩型，寫出很多細膩感人的詩句。前幾年他過八十大壽，仁祿特別把他多年來的作品蒐集成冊，出版《我的和歌日記》作為生日賀禮。公公說，寫和歌很難但也很有趣，為了一句短短的詩的意境，往往要左想右想，有時一個字也要推敲好久；不過在那推敲的過程中，也享受了玩味文字的樂趣。

我好喜歡這位愛寫詩的長者，都跟著孩子們稱呼他「阿公」。

阿公出生於一九二六年，八歲時進入台灣人讀的桃園公學校就讀（當時專供日本學童讀的稱為「小學校」）。台灣在一八九五年被無能的滿清政府割讓給日本五十年，在那段期間出生的人都像阿公一樣，出生時即為日本籍，後來又因教育的關係，日文都比中文好。阿公說，幼年的時候，在學校的所言所寫全用日文，只有在家跟家人才講閩南語。

阿公在公學校讀六年畢業後繼續就讀高等科兩年（等於初中一、二年），然後再考入一九四〇年才剛設立的台北商工專修學校（今台北市立大安高工）商科。阿公很打拚，商科畢業不久就考進日據時代的台灣銀行，接受了銀行業務的基礎訓練，同事多半是日本人。

一九四一年底日本偷襲珍珠港，太平洋戰爭全面爆發，日本政府開始對台灣人徵兵，阿公那時還在銀行接受基礎訓練，也被召集為臨時兵。入伍之前，他因感冒咳嗽不止，醫生說他疑似患了肺結核，但規定報到的日期已至，不得不啟程到新竹近郊風大的竹北去。阿公說，他被編在輜重部隊，每天都要搬運粗重的武器裝備，身心俱疲。奇怪的是，在那樣疲憊不堪的勞動中，身體漸漸好了。阿公回憶說，可能是太忙，沒有時間生病了。有一天，部隊的中隊長傳喚他去，阿公非常擔心自己是否做錯了什麼事。還好，是中隊長看了他的履歷，要他結束那體力嚴重透支的日子，轉去做他所擅長的主計工作。所以阿公後來常告誡他的孩子們：「一技在身，受惠一生。」

換做主計兵以後，他負責部隊每個月的收支記帳與現金管理。第二年，隨部隊移防到基隆港，空襲警報每天都像例行公事一樣的發生，軍隊裡的袍澤大多變得習以為常，有時根本不加以理會。但他仍時時保持著警戒之心。有一天，他的預感特別強烈，空襲警報一響就抓著綁腿衝進防空壕，一瞬間聽到爆炸聲「轟轟」響起，頭頂上一片刺目的閃光，跟他一起躲進防空壕的少年兵嚇得用力抱住他，大叫著「媽！」──阿公說，那是冥冥中的神明庇護他保住了性命，但人不管在什麼環境，也都必須隨時保持危機意識。

　　一九四五年八月十五日，日本宣布無條件投降，阿公歡欣鼓舞的返回家鄉。二十一歲那年，他開始學習中文會話與書寫，得以順利的繼續在光復後的台灣銀行工作。但幼年的語文學習對任何人都影響深遠，因此他要書寫抒發心情、感想方面的文字時，還是比較習慣使用日文。晚年能以寫作和歌自娛，我們都覺得那是快樂而幸福的事。

　　我的父母與許多親友都來自中國大陸，無法忘懷九一八事變、淞滬戰爭、南京大屠殺等等日本侵略中國的生死流離，民族痛楚。我的一位阿姨說，她在上海看到日本軍燒殺掠奪之餘，還當場把一個女人的乳房割下來！每次講到日本鬼子的種種暴行，阿姨總是咬牙切齒，永遠有不共戴天之恨。

　　但與仁喜結婚後，我從阿公身上看到一種儒雅的氣質。我想，阿公雖然受日本教育，到底不是日本軍國主義者；而且他的教育帶有一種自我節制的紀律，是我很嚮往的典範。台灣被日本殖民五十年，政治經濟雖然受到諸多不平等待遇，但治安良好，據說可以夜不閉戶。而派到台灣從事教育工作的日本老師，也大多品行優雅，教學認真，並都以孔子儒教為基礎教訓，讓學生嚴守生活紀律。不少受過日本統治教育的人，戰後還對返回日本的老師念念不忘，時有書信往返，甚至請他們再來台灣旅行，一起參加同學的聚會。那種感情，我想是超越國家與政治的。許多跨越兩國統治與兩種文化洗禮的長者，如阿公一樣，至今的生活仍留有日本文化的影子；這已是我們這一代習以為常的事實。

　　阿公說，台灣光復的時候，他跟所有台灣同胞一樣興奮，還穿戴整齊的跑到基隆港口，擠在人群中揮舞著小國旗，迎接祖國來的國軍。但從船艙走下來的國軍，穿著破衣草鞋，舉止粗魯，隨地吐痰，講的中文完全聽不懂，阿公跟其他的人一樣，心裡有著很多說不出口的問號。不過終於不必再做被殖民的三等公民，內心還是有著回復為中國人的喜悅與驕傲，他也得以返回台灣銀行總行營業部，經辦存款與匯兌業務工作。

　　不幸的是一年多之後發生了二二八事件，造成台灣人與外省人之間永遠無法彌補的痛。阿

公説，二二八動盪期間，他仍堅持每天去台銀上班，通過總統府前門時，軍人荷槍實彈，他必須很謹慎的裝成外省人的樣子走過去。我問他什麼樣子是外省人的樣子？他就仰起下巴，邊走邊吃東西，翻上白眼，把頭抬得高高的，把我這個外省人第二代笑翻了。阿公也説，一九五〇年代的國民政府只想反攻大陸，無心好好建設台灣，老百姓的生活是很苦的。

二二八之後，台灣進入白色恐怖時代，戒嚴長達四十年，人民戒慎恐懼，生活受到許多牽制。阿公說，他結婚時與新婚妻子到日月潭度蜜月，住在當地的旅館，半夜裡突然被軍人敲門叫醒臨檢，一看他們兩人的身分證沒有載明是夫妻，硬説他們是匪諜，就叫他倆到外面罰站到天亮。當時被指為「匪諜」，可是死路一條啊！所幸剛好有台灣銀行的同事也在日月潭旅遊，第二天緊急請台銀人事室保證他們都是台銀員工，這才得以安然脫身。

阿公結婚的事也經歷過一番曲折。他説，妻子與他原是台銀同一個單位的同事，比他大三歲，家境也比他好，所以她的娘家極力反對，其一是女比男大，其二是除每個月的薪水以外，無其他收入。而妻子的姊姊們都嫁入家境不錯的人家。姊姊們也警告妹妹，嫁了窮丈夫自己要負責。但她還是堅決嫁給他，兩人婚後生了四個孩子。生了第二個孩子後，她辭去台銀的工作，全家就靠阿公一份基層公務員的薪水，但無論生活多麼拮据，她從來不跟姊妹們訴苦，讓阿公很心疼。

仁祿出生後常常拉肚子，而仁喜在一次躲空襲警報時受到風寒轉成氣喘，時常發作，她辭去工作後，少了一份收入，剩下他一個月的薪水往往有一半要花在仁喜的緊急醫治上。阿公説，為了醫治仁喜的病，看遍了當時的名醫，仁喜的母親甚至去為他算命，其中一個算命的説仁喜的生命可能不保，她急得跑到廟裡跪求菩薩保庇，發誓戒掉她最喜歡的茶道，並願以自身的性命交換仁喜的平安。在那樣的情況下，一個月的薪水半個月就用完，生活無以為繼，只好向娘家的姊妹們周轉；債務越積越多，最後不得已變賣他分到的祖產還債。阿公每次說到那段辛苦日子都搖頭嘆息。而這一切都沒讓孩子們知道，免得影響他們讀書的心情。

直到仁祿大學畢業，上了大學的仁喜也健康了，家裡的情況才好轉起來。可惜不到兩年，仁喜的母親得了腎臟病，每周需洗腎三次，每次就要五千元！而阿公當時的月薪只有五千元。阿公說，當年沒健保，為了支付龐大的醫藥費，他再度面臨變賣祖產的窘境。而且洗腎之後會全身發癢，家人要不停的替她抓癢，力道不能過重也不能太輕，阿公常常一天睡不到三個鐘頭，仁喜的母親那時真的苦不堪言。一九七七年農曆初六，她選擇家人都不在身旁的時候悄悄的走了，得年只有五十五歲！阿公每回說到這裡，總是萬般傷心與不解的説，「她為何不跟我説一聲就走了？」我們總是安慰他説，將心比心，人要走的時候，如果有太多牽掛是更難成行的。更何況，她有太多的不捨與不忍，怎能承受那種與摯愛的丈夫及兒女當面訣別的痛苦！

阿公後來從公家銀行轉到民營銀行，在金融業盡忠職守的前後服務了五十四年才完滿退休。阿姨（阿公再娶的妻子，我們都暱稱為阿姨）的個性開朗和氣，細心的陪伴阿公，自從她也退休後，更積極的安排多面向的生活。阿公身體健康，健步如飛。孫兒們陪他去走路，回來後跟我們說：「阿公怎麼比爸爸還年輕呢！」阿公與阿姨兩人一起參加佛教慈濟功德會及各類慈善工作；阿公每周幫慈濟翻譯日文，也有閒暇親近和歌。晚年的這項興趣，開啟了阿公另外一扇心靈境界，為他的生活帶來無限的樂趣。最近仁祿寫了一封e-mail給阿公，信上說：

　　「您是一位盡責的父親....

　　因為您盡責，所以，我們向您學會盡責....

　　因為您盡責，所以，您將自己的身心，一直保養得很健康（當然，也要特別感恩阿姨，多年的陪伴與照顧）

　　其實，弟妹與我，不只都大了，有年紀了，也都在宗教上有些學習、思考與體會；

　　因此，我想，我們都能理解，孩子的家庭教育，最難的，不是經濟，是時間....

　　更難的，時間不只要有量，還要有質....

　　您與媽一起辛勤努力，為弟妹與我，構築了家庭教育的基礎：

　　1）經濟辛苦而穩定，讓我們學習珍惜、學習感恩....

　　2）父母長時間陪伴，讓我們學習愛、學習被愛....

　　3）生活求真誠善美，讓我們學習人生的價值，不是錢財名聲，而是美善與真誠....

　　我感謝從您與媽媽那裡學來「對藝術認真」

　　藝術，就是美善與真誠。

　　媽與您，雖然沒有教我們藝術的技巧與道理，卻因生活上對藝術認真追求，影響了（更準確的說是培育了）弟妹與我的天性之中，對真、對善、對美的欣賞與追求的能力。

　　也許，您覺得我們小時候，三不五時從自行車後座鐵箱帶來的雜誌，只是您與媽的閱讀消遣....

　　其實，我們從那些似懂非懂的照片文字，傳承了美的感受，也傳承了文化的追求....

　　也許，您覺得讓我們住在圓環磚樓、圓山木屋，只是湊巧有那樣的房子可以住....

　　其實，我們從您與媽的用心安排，體會了生活環境之美....

　　也許，您覺得我們每天早上醒來，就聽到收音機的英語與您的背誦，只是您有學習英語的興趣....

　　其實，我們學習了您的認真，您的決心與您擁抱異文化的勇氣....

也許，您覺得您週末的網球之會，只是您喜愛的運動⋯⋯

其實，我們從您對運動的興趣，轉成我們對運動的興趣，中學時期，我們熱衷於運動，變成我們後來拼學業，爭事業的體力⋯⋯

也許，您覺得，近年的寫作、翻譯，只是排遣時間⋯⋯

其實，看您一本一本詩集、散文認真構思、專心創作、辛苦打字（其實是用電腦寫字）、用心排版，我暗暗佩服，常想到了您的年歲，我也不能怠惰⋯⋯

您不只是一位負責任的父親，

您還是勇敢面對人生挑戰的父親，

更重要的，您是我們談起來就驕傲的父親。

所以，請繼續努力，繼續讓我們學習！」

讀了仁祿的信，真是感動不已。開始邁向中老年的子女，向敬愛的老父說出心底的感恩，為人父母的我，更深切體會這段感恩的話何其珍貴！

阿公真的很勤奮，電腦時代來臨，他也學用電腦與中文輸入法，除了寫和歌，還常常給我們與孫輩們寫e-mail。最近他寫來新的生命體悟：

過去　可回憶當為經驗作為未來的參考。

未來　誰都無法預測，因人生無常，應平時修身準備未來。

現在　要把握當下，做善事不後悔，做人要寬厚。

我們的阿公，真是一位令人尊敬與愛戴的長輩！

占卜與風水

逃不過數嗎？

中國傳統文化中有一門玄學，最早的就是對《老子》、《莊子》和《周易》的研究與解說。這三部遠古年代即問世的巨作，從生活的，科學的，實用的，文學的角度去解讀，顯露的人類智慧真是高超而龐雜，難怪有人形容它們是上一個文明所遺留下來的。

不過，數千年前的文字與表達形式殊異，後來的人如果沒有持續深研，大多難登堂奧，無法理解其中的深義與智慧。反倒是應用在風水、算命、占卜、擇日、姓名學等等與日常生活較為密切的術數方面，一代代都有人潛心鑽研，各有創發，以至於現今談到中國的玄學，大家的印象好像只有「中國術數」了。而「術數」之說，彷彿也成了不少人生活中的顯學。

關於「術數」之說，最普通也最常聽到的是「一緣二命三風水」；它們被歸納為個人命運好壞的主要因素。

「緣」是一個抽象的概念，是一種人與人世之間無形的連結，中國人總是把很多無法解釋的事情歸於緣分二字，而且認為先有天定的緣分，才有其後被緣分所定的關係及發展；其中並有善緣與惡緣之別。也就是說，緣分的串連會造就一個人與周圍的人或處境的關係。

至於風水，似乎更神秘，卻也更具體。「看風水」，對中國人來說是天經地義的。人住的房子要先看風水，往生者的墓地也要看風水，我們

從事建築設計業，會遇到各類用途的房子設計，百分之八九十都有風水的考量。還有的在競圖時請風水師來決定得標者呢！

香港的中國銀行，像一把劍一樣的矗向天空；英國的匯豐銀行，則在屋頂裝了個大砲形狀的洗窗機，這都是很有名的風水案例。

建築與風水的故事很多，多年來聽得多也看得多，真的要我說沒有風水這回事，我倒也不敢說。但我要向孩子們強調的是，將來有機會自己買房子或蓋房子，千萬不要怪力亂神，要考慮的風水是最好坐北朝南，陽光充足，格局方正，自己看了舒服開心最為重要。

陰宅的風水會影響後代子孫的福分，這也是中國人傳統的看法。祖先住的地方如果平安，則子孫平安；反之如果屍骨不能順著自然演化為泥土，則可能殃及子孫，使後人不得平靜。很多人因為一直的不順遂，會去探討家族陰宅的風水的。

「生死有命，富貴在天」，這也是中國人的老生常談。既然人的命運是天定的，算命之術也相對的應運而生，而且方式還不少。各式各樣的算命方法，都標榜能替人趨吉避凶，預知命中會發生的事，並設法調節其運勢。

我與仁喜結婚的前夕去香港，母親安排我們順道去見她的朋友董慕節先生，他是著名的「鐵版神數」傳人。起先我也不懂其中深奧，以為只

是去合個八字，這在中國人婚前大多會做的，我倒也不排斥。仁喜與我一身情侶裝扮，輕輕鬆鬆的如期到達香港鬧區一棟公寓去見董先生。在電梯裡我倆還開玩笑：如果不幸被他說我們的八字不合，我們還是一定要結婚的！

董先生長的像彌勒佛，笑咪咪的，說著上海話，招呼我先到他房間。我坐在一個書桌前面，面前擺了十二本書，整齊的排列著。他先問我農曆生日，我告訴他明確的日期，再問我時辰，我說好像是清晨。這時他拿出一個以前中藥店常見的木珠子大算盤，開始劈哩啪啦的打，然後用上海話說了一個數字，譬如說三七六，就是第三本書的第七十六個句子。我記得我翻到的句子，都是「父蛇母虎先天定數」或「兄弟七人同父不同母」這一類要對號入座的句子。就這樣一句一句的翻，翻得我開始毛骨悚然，因為看到很多很恐怖的句子，例如「君家注定四旬零數到黃泉恐不回」，「年華已盡大數已終」，「十事謀來九事空　年年蹤跡若飄蓬」，「美貌佳人雖共老　琵琶撥出斷腸聲」等等。當然也翻到好句子，例如「巧名巧利不逢而自逢」，「洋江之水伏龍蛇家室康寧財祿多」，「以舉人而選知縣數而前定」……還有「木年夫死小叔變成夫」這種離奇的戲劇化腳本。我當下發現，我的手一翻，翻到的可能是吉凶禍福四個字都有的人生呀！

如此前前後後翻了大概二十幾個數字，但是都不對，董先生就說要進行「考時定刻」，把我的出生時間推至一個時辰有八刻、一刻有十五分鐘的精細度，才可得出最精確的推斷。於是他開始就我的時辰逐一盤算數字，我也驚心動魄的翻了一句又一句，前後大概四十分鐘之久，終於出現了第一個吻合我的句子：「萱花蔭庇遮長年」，我回答「是！」接著第二句：「椿樹風吹自在先」我再答「是！」至此，他算出我正確的出生時辰，依那時辰一路算下去，我的六親、父親過世的年代，親人的屬肖，個性，興趣等等，全都一一對應。但算到我的因緣時，又讓我嚇出一身冷汗。第一句是「一字記之曰X」；X是我以前男友的姓，算盤劈哩啪啦打完翻書一看：「嫁不得」，我深深的吸一口氣。接下來一句是「一字記之曰Y」；Y是另一個前男友的屬肖，他再翻書一看：「彩虹不久好景難長」！

這些都是過去式呀，未來還沒開始哩，董先生卻說到此先告一段落；「接下來的我算好寄給妳。」我難為情的說：「董伯伯，我下個月就要結婚了。」他看了我一眼，再拿起那把我眼中的「生死算盤」劈哩啪啦的打。當時我只覺得發暈，仁喜坐在外面等，依照這款斬釘截鐵的字眼，萬一算出新郎不是他該怎麼辦？我們是為了買結婚戒指才到香港來的呀！難道一個數字就替我們決定了天大的變數？……畢竟那時年紀輕，想著想著竟擔心得大哭起來，而那算盤還在劈哩啪啦，誇啦誇啦！焦急的不知等了多久，他算出個數字，我顫抖的翻到一句：「一字記之曰兔」，心臟都快跳出來了；仁喜就是屬兔的呀！

算盤聲音像機關槍一樣的在我耳邊繼續著，時間是停止的，我也像停止了呼吸，終於急著說：「董先生，怎麼樣嘛？」

接下來翻到的當然都是很好的字眼，我才能在這裡優雅的講這故事給你們聽囉！

然後換仁喜進來，看到我臉色慌張又蒼白，還搞不清怎麼回事，我就抱住他大哭，好像跟他已分離了幾個世代。

仁喜也花了很久的時間進行「考時定刻」，也曾被那些對號入座的精準句子給嚇到。後來翻到「相貌生的端正　酷似令堂大人」，董先生抬起頭看了一下仁喜，仁喜回答說：「我不知道我長的端不端正，但大家都說我長得跟媽媽一樣！」接著一句「在高堂不是你親生娘，陰間屬豬你親娘」；對呀，仁喜的親生母親已去世多年！

於是董先生劈哩啪啦擲地有聲的又丟出幾個號碼，六親都進來了，妻的姓，小八歲，也都翻到了。最驚人的是他又丟出一個號碼，翻到「設想周到華夷慕」，然後繼續撥算盤，再翻到「計出心窩體制多」，董先生停下來問仁喜；你是從事設計工作嗎？因為這兩句的第一個字湊起來是「設計」。

我們離開董先生那幢樓後，走在熱鬧的街上還恍恍惚惚的，到了文華酒店點了杯烈酒壓壓驚。

那隻一翻兩瞪眼的算盤，著實把我們嚇到了！

後來我才知道，這套算命神數的緣起，據傳來自宋朝的邵雍（邵康節）依他的數學思想體系所著的《皇極經室》，甚至說他是為了讓智識不高的兒子有養家活口的技能，才幫他設計了這套「簡易」的數學公式。而「考時定刻」是一項嚴謹的驗證程序，完成之後便會出現數學哲理的神祕體系，可以藉此解讀六親的情形及不同年齡會發生的事情等等，後來就成為以數理推論天地萬物人事變化的命書。

到了滿清時代，有位道士名叫「鐵卜子」，用這套神數替人算命時加上我所經驗的由問命人直接翻書，因為出現的句子斬釘截鐵，讓許多人趨之若鶩。從此，此術變成一個神秘的術數；「鐵版神數」的「鐵版」，即是「鐵卜子版本」的簡稱。

我母親後來也去香港見了董先生，幫她算出最令人百思不解的一句是「回顧正秋月圓日」，下一句則是「正是少女傷心時」。這幾百年前即有的句字，居然有我母親的全名，還點出她年輕時我外祖母過世的時間是中秋節。還有個從事攝影工作的朋友去看董先生，他翻出來的句子之一是「鏡中留印證，似幻似真」。——古代還沒發明攝影術啊，實在令人驚奇。

另外有個朋友的故事更玄奇，他自己因事忙沒空去香港，讓太太代他去算，約好用越洋電話問端詳。董先生算出他的兄弟幾人的生肖，依年齡大小排下來都沒錯，哪知算到因緣伴侶時出現「一字記之曰玲」，「情婦雖有離合無常」！

他太太在電話裡問台北那頭的先生對不對，電話一陣安靜，久久才吐出個「是」。據說那次算的「一字記之曰…」，總共算出三個他太太不知道的情人。

董先生給我的那份命單，在手邊已二十幾個年頭了。當初確實經過一番驚嚇，如今活過一圈，也看出算命的本質是過去一定準，未來僅能供參考，因為人世的變化是無刻不在的。

命理的巧妙，其實就在一個「變」字。我總告誡孩子們，就算你相信「命」是定的，也要知道趨吉避凶的道理。而且「運」有個走字邊，是會動的，要相信命運是可以靠著自己扭轉的。

其實中國人的術數運用，都是源自易經。易經以八八六十四卦展現人生的變化，有謂「閒坐小窗讀周易，不知春去已多時」，自古到今，易經就是一個迷人的數學遊戲。很多人是越學越糊塗，或沉迷於其中，也有很多人被這些數字玩弄得作繭自縛。

易經強調變化，明朝著名的《了凡四訓》也強調人要相信自己的命運是可以改變的。這本書的作者袁了凡，因為經驗了跟我一樣的算命，連他該得到的俸祿多少都用袋米計算清楚，並算出五十三歲那年的八月十四日丑時會去世，而且膝下沒有子嗣。他百般應驗命單上戲劇化的起伏，發現他得到的俸祿跟算命說的不一樣，於是僥倖的想，可能是算命的算錯了；誰知朝廷管帳的發現少算了給他的袋米，把相差的數字補足後，竟和算命說的數目完全一樣，讓他終於死了心，知道自己無法逃脫命運的擺佈。所以命單上的死期將至時，他去廟裡打坐，等著死神來帶走。廟裡的禪師知道了，就去點醒他：極善之人與極惡之人，命運是會改變的。於是他開始發善心，行善念，每天在公德簿上計算自己做了多少善行。結果他活到八十多歲，並且子孫滿堂。

《了凡四訓》的提示，也反映在很多我認識的人的故事裡。所以不管是緣、命、風水、命相、占卜，舉凡生活中的術數學，都會因著善心善行善念而產生變數，為自己的命途加分。所以我的結論是：「善有善報」如同一加一等於二，是數字的理論，也是鐵的定律，就是這麼簡單的秘密。

生活札記

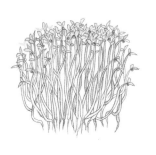

一天到一天半的時間用瀝網瀝乾水分進行催芽，也有用濕毛巾包裹種籽，用溫水潤濕法；總之，看到種籽冒出小白點，就表示催芽已成功。

再下一步就要看品種安排栽培箱，讓它們繼續長芽。栽培箱有很多種的設計與搭配，原理是針對不同種籽粗細的根部吸水或鋪土讓種籽盤根、浸水與瀝乾。催芽後的種籽，需平均鋪在栽培箱的平盤上。為了保持溼度，需用一個托盤形的蓋子蓋上，待芽成長到約一公分再拿掉托盤。

一般所謂的芽菜與苗菜，其差別在於「綠化」的過程。如黃豆、綠豆、苜蓿、紅扁豆、葫蘆巴等屬於芽菜，不需光合作用，種籽發芽後就可食用。豌豆、花豆、蘿蔔嬰、小麥、蕎麥等屬於苗菜，必須放在弱光並通風的角落繼續培養方可食用。培養期間也需澆水，天氣熱一點一天三至四次；天氣涼一點則早晚各一次即可。

一般菜場賣的芽菜苗菜，大多施用過硝酸鈣、硝酸鉀、磷酸銨等化學肥料及硫酸鎂等營養劑，甚至經過漂白水沖洗，所以看起來漂亮而肥大。我把芽苗菜放到秋天的篇幅，因為秋天通常休耕，不像春夏有那麼多的蔬菜選擇。芽菜苗菜其實一年

四季都可種植，像黃豆芽與綠豆芽的方法也很簡單。如果聽說颱風要來，先泡黃豆與綠豆，然後找兩個不鏽鋼的壺，把浸泡後的豆子分別放入，每天三四次，把水從壺嘴灌入，搖晃一下，再由壺嘴把水倒出瀝乾，等颱風過去約三四天，就有芽菜可吃了。自己養的黃豆芽與綠豆芽，雖不似外面那樣肥美，但沒有化學肥料也沒有漂白水，氣味清香，方便快速，不必去追逐颱風後的昂貴蔬菜。我常用黃豆芽炒小魚，加水熬煮成高湯備用。或用豆腐皮包綠豆芽與豆干絲，以低溫油炸後切成三角形，淋上芝麻醬，好吃又好看。我也喜歡用油煸一下黃豆芽，再加入豆腐煮湯，既有濃濃的豆味，又可喝到清香的湯頭。

近年來芽菜苗菜的種類越來越多，很多十字花科的種籽也都加入了苗菜的行列。這些新品種，多半夾在三明治內，或當沙拉食用。

我覺得芽菜苗菜不但是一種健康的種植，而且可以當成室內裝飾，欣賞它們的美姿，享受看到成長的喜悅，一舉而數得，實在值得推廣。

芽菜與苗菜的種植

台北市建國南路高架橋下的停車場，每逢周末就變成熱鬧滾滾的臨時市場，一頭是假日玉市，一頭是假日花市，人潮川流不息，是假日的好去處。玉市那一頭，賣各種怡情養趣的小東西，攤位的主人，很多是平日在公司行號上班，假日來擺擺攤位，現點寶貝與絕活，交交朋友，抬抬槓，有趣極了！花市那一頭的攤位，主人大多是專業的，做生意還兼具教學示範。我就是在那裡認識王羽樺，向她學會種植芽菜的技巧。

王羽樺身材瘦小，開一部內部改裝過的3.5噸卡車，車內放了各種的芽菜和種籽。每次到她的攤位，都看到她們姊妹倆忙得團團轉，攤位上擺了幾十種不同的芽菜種籽，另外有大小不一養殖好的芽菜。專程來買芽菜的老顧客都很直接，掏出幾十元，她們就用刀子切一把，客人拿了轉身就走。像我這類想學種芽菜的客人，則待在攤子前問東問西。因為問的人太多，不同的種籽有不一樣的技巧，我發現她說的都大同小異，而且速度很快。去過六次以後，我忍不住問她：「妳為何不印一張表比較省事呢？」她說，有，在這裡！於是找出一張給我。我回家依表學習，卻怎麼樣都養不好。第七次去，我又問她：「妳的表上的資料好像不完整

啊？」她才說，這些是早先印好的，不用完很浪費。我說：「但是資料不齊全，會誤導呀！」她才把我拉到一邊小聲的說：「那是我先生以前印的，那時候就只有那些種籽，但他十二年前過世了，種籽的種類越來越多，而我只有小學畢業，寫不出那些東西，只好把經驗講給別人聽，讓他們可以照著種。誰像妳，每一樣都要種，問得那麼清楚？妳是不是記者？」

我覺得很慚愧，覺得該幫她，於是就說：「我幫妳謄寫好不好？妳說我寫，我再幫妳印，以後妳就省事多了。」

就這樣，她很高興的接受我的建議，我也從中學習到種植芽菜的技巧。她敘述的種植方法，請見文末表格的說明。

種植芽菜苗菜的種籽，最重要的是挑選非基因改良，而且不含殺蟲劑。浸泡種籽的容器，需先用滾水消毒，種籽用自來水洗淨，即可放入容器加冷水浸泡。浸泡時間的長短則視天氣與品種而定。如果浸泡時間不足，則種子表皮發皺；時間夠則種子表皮飽滿，會膨脹約一倍。所以估計用多少種籽時，也要預估膨脹的狀況。

種籽浸泡完成，下一步是催芽。有人以

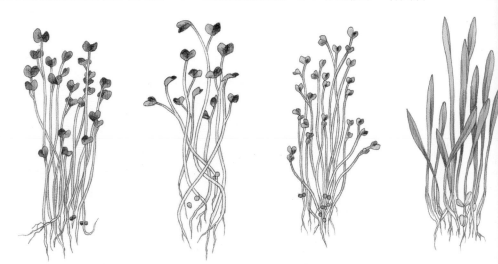

我的

秋天菜園

發芽後平舖於盤上	種植方式	光線	給水量	全程培植時間
舖於有孔的盤子，澆水後底盤蓋住遮光	水	不見光	夏天放冰箱，每天澆水兩～三次	4～6天
舖於有孔的盤子，澆水後底盤蓋住遮光	水	不見光	夏天放冰箱，每天澆水兩～三次	7～10天
舖於有孔的盤子，澆水後底盤蓋住遮光	水	不見光	夏天放冰箱，每天澆水兩～三次	4～5天
毛巾一起放到不見光的容器內	水	不見光	夏天放冰箱，每天澆水兩～三次	2～3天長芽根即可
到水壺裡面不見光	水	不見光	嘴進水嘴出來，天熱時一天三四次，天涼時早晚就好	4～6天
到水壺裡面不見光	水	不見光	嘴進水嘴出來，天熱時一天三四次，天涼時早晚就好	4～6天
舖於有孔的盤子，底盤存水滿位	水或土	弱光	每天澆水兩～三次，新水換舊水	7～10天
舖於有孔的盤子，底盤存水滿位	水或土	弱光	每天澆水兩～三次，新水換舊水	7～10天
舖於有孔的盤子，底盤存水滿位	水或土	弱光	每天澆水兩～三次，新水換舊水	7～10天
舖於有孔的盤子，底盤存水滿位，蓋上膠板或紙板，長到一公分後就不用蓋了	水或土	弱光	每天澆水兩～三次，新水換舊水	7～10天
舖於土上，立刻灑水	土	弱光	每天澆水兩～三次，新水換舊水	7～10天
舖於土上，立刻灑水	土	弱光	每天澆水兩～三次，新水換舊水	5～7天
舖於土上，立刻灑水	土	弱光	每天澆水兩～三次，新水換舊水	5～7天
舖於土上再覆土，二十四小時不灑水	土	弱光	每天澆水兩～三次，新水換舊水	7～10天
舖於土上再覆土，二十四小時不灑水	土	弱光	每天澆水兩～三次，新水換舊水	14天左右

芽箱的設計有很多種，要以洞孔大小來搭配種籽。豌豆苗、小麥草等需
大孔洞粗網的；紫高麗、花椰菜、芥蘭、油麻菜籽與紫蘿蔔等需要中孔
細網的。

包的時間一般為四到八小時，但仍需要自己觀察，天氣越熱則要減少浸
的時間，一般以膨脹一倍左右，種籽表面沒有皺紋，飽滿圓蓬為原則。
天特別要注意時間的控制。

豆、小麥草的根粗要用粗網，根部才能吸收水分。

麥、紫高麗、油麻菜籽等催芽要鋪在平盤上，需要先平鋪在一層土上，
且立刻要灑水，其作用為盤根之用。

花與蠶豆等催芽後要鋪在平盤上，需要先鋪上一層土，再鋪上種籽，再
上一層土；並且於二十四小時內不要灑水。

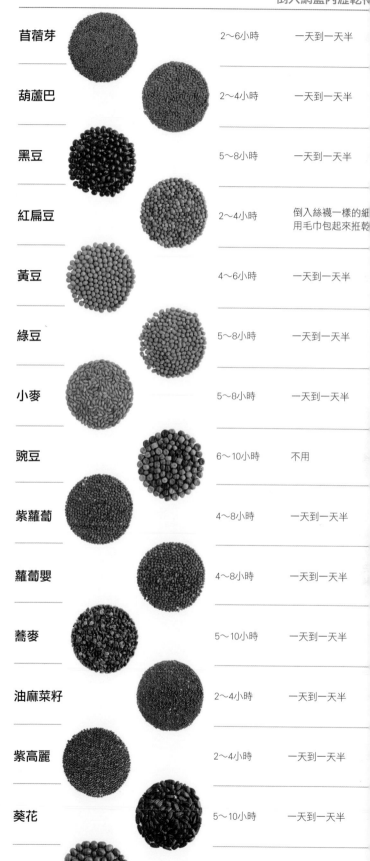

名稱	浸泡	催芽：倒入網籃內瀝乾後
苜蓿芽	2～6小時	一天到一天半
葫蘆巴	2～4小時	一天到一天半
黑豆	5～8小時	一天到一天半
紅扁豆	2～4小時	倒入絲襪一樣的細，用毛巾包起來抵乾
黃豆	4～6小時	一天到一天半
綠豆	5～8小時	一天到一天半
小麥	5～8小時	一天到一天半
豌豆	6～10小時	不用
紫蘿蔔	4～8小時	一天到一天半
蘿蔔嬰	4～8小時	一天到一天半
蕎麥	5～10小時	一天到一天半
油麻菜籽	2～4小時	一天到一天半
紫高麗	2～4小時	一天到一天半
葵花	5～10小時	一天到一天半
蠶豆	冬天：8小時	一天到一天半

我的
廚房

材料	做法
汁60g、魚露10g ...10g、蔥茸10g ...茸10g、砂糖10g ...醬10g ...醬30g ...10g、冷開水60g	將所有材料混合均勻即可。
...辣椒粉	用滾熱的牛油沖入辣椒粉調製的辣椒油，在很多專業牛肉麵店的桌上都可以看到，嫌牛肉麵的辣度和香氣不夠，舀一杓加進湯裡，香度和滋味馬上不同。
...小辣椒或朝天椒 ...辣椒粉一包 ...粒 ...油 ...片 ...顆	(一)起油鍋，將花椒粒以小火爆香，再將花椒粒撈起，油留用。 (二)薑切片，蒜頭剝皮(整顆)，雞心小辣椒或朝天椒從中剖開，把辣椒油加入鍋中的花椒油中，把薑片、蒜頭、雞心小辣椒或朝天椒，入鍋煸到乾撈起，油留用。 (三)把粗辣椒粉倒入油中，翻炒至香味出來炒均勻即可。
...、生蠔、魚、...蝦、麻油、糖、...、蝦米、...、辣椒、丁香	(一)將磨豉、生蠔、魚、蝦、麻油、糖、花生醬炒過成為海鮮醬底。 (二)將辣椒去籽，丁香篩過，蝦米的雜質去除，然後快炒爆香，加入紮實的干貝丁，混合成為干貝海鮮醬，再加入海鮮醬底即成。
...15g、蜂蜜120g ...60g、清水360g ...香料3g ...粉3g、幼鹽1g	將所有材料一起煮沸後改小火慢煮至濃稠為止即可使用。可做蜂蜜蓮藕或蜜火腿沾醬、加入甜湯圓裡。
...60g、老抽60g ...10g、冰糖8g ...20g、幼鹽5g ...400g、麻油20g ...5g、桂皮15g ...8g、甘草15g	將所有材料放入鍋中用中火煮約二十分鐘，就是香噴噴的油雞滷汁。
...高醬油60g ...豐行高級香醋30g ...豐行紅香麻油30g	將所有材料混合調勻即可使用。有了這三元素，即可隨心所欲自由加入其他醬料配料運用。
...醋10g、蕃茄醬40g ...糖10g、甜辣醬10g ...油5g、辣椒茸10g ...茸10g、芫茜茸10g ...茸10g、蒜茸10g	將所有材料混合調勻即可。
...鹽45g、生薑5片 ...蔥三根、紹酒100g ...15g、桂皮15g ...角15g、清水適量	將材料全部放入鍋中蒸煮即可。這個佐料可以用來滷雞，也可以用來蘸雞肉吃。換言之，這個配方可以當做滷汁，也可以當成蘸料。

醬料	材料	做法
乾麵醬	豬油30g 黑醋30g 生抽30g 雞粉15g 麻油15g 蔥花90g	先將麵條煮熟，將所有調味料攪拌均勻，倒入煮好的麵條中，拌勻即可；若是用油麵，可撒些炸蔥茸，增加油麵滑潤的口感。口味比較重的話，可以再加上半茶匙的甜辣醬，味道更好。用於拌乾麵或水煮青菜。
廣式煲仔蠔油醬汁	XO醬30g、老抽少許 砂糖15g、蠔油30g 高湯240g、雞粉5g 蔥一根、蔥茸5g 薑片數片、薑茸5g 蒜茸5g、辣椒茸5g	蔥切段爆香，再加入薑片爆香，再加入其他材料一起煮滾即可。
咖哩蕃茄醬	(A) 蕃茄醬30g 咖喱粉15g 清水240g、幼鹽5g 麻油5g、砂糖8g (B) 生粉5g、清水15g	(一)將水煮沸加入材料(A)，用小火煮至收乾約成半杯量。 (二)加入材料(B)勾芡，不用太濃，適量即可。 (不勾芡也可以)可用於肉類或蔬菜炒醬。
咖哩醬	洋蔥茸150g 紅蘿蔔茸50g 西芹60g 蘋菓一個 香蕉1/2根 清水200g 奶油40g 米酒50g 咖哩粉30g 麵粉8g 雞高湯700g 黑胡椒粗粉適量 砂糖適量 牛奶200g 幼鹽適量	(一)將西芹切小丁；蘋菓、香蕉去皮切成小塊，放入調理機加水打碎備用。 (二)熱鍋中火用奶油將洋蔥、紅蘿蔔、西芹、米酒炒熱，再加入咖哩粉、麵粉拌炒二分鐘轉小火，加入高湯煮八分鐘。 (三)加入打好的蘋菓、香蕉泥，以黑胡椒粗粉、糖、鹽調味，最後加入牛奶煮三分鐘即可。
蚵仔煎蘸醬	醬油膏30g 蕃茄醬30g 味噌15g 砂糖60g 甜辣醬60g 水240g、生粉適量	將所有材料混合，用小火煮沸攪拌均勻，熄火放涼即可。
紅油抄手醬	生抽15g 老抽15g 辣椒油30g 雞粉5g 麻油5g 花椒粉5g 乾蔥茸10g 蒜茸10g 芫茜茸10g 銀芽150g	(一)先在碗裡放入生抽、老抽、花椒粉、蒜茸及雞粉，輕輕調勻。 (二)接著用水煮熟的餛飩放入碗中，再撒上乾蔥茸、芫茜茸及微燙過的銀芽，吃之前淋上紅油及麻油，就是香噴噴的紅油抄手啦！用於水煮乾餛飩拌醬，或乾麵、乾粄條拌醬。
清蒸螃蟹沙蝦蘸醬	黑醋45g 薑茸30g 砂糖30g 清水15g 幼鹽適量	將醋、糖、水和少許的鹽一起煮開至糖完全融化後，放入薑茸繼續煮開後熄火，放涼後裝瓶冷藏，食用時取出即可。可做為清蒸貝類海鮮，或高湯火焗的蘸醬。

醬料	材料	做法
湖南老虎醬	乾豆豉15g 蔥茸15g 蒜茸15g 辣椒茸25g 白醋15g 生抽30g 辣豆瓣醬15g 清水30g 芫茜茸10g 麻油15g 沙拉油15g	(一)豆豉用水泡水備用。 (二)熱油鍋，放...、蒜茸、辣椒茸爆香再加入白醋...辣豆瓣醬和...火煮滾，最後...茜茸，淋上麻油
紅燒醬	生抽15g 老抽15g 黑醋15g 清水45g 砂糖8g 麻油2g 乾蔥茸30g 薑茸15g 紹酒8g	將所有材料混合...可使用。
海山醬	在來米粉30g 蕃茄醬30g 味噌20g 生抽30g 砂糖30g 清水60g	先將在來米粉與...，以小火邊煮邊...煮至濃稠狀時，...其他材料煮滾...
海南雞醬	薑一小塊 蒜頭三顆 辣椒二根 雞湯50g 日式醬油15g 醋8g 糖15g 鹽8g	將薑、蒜頭、辣...洗淨瀝乾切小塊...其他材料放入調...碎即可。
醬油膏	生抽1000g 細冰糖120g 高鮮湯王30g 三仙膠粉25g 甘草粉適量 麥芽糖100g 食品保存劑2g 提香劑30g 蒜茸適量 薑母粉適量 蒜頭精適量	將所有材料慢...沸三到五分鐘即...
黑胡椒醬	奶油30g 洋蔥茸45g 蒜茸30g 黑胡椒粗粉45g 鮮奶油15g 清水300g 鹽3g 麵粉水適量 威士忌酒15g	(一)先把奶油加...，放入蒜及洋...香，再加黑胡椒...拌炒。 (二)另將水、...鹽一起放入煮...前以麵粉水打...一湯匙威士忌...
清蒸肉圓淋醬	(A) 醬油膏75g 蕃茄醬30g 海山醬60g 麻油15g、蠔油45g 砂糖45g、水240g (B) 在來米粉75g 水45g	將(A)材料拌勻...接著將(B)材料...入煮沸的材料...勻後熄火放涼。

醬　料	材　料	做　法	醬　料	材　料	做　法
八寶辣醬	絞肉600g 蒜茸60g 豆乾丁240g 毛豆仁100g 紹興酒30g 高湯100g 黑醋60g 砂糖45g 甜麵醬90g 辣椒醬60g	(一)豆乾丁汆燙備用；毛豆仁汆燙後用冷水沖涼備用。 (二)中火將絞肉煸出少許油來，加入蒜茸炒香，再加入豆乾丁、毛豆仁與甜麵醬、辣椒醬略炒拌勻，再加入其他調味料煮至入味即可。	豆豉醬	乾豆豉30g 砂糖15g 老抽5g 米酒5g 蒜茸5g 薑茸5g 辣椒茸適量 水30g 油少許	(一)將乾豆豉洗淨，浸泡一下，瀝乾水分，切碎備用。 (二)少許油熱鍋，將薑茸、蒜茸爆香，放入豆豉碎、辣椒茸一起炒香，加入米酒、老抽、糖、水，以小火煮滾即可。
麻辣拌醬	絞肉600g 辣椒茸60g 蒜茸60g 薑茸60g 花椒粉60g 紅蔥茸60g 辣椒油60g 魚露60g 香茅30g 砂糖120g 清水180g 檸檬汁180g 辣椒醬360g 沙拉油少許	熱油鍋，以小火將蒜茸、辣椒茸、薑茸、花椒粉、紅蔥茸炒香，再放入絞肉炒乾，加入辣椒油、辣椒醬、魚露、糖、水一起煮滾，熄火，加入檸檬汁即可。 可用來拌麵、飯，也可用來炒飯或麵，拌燙青菜或炒青菜也很美味。	豆酥醬	豆酥30g、砂糖5g 生抽15g、蒜茸15g 薑茸15g、蔥茸15g 水5g、沙拉油15g	熱鍋，倒入沙拉油，放入豆酥炒香，加入蔥茸、薑茸、蒜茸炒香，再加入生抽、糖、水調拌均勻，以小火煮滾即可。
			擔擔麵醬	絞肉600g 紅蔥茸30g、蒜茸15g (A) 海山醬45g 酒45g、清水480g 醬油膏80g 砂糖23g (B) 白胡椒粉3g	用中火將絞肉、紅蔥茸、蒜茸炒香至肉末呈七分熟，加入(A)材料，改小火煮約二十分鐘，至湯汁略為收乾即可熄火，再加入(B)材料拌勻即可。 拌麵食用時，可撒上二湯匙蔥花增添風味。
梅子醬	漬梅10顆 梅汁120g 梅子醋15g	梅子去籽，將梅子肉及梅汁、梅子醋放入果汁機打碎後即可。 可用來蘸白切肉或是鴨肉、鵝肉。	甜辣醬一	辣椒醬150g 砂糖25g 冷開水25g	將所有材料混合均勻即可。
腐乳醬	甜豆腐乳30g 米酒5g 老抽15g 砂糖10g 麻油5g 冷開水15g	將所有材料調勻即可。	甜辣醬二	味噌100g、香油10g 蕃茄醬50g 豆腐乳50g 工研醋10g、高湯6g 酸梅粉適量 辣椒醬適量 細冰糖25g	(一)加適量水用果汁機打均勻。 (二)所有材料慢火攪拌煮沸五到十分鐘即可。
蕃茄醬	熟蕃茄600g 橄欖油3g 紫蘇(或芫茜茸)5g 砂糖3g 胡椒粉少許 幼鹽少許	(一)將蕃茄放入滾水中汆燙一下，取出放入冷水中再取出剝皮。蕃茄切半，把蕃茄籽及汁擠出後剁碎。 (二)起油鍋，加入橄欖油、剁碎的蕃茄、紫蘇(或芫茜茸)及糖一起攪拌均勻，煮至蕃茄熟透。以鹽及胡椒粉調味，放涼收入冰箱，食用時酌量取用即可。	台式涼麵醬	蔥一根、薑一小塊 冷開水120g 芝麻醬45g 辣椒油15g 麻油15g、蒜泥8g 檸檬汁15g、鹽5g 白醋5g、砂糖5g	(一)將少許的蔥及薑拍碎，浸泡在冷開水中三十分鐘，再過濾出湯汁為蔥薑水。 (二)將蔥薑水及其他所有材料調勻即可。
			檸檬醬	檸檬汁60g 生抽30g 胡椒粉少許 高湯500g 玉米粉15g 砂糖45g	除了玉米粉外，將所有材料混合後，以小火煮滾，再以玉米粉勾芡即可。
東北酸菜白肉火鍋蘸醬	紅糟豆腐乳一件 砂糖5g 老抽10g 芝麻醬10g 蒜茸5g 白酒5g 麻油3g 蝦油少許 辣油少許 蔥花5g 芫茜茸5g	先將除了蔥、芫茜茸、蝦油、辣油外的所有材料混合調勻，接著滴上蝦油、辣油，最後再撒上蔥花和芫茜茸即可。	檸檬魚汁	檸檬汁60g 魚露60g 蒜茸10g 鹽3g、砂糖15g 芫茜茸10g	將所有材料混合均勻即可。
			炸花枝蘸醬	黑醋30g、乾蔥茸30g 蒜茸30g、辣椒茸10g 薑茸10g、芫茜茸10g 砂糖10g、麻油5g 蕃茄醬30g	將所有材料混合調勻即可。可做為油炸海鮮或蔬菜蘸醬。
蠔油醬	生蠔60g 蠔油240g 水100g 冰糖45g	先將生蠔洗淨，瀝乾水分，與其他材料一起放入料理機裡打碎，倒入鍋內用小火煮滾熄火，放涼即可使用。	臭豆腐蘸醬	醬油膏50g 香菜適量 九層塔適量 辣椒醬適量	把適量香菜和九層塔切碎，加進醬油膏中，可加入適量辣椒醬。

以前我有個錯誤的觀念,以為食物沒有燒入味,才需要沾醬,這是江浙胃的通病。江浙菜要入味,一定要花時間以火候伺候,從健康食物的觀念來看,是會破壞食物養分的。現在的健康飲食講究低溫慢火少油,一來保持食物的原味與養分,二來預防肥胖等心血管疾病,所以很多人改以白煮處理食物。但白煮無味,吃時大多需要沾醬,所以也研發了各種口味的醬料。漸漸的,我才體會出沾醬的學問,發現來自不同省份的醬料,有其地理上與文化上的差異。不過我仍建議沾醬點到為止,不可以醬料掩蓋掉食物的原味。很多商家利用味濃的醬料以掩飾不新鮮的食物,讓外食族漸漸養成口味越來越重的壞習慣。

　　我有位長輩,小時候整個臉被油燙傷,大家以為這孩子毀容了,偏遠的山裡沒有醫療,家裡不准她見太陽,給她臉上敷了一年的醬。現在我只看到她脖子上有塊疤痕外,皮膚好得很呢,可見醬還不只有食用的目的呢!

　　這次整理出來的八十種醬料中有很多是幾近相同的,但我決定忠於原味,一一列表出來。至於份量的比例,可以依照個人的喜好自行調整,所列的圖表只是介紹其原理與原則。

　　中國人說開門七件事,柴米油鹽醬醋茶,其中的醬油,不但是台菜重要的沾醬之一,也是中國烹飪不可缺少的材料。但不管是紅燒肉或糖醋魚,其調味料的放置應依序為:糖鹽醋醬油,也就是醬油最後才放。

　　醬油最早的記載始於周朝的御用醬油,係以肉類所調製,與現今的魚露製造過程類似。之後民間才研發出以黃豆、小麥、食鹽與水為原料,製成流傳至今的醬油。

　　目前市面上的醬油,大致分為以黑豆做的蔭油,以黃豆做的醬油,以及化學醬油三種。前二者係傳統釀造,以麴菌分解黑豆或黃豆中的蛋白質,需經長期天然發酵(約三至四個月)而成;化學醬油則是用鹽酸等化學物質分解蛋白質而成(僅需三天)。若讓這兩樣混合,則是速釀醬油或合成醬油。

　　蔭油是以黑豆蒸煮,加入麴菌發酵製成蔭豉(又稱豆豉),再放入大缸於陽光下自然分解,味道比較濃醇。蔭豉口味甘甜而濃郁,可配稀飯佐餐,也可作為烹飪配料,如蔭豉蚵即是很受歡迎的台菜之一。

　　採買醬油的原則,要注意發酵與釀造的時間長短。也要留意陳年醬油、醬油露、醬油膏、薄鹽醬油、無鹽醬油等,是否含有化學添加物。如果搖晃瓶身,釀造醬油的泡沫較細緻且綿密,化學醬油的泡沫則較大。如果倒出醬油以筷子快打,泡沫細緻,且又多又能持久,則代表豆子的成分比較高。很多醬油為了保存,免不了會使用防腐劑,所以最好選用有政府CNS國家標準把關的知名廠牌。台灣的消基會,也會公佈不含防腐劑的廠商,並申明不含可能致癌的單氯丙二醇的傳統釀造醬油,以及不含防腐劑的薄鹽醬油,都是比較安全的。醬油一旦開封後要儘快用完,如標示沒放防腐劑的最好放置於冰箱。本篇附錄一份自己做蔭油的解釋圖說。

　　也是開門七件事中的醋,相傳為中國釀酒始祖杜康的兒子夢到一位白髮老人,告訴他,你們釀酒剩下放在缸裡的酒糟,放了二十一天後,酉時打開來,便是玉液瓊漿。後來就把酉與二十一日合組起來,成為「醋」這個字。若以地區來分,山西醋、鎮江醋、四川保寧醋最為著名。醋的原料除了酒糟以外,還有以米、麥、高粱、麩皮、水果等原料製成。本篇也將製作老陳醋的過程繪製成圖加以解說。

　　釀造與發酵,時間與水質等,都是影響這些傳統工藝代代相傳的重要因素。

　　茲將向「樸門生活」學來的蔭油製作法與老陳醋的製作法,配合圖案介紹如後。

醬　料	材　料	做　法
四川涼麵醬	芝麻醬15g、黑醋60g 辣椒油30g、麻油15g 蒜茸15g、米酒10g 冷開水30g 花生粉15g 白醋30g、砂糖15g	(一)蒜泥與水先拌均勻。再把芝麻醬加入黑醋、冷開水拌開。 (二)將所有材料調勻,再視個人喜好,加點黃瓜絲及紅蘿蔔絲均可。
蒜茸醬	蒜頭8個、蠔油60g 老抽30g、砂糖15g 酸梅5個、魚露60g 雞粉30g	(一)蒜頭四個炸成金黃色後剁碎,另外四個加點水以果汁機打碎。 (二)酸梅用魚露及蠔油煮過加入(一)煮開即可。適合五花肉、雞肉或魚肉等蘸醬。
蒜味沙茶醬	蒜頭酥30g、蒜末30g 沙茶醬90g、砂糖20g 老抽30g、冷開水60g	將所有材料混合調勻即可。可用來料理拌炒羊肉、雞球、螃蟹,還可以做火鍋蘸醬。
蒜味油膏	蒜末30g 醬油膏120g 砂糖30g、麻油5g	將所有材料混合調勻即可。可用來蘸白斬雞、白切肉或是鵝肉。
蘇梅醬	紫蘇梅(漬梅)10顆 清水50g 糯米粉3g 糖30g	梅子去籽,將梅子肉切碎後,連同清水及糖放入鍋內,小火慢慢煮滾後,以糯米水勾芡調勻即可熄火。可用來蘸白切肉或是雞肉、鴨肉、鵝肉。
羊肉爐蘸醬	麻油豆腐乳一件 砂糖10g 辣豆瓣醬3g 腐乳汁液5g 乾蔥茸5g 芫茜茸5g	將麻油豆腐乳一件放入小碗中,倒入糖、辣豆瓣醬和一茶匙麻油腐乳汁,用湯匙調勻,上桌前,再撒上一茶匙乾蔥茸和一茶匙的芫茜茸。除了做羊肉爐蘸醬,也可當做烤肉醬或下水湯的蘸醬食用。
五味蘸醬	黑醋30g、蕃茄醬45g 砂糖30g、醬油膏30g 麻油15g、辣椒茸5g 薑茸5g、芫茜茸5g 蔥茸5g、蒜茸5g	將所有材料混合調勻即可。可用於炸海鮮或肉片蘸醬、炸豆腐蘸醬。
魚香醬	蔥茸5g、蒜茸5g 薑茸5g、生抽15g 辣豆瓣醬30g 酒釀15g、水30g 砂糖15g、沙拉油15g	加油熱鍋,放入蔥茸、薑茸、蒜茸爆香,再加入其他材料調勻煮滾即可。
雲南涼拌醬	檸檬汁30g 辣椒醬30g 麻油15g、辣椒茸5g 紅蔥茸5g、芫茜茸5g 蒜茸30g、砂糖15g	將所有材料混合調勻即可。
雲南椒麻醬	辣椒茸10g 蒜茸10g 芫荽茸10g 老抽15g 檸檬汁10g 冷開水15g 砂糖10g 沙拉油75g	(一)將花椒泡在90~100°C的油溫裡,並慢慢加熱至花椒略為變色,熄火待涼。 (二)將花椒油倒入料理機中攪碎,加入其他材料混合調勻即可。

醬　料	材　料	做　法
XO醬	干貝50g 蝦米50g 蒜茸50g 蠔油15g 橄欖油300g 朝天椒50g 壺底精油25g 米酒150g	(一)將干貝和蝦米各用半瓶酒浸泡一夜,瀝乾後將干貝剝絲備用。 (二)朝天椒切成一至二公分長段備用。 (三)熱油鍋,用少許油將干貝絲炒至金黃色,加入瀝乾的蝦米炒香。 (四)加入朝天椒及蒜茸拌炒,然後再倒入壺底油及蠔油拌炒,最後倒入橄欖油直到淹過所有材料,煮滾開至起泡即可熄火。 (五)放至全涼後,即可入罐放入冰箱冷藏,供隨時取用。
米醬	在來米粉30g 生抽30g 老抽30g 砂糖30g 清水480g 幼鹽5g 甘草粉3g	將所有材料放入鍋中,調勻煮開放涼即可。可用於燜粉肝、燙豬肝或是粽子蘸醬。
甜酸醬	蕃茄醬50g 冷開水50g 白醋50g 糖50g 鹽3g	將所有材料混合均勻即可。
辣豆瓣醬	辣椒醬30g 豆瓣醬60g	把所有材料混合均勻即可。與任何食物炒煮燉燴均可,或直接做氽燙食物蘸醬用。
紅豆腐乳汁	紅豆腐乳半罐 紅豆腐乳汁一罐 米酒125g 糖30g	攪拌均勻即可。
紅糟醬	圓糯米3000g 紅麴300g 白麴半顆 酒5瓶	(一)紅麴用酒浸泡一夜備用。 (二)圓糯米先浸泡一夜,倒入蒸籠用大火蒸四十五分鐘,蒸好後放在大盆子裡撥開吹涼。 (三)將白麴磨成粉末狀,均勻的撒在蒸好的圓糯米飯上(注意糯米飯的溫度不可超過40°C,適溫在28~38°C之間),攪拌均勻,再倒入泡好的紅麴酒中,裝罐密封浸泡一個月,其間約一星期打開翻動均勻攪拌一次即可。放置冰箱中冷藏保存,可當做一般調味料使用。
紅油南乳醬	南乳30g 糖15g 辣椒油30g 冷開水45g 蠔油5g	將南乳和糖先用冷開水調開後,再加入其他調料混合調勻即可。

料	材料	做法	醬料	材料	做法	醬料	材料
絲拌醬	芝麻醬30g 老抽30g、砂糖15g 白醋15g、麻油15g 冷開水30g	將所有材料調勻即可，也可涼拌海蜇皮。	芝麻拌醬	芝麻醬30g 生抽15g、老抽15g 砂糖5g、白醋15g 麻油15g 冷開水60g 蒜茸25g	將所有材料調勻即可，視個人喜好，可加點黃瓜絲及紅蘿蔔絲當配料。可用於擔仔麵、乾麵、滷肉飯淋醬，或是燙青菜、拌茄子、豆腐等淋醬。	橙汁排骨醬	柳橙一個 蕃茄醬30g 砂糖15g 幼鹽5g 清水30g
牛肉醬	生抽15g 老抽15g 醬油膏30g 砂糖15g 麻油15g 胡椒粉10g 笁粉5g	將所有材料一起混合攪拌均勻即成，可多做一些放入冷藏庫待用。做生肉醃醬或肉類炒、燴醬均可。	柱侯醬	辣椒150g 蒜茸20g 紅蔥茸20g 豆瓣醬50g 甜麵醬50g 豆豉20g 冷開水50g 鹽5g 砂糖30g 雞粉5g 沙拉油250g	(一)辣椒與冷開水、鹽一起放入果汁機絞碎。(二)豆瓣醬剁碎，豆豉洗淨瀝乾切碎備用。(三)起鍋放入沙拉油熱至約六十度，將蒜茸及紅蔥茸放入鍋中以小火炒約三十秒。(四)加入豆瓣醬、甜麵醬及豆豉炒香，續加入辣椒泥、砂糖及雞粉，一起以小火持續拌炒約五分鐘至呈濃稠狀即可起鍋。大多使用在海鮮、肉類的料理上。	水餃煎餃蘸醬	生抽15g、老抽15g 白醋15g、麻油2g 蒜茸15g 辣椒茸5g
式麵醬	甜麵醬30g 老抽15g 砂糖5g、米酒5g 清水30g、油少許	燒鍋熱油，用小火將甜麵醬慢火炒香，再加入其他材料拌勻，以小火煮滾即可，放涼備用。				肉燥醬一	絞肉600g 紅蔥茸120g 蒜茸15g 香菇5朵 蔭瓜120g 酒120g 清水720g 生抽120g 沙拉油45g 砂糖5g 五香粉5g
汁醬	薑茸15g 糖粉100g 醬油膏40g 甘草粉5g	約可蘸六個蕃茄的量：(一)把薑磨泥。(二)糖粉、薑泥、醬油膏、甘草粉一起攪拌均勻即可。材料比例可以隨意調整；沒有糖粉、醬油膏，就用砂糖和醬油代替，若覺得太稀，可以把它煮沸再加點太白粉水勾芡。用老薑、嫩薑磨泥都可以，份量拿捏一下即可。甘草粉可到中藥店買，買二十元就夠用好幾次了。	川味麻辣醬	牛油100g 辣椒20根 蒜頭15顆 辣椒醬200g 豆瓣醬200g 花椒15g、鹽少許 辛香料少許	(一)將辣椒、蒜頭、花椒拍碎備用。(二)牛油入鍋加熱，以小火將(一)材料爆香，再加入其他材料慢煮至香味出來，熄火，濾去殘渣即可。	肉燥醬二	絞肉600g 紅蔥茸30g 蒜茸30g 豬皮末少許 胡椒粉少許 酒40g、冰糖40g 雞高湯600g 生抽150g 雞粉8g、五香粉4g
薑醬	薑茸240g 蔥茸二支 塩5g、雞油15g 麻油3g 雞粉5g	把所有材料混合調勻即可。這個佐料可以用來蘸白斬雞、油雞或鹽水雞。	叉燒烤肉醬	生抽50g、老抽50g 蜂蜜100g 麻油5g、蠔油3g 紹酒45g、清水120g 五香粉15g、蒜茸15g 青蔥三根 生薑五片(拍扁)	將所有的材料混合拌勻就是叉燒烤肉醬。可以當做烤肉醬，也可以當做一般醬料蘸著吃或炒青菜用。	肉粽油飯蘸醬	在來米粉30g 生抽30g、老抽30g 砂糖45g、清水480g 幼鹽5g、甘草粉3g 味噌30g 蕃茄醬30g
醬	蒜茸15g 蕃茄醬45g 白醋15g 麻油15g 生粉少許 砂糖20g 清水30g 沙拉油15g	熱油鍋，放入蒜茸爆香，加入其他材料以小火煮滾，用生粉調水勾芡至適當濃度即可熄火。適合熱肉類或海鮮，也可用來炒飯。	潮州沙茶醬	花生米末、花生油、花生醬、芝麻醬、蒜泥、洋蔥末、蝦醬、豆瓣醬、辣椒粉、五香粉、芸香粉、草果粉、薑黃粉、香蔥末、香菜籽末、芥末粉、蝦米末、香葉末、丁香末、香茅末、白糖、生抽、椰汁、精鹽、味精、辣椒油	將油炸的花生米末，用熬熟的花生油與花生醬、芝麻醬調稀後，調以焗香的蒜泥、洋蔥末、蝦醬、豆瓣醬、辣椒粉、五香粉、芸香粉、草果粉、薑黃粉、香蔥末、香菜籽末、芥末粉、蝦米末、香葉末、丁香末、香茅末等香料，佐以白糖、生抽、椰汁、精鹽、味精、辣椒油，用文火炒透取出，冷卻後盛入潔淨的罐子內。	肉圓碗粿蘸醬	醬油膏60g 砂糖30g 清水30g 蒜茸30g
醬	蝦米、蝦仁、絲苗米、辣椒粉、陳皮、青辣椒、八角粉、花椒粉、幼鹽、味粉、料酒、香油	用鮮蝦灑鹽曬乾，使大部份的水分蒸發，濃縮後的蝦除了是烹調時常用的調味料外，也可以作為沾醬使用。可用於涼拌及煎、炸、炒、煮的菜餚。				沙茶醬	花生仁500g 沙拉油適量 花生油200g 蒜茸1250g 紅蔥茸100g 紅辣椒乾50g 沙茶粉150g 全脂牛奶粉15g 冰糖110g
醬油	酒、醬油、味精、糖、蔥、薑、蝦子	以酒、醬油、味精、糖、蔥、薑將蝦子醃泡，蒸約十五分鐘，把蔥薑拿掉即可。	蔥薑蒜綜合蘸醬	薑茸30g 蔥茸30g 蒜茸30g 麻油15g 鹽15g	把所有材料混合調勻即可。可以用一湯匙沙拉油取代麻油，但是作法為：先將薑茸、蔥茸、蒜茸、鹽放入一個小碗中，接著準備一個鍋子將沙拉油燒熱後倒入小碗中，趁熱將所有材料混合調勻即可。這個佐料可以用來蘸汆燙肉片、海鮮、青菜，也可做快炒醬。	三杯醬	黑麻油100g 薑茸20g 日式醬油100g 清水50g 糖12g、胡椒粉1g
醬	香椿300g 橄欖油150g 鹽45g	將香椿洗淨瀝乾，連同橄欖油及鹽放入調理機攪碎，裝入瓶中冷藏一星期至醬汁融合，味道散發出來即可。可用來拌麵、煎蛋，或是做為麵包餡料都適宜。					

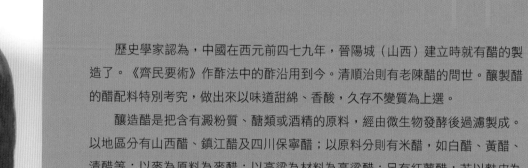

　　歷史學家認為，中國在西元前四七九年，晉陽城（山西）建立時就有醋的製造了。《齊民要術》作酢法中的酢沿用到今。清順治則有老陳醋的問世。釀製醋的醋配料特別考究，做出來以味道甜綿、香酸，久存不變質為上選。

　　釀造醋是把含有澱粉質、醣類或酒精的原料，經由微生物發酵後過濾製成。以地區分有山西醋、鎮江醋及四川保寧醋；以原料分則有米醋，如白醋、黃醋、清醋等；以麥為原料為麥醋；以高粱為材料為高粱醋；另有紅薯醋；若以麩皮為原料則稱冬醋、精醋等。鎮江有以酒糟製醋稱滷醋，酒糟醋多黝黑黏稠，較適合作為調味醋之用。亦有以水果為原料製醋者，如鳳梨醋、蘋果醋等。釀造醋雖是以醋酸為主的酸性調味料，然由於其乃經酵母天然發酵而成，所以成分中除醋酸外，還有其他揮發性有機酸類、醣類、氨基酸和酯類等，富營養價值。加工醋是將釀造醋進一步的加工，與其他材料相調配而製成者，例如浸泡醋，即將水果、五穀等食材用醋浸泡而成，目前市面上多以此類產品為主。手工醋多以酸菌發酵靜置法為主，又稱為表面發酵法。醋醪的酒精度約在5～7%左右，如此可以避免高酒精度對醋酸菌的抑制，也可以產生口感較佳的成品。發酵過程必須讓醋酸菌與空氣接觸。然而，發酵過程中為了避免其他微生物、飛蟲及螞蟻侵入污染，必須覆蓋以透氣材質的蓋子。發酵溫度最好控制在25～30℃。接入醋酸菌後，約二到三天即可看到醋膜產生，醋膜的厚薄與醋酸菌的種類有關，但與發酵的速率無關。醋膜有時可達2～3公分厚，此即俗稱的「椰果」，也算是釀醋的副產品。醋的成品可以分成（一）釀造食醋：穀物醋、果實醋、高酸度醋；（二）調理食醋：烏醋、壽司醋、沙拉醋；（三）飲料食醋：濃縮醋、直接飲用醋。

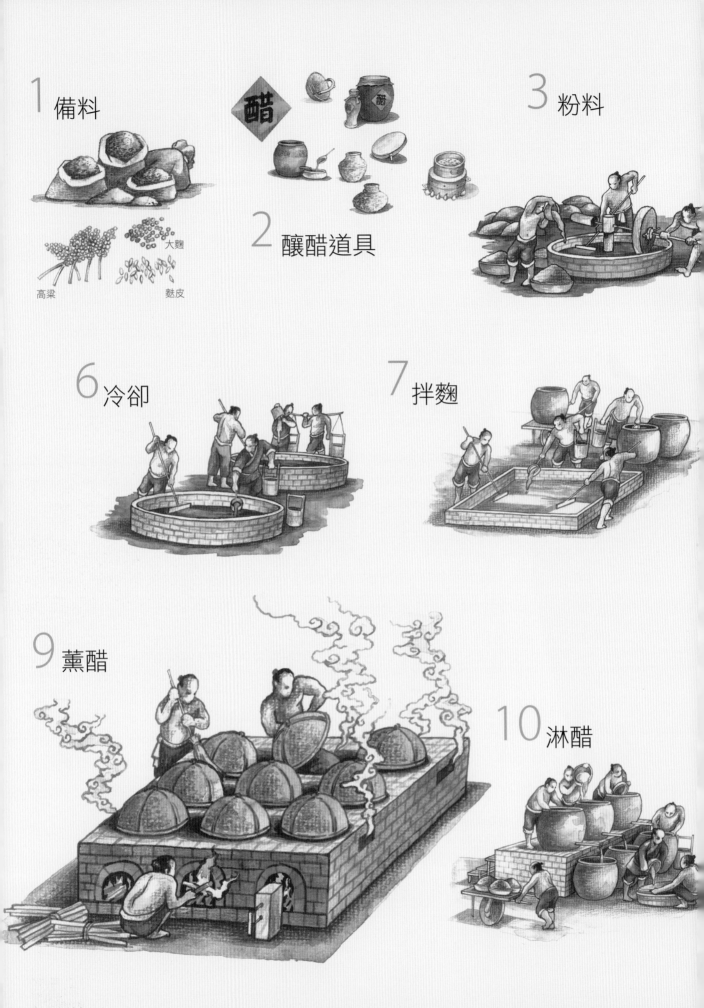

1 備料

高粱　大麴　麩皮

2 釀醋道具

醋

3 粉料

6 冷卻

7 拌麴

9 薰醋

10 淋醋

4 潤滲

5 蒸熟

8 酒料發酵

11 陳醋

蔭油的製作

備料：礦泉水、黑皮黃仁的有機黑豆十斤、海鹽、埔姜葉或絲瓜葉或豆粕、紫蘇、甘草、冰糖、麥芽糖，備長炭。

煮豆：黑豆用水洗淨，加滿水超過黑豆約十公分，以大火煮滾後改中小火煮五至六個小時，其間要不時的去攪拌，煮到豆子用手捏了會破的程度。

入缸：將豆粕剝散開放入五斗大的缸內，注入高過於豆面十公分左右的礦泉水（若注入的水位與豆面一樣高，製作出來的成品則為豆瓣醬）。攪拌勻泡置約四至八小時，其間每一至二小時需再攪拌勻，之後加入海鹽攪拌勻（豆粕與海鹽的比例約為三比一）。此時的水位當為缸的七分滿，若見水位不達，則此時要加礦泉水，缸口用紗網蓋上，再加上蓋子（若有透明玻璃蓋子則可以達到完全曝曬的效果；缸口與玻璃蓋子之間需架上木條以利通風）。

曬乾：將豆子撈起來，在大太陽下曝曬二至三小時，不需要曬到太乾，以抓起豆子，不黏手為原則。

接菌：也就是豆粕製作，方法有二種：一為將曬乾的黑豆平舖在米篩上約二公分高，將新鮮擦乾的埔姜葉或絲瓜葉舖滿在曬好的黑豆上，套上防蒼蠅或蚊蟲的紗網，放置於通風陰涼處約五至七天後，豆子即會產生黑灰色的菌，這就是豆粕。

另外一種方法為同樣的將曬乾的黑豆平舖在米篩上約二公分，將一把豆粕磨碎撒上拌勻，套上防蒼蠅或蚊蟲的紗網，放置於通風陰涼處約五至七天後，豆子即會產生白灰色或綠色的菌，這就是豆粕。

釀製：以台北的天氣而言，大約需要把[缸]完全曝曬於戶外一百八十天左右。[這]期間，每天還需要攪拌勻一至二次[為]原則。

煮醬油：將缸內的豆子撈出來後剩下的液體加入冰糖、麥芽糖、甘草、紫蘇，或可依照個人的喜好調味煮，大火煮開後用小火烤五至六小時，直到表面出現一層白色的薄鹽。

裝瓶：放涼後即可裝瓶。

副產品：
一、製作期間的副製品有乾豆豉或濕豆豉，在煮醬油前將豆子撈出來曬三至五天，即為乾豆豉。
二、在入缸前留下要做豆豉的豆粕，將豆粕上的菌去掉洗乾淨弄乾（不需曬乾），以三兩豆：
二兩糖：一兩鹽的比例加入米酒或高粱酒，然後浸泡三至六個月即成為濕豆豉。
三、市面上買到的豆瓣醬，即為煮過後的醬油，液體裝瓶後，剩下的豆渣即為豆瓣醬。

秋

螃蟹宴

蟹宴

禮物設計

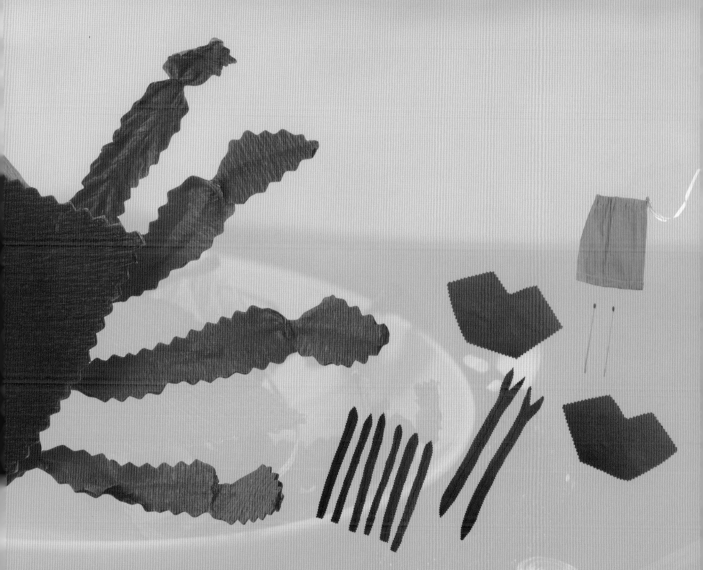

　　這是用紙做的螃蟹，裡面放著一小包珍貴的海粉。這隻蟹的原型是翠綠色，設計者Aimee Baldwin女士，是我在舊金山柏克萊一家紙行看到的。但我覺得螃蟹宴的蟹，當然是要「煮過的」橘紅色，於是買紙來照著做了這一隻。蟹的眼睛是用火柴做的。為了要放海粉，我特別做得堅固些。

　　做這隻螃蟹時，我腦海中浮現兩個人喝酒划拳時互喊的酒令：「螃蟹一呀，爪八個，兩頭尖尖這麼大個，眼一擠呀脖一縮，爬呀爬呀過沙河，哥倆好呀該誰喝，哥倆好呀該你（我）喝。」在筵席之間，常見到朋友為了勸酒流露出真性情，只是不懂酒令為什麼要以螃蟹來比擬？不過酒能讓人放開胸懷，放下身段，我也常看到些大人物在筵間盡興的玩這喝酒的遊戲。人一玩遊戲，不管大人物小人物，都會變得像小朋友一樣的認真可愛！

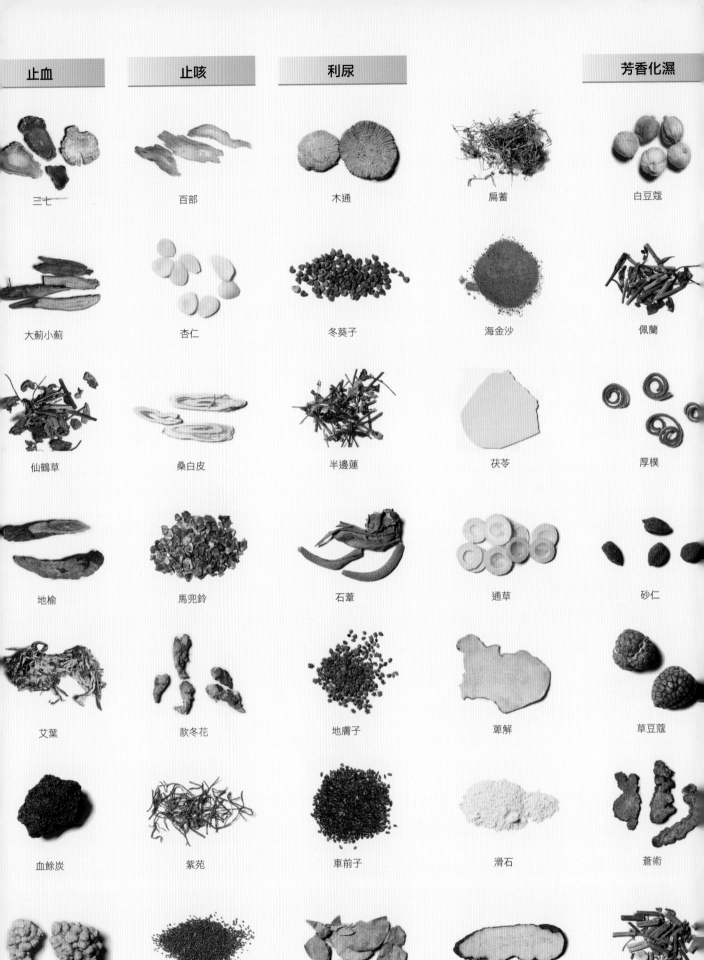

止血	止咳	利尿		芳香化濕
三七	百部	木通	扁蓄	白豆蔻
大薊小薊	杏仁	冬葵子	海金沙	佩蘭
仙鶴草	桑白皮	半邊蓮	茯苓	厚樸
地榆	馬兜鈴	石葦	通草	砂仁
艾葉	款冬花	地膚子	萆薢	草豆蔻
血餘炭	紫苑	車前子	滑石	蒼朮
花蕊石	紫蘇子	金錢草	豬苓	藿香

| 化痰 | | 心血管・降血脂 | 止汗 | 助消化 |

川貝母

竹茹

山楂

麻黃根

神曲

天竺黃

皂莢

何首烏

糯稻根

萊菔子

天南星

枇杷葉

決明子

止瀉

雞內金

半夏

前胡

澤瀉

五倍子

抗瘧

瓜蔞

胖大海

肉豆蔻

青蒿

白芥子

桔梗

訶子

白前

浙貝母

養身

杜仲

山茱萸

大青葉

穿心蓮

連翹

夏枯草

生地黃

天花粉

紅藤

魚腥草

臭梧皮

地骨皮

白頭翁

胡黃連

黃芩

野菊花

知母

白癬皮

秦皮

黃連

鉤藤

牡丹皮

茵陳

蒲公英

槐花

板藍根

馬齒莧

鴉膽子

金銀花

梔子

冠心病	咽喉腫痛	活血化瘀	風濕	

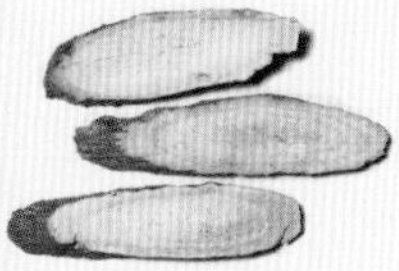

川芎

山豆根

牛膝

千年健

海桐皮

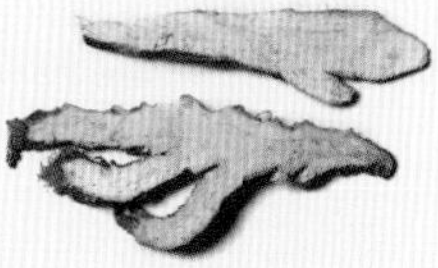

丹參

射幹

西紅花

川烏

秦艽

赤芍

嫩訶子

沒藥

木瓜

草烏

紅花

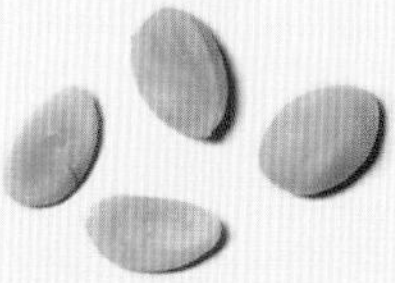

開竅

乳香

防己

骨碎補

石菖蒲

虎杖

狗脊

豨薟草

冰片

穿山甲

威靈仙

續斷

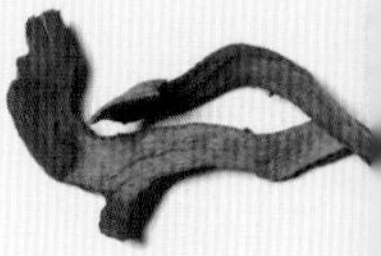

麝香

桃仁

桑寄生

鹿銜草

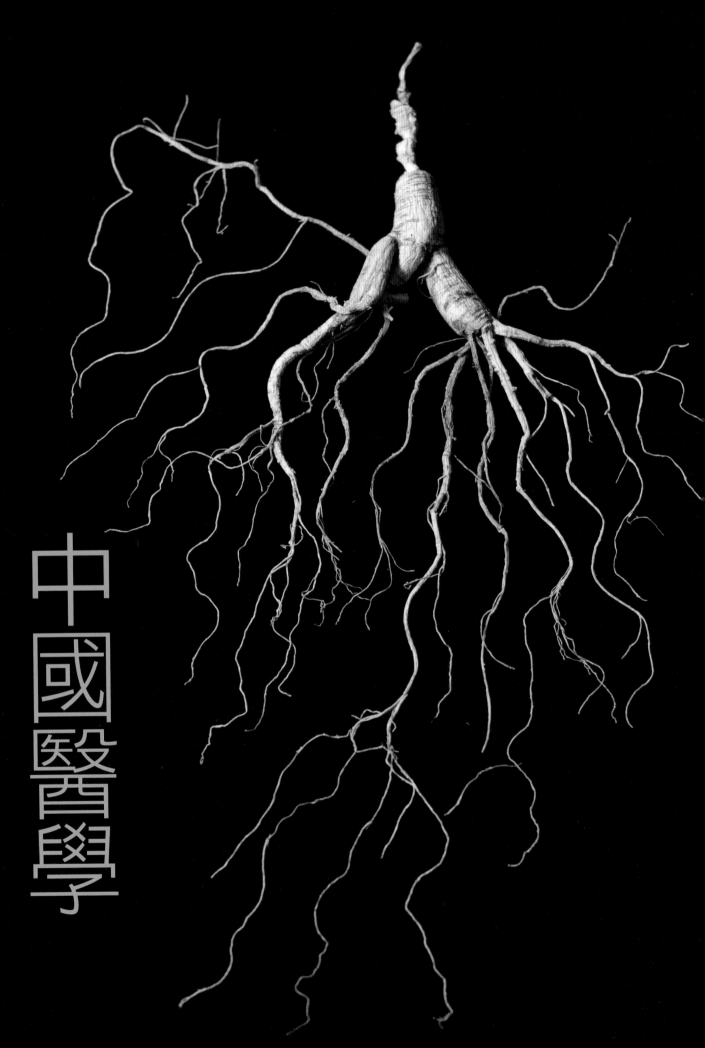

中國醫學

前幾年我們家要裝修，必須搬到山下住，家裡的狗狗們就借附近鄰居的地，讓牠們暫住六個月。牠們平時都吃我們的剩飯剩菜，那段期間只好請鄰居幫忙餵狗飼料，還特別買當時最好的「寶路」狗食，彌補我們丟下牠們的虧欠。那時寶路狗食含毒的新聞尚未爆發，我們的六隻狗兒就在不知情的狀況下吃了六個月。等我們搬回家後不久，新聞大幅報導寶路狗食中毒的問題；據報載已死了一萬兩千多隻。我們家的狗兒們從我們搬回來後就精神不好，先是從哥弟開始，沒有食欲，然後嘔吐，全身軟軟的。看到新聞報導後，我立即帶牠們去醫院，結果是六隻全「中獎」了。獸醫師跟我認識多年，用遺憾的眼神看著我，他知道我愛狗大過於人，開始勸我無常的人生道理。寶路公司也很有誠意的表示，希望用一隻一萬元來買斷這一場不幸。那時去跟寶路爭執也爭不回我可愛的狗兒們的生命，我想到我們的中醫朋友辛島勇大夫，火速趕去找他。一見了他，我抽抽咽咽的說：

「辛…辛大…夫…，我我我，可不可以，可不可…哦…，帶…帶我的，六，隻，狗，來看您！牠…牠們的腎…」

我邊哭邊擔心他把我轟出去，但辛大夫非常豪爽的說：「吃了寶路了呀？」原來他也注意到那則新聞了。辛大夫告訴我，在他的東京診所，有一回有個病人一定要安排最晚一位來看診，原來是帶了隻狗來給他診斷；「我還給牠把脈哩。」辛大夫說。

我非常感激辛大夫對狗兒們「一視同人」，還立即幫牠們開了藥方：生大黃、紫蘇、車前子、熟附子、丹參；並交代萬一狗兒不能小便，還要加上澤瀉。

我拿著藥方去買了藥材，磨了粉，每天餵兩次，半年之後牠們就都痊癒了。原先我很擔心牠們不肯吃，但說也奇怪，每次我拿出藥粉要餵牠們，這群病奄奄的狗兒立即圍過來，一隻隻乖乖的排隊坐著等待。幫傭打開牠們的嘴，我就把藥粉倒入，迅速灌點水，幫傭馬上壓住牠們的嘴，牠們的臉則露出不曾在狗臉上看過的「良藥苦口」的表情。剛開始我很緊張，怕藥太苦牠們不肯吃，很嚴厲的對牠們訓話，還好牠們了解我是要救牠們的，牠們也有堅強的求生意志呀，忍著那「良藥苦口」的滑稽表情吃了半年，終於漸漸硬朗了起來。

後來我跟一位朋友談起我家狗兒吃中藥的事，他的狗也因吃寶路出問題。他是位大律師，堅決跟寶路公司打官司，寶路負責他狗兒的全部醫藥費，他的狗兒每天打點滴，定期洗腎，經過半年還是嗚呼哀哉了！我家的狗兒何其有幸，因為我對中醫的信賴而能康癒存活；當然也因我們碰到了有愛心又有經驗的好醫生。

我朋友的女兒有先天性的血管瘤，血會從小腿中暴衝出來，西醫的診斷是必須截肢。她去東京找辛大夫，他給她開了吃的藥與敷的藥，經過他長期的調理後，血不再從小腿中暴衝出來，得以與瘤和平共存的走過來。

二〇〇三年SARS期間，辛大夫也開了兩份藥單給許多朋友，並囑咐要在人多的地方蒸醋，說這樣就不必擔心罹病。這兩付藥方一為解毒散熱的治療方，另一付是煮來當水喝，防止病毒入侵的預防藥方。後來我覺得快要感冒時，也常以這兩付藥方保護自己。藥方如下：

解毒散熱治療方：金銀花三錢、連翹三錢、板藍根一兩、菊花三錢、麥冬五錢、陳皮三錢、半夏三錢、柴胡三錢、青高三錢、百部三錢、桔梗二錢、杏仁三錢、川貝三錢、魚腥草三錢、甘草二錢。

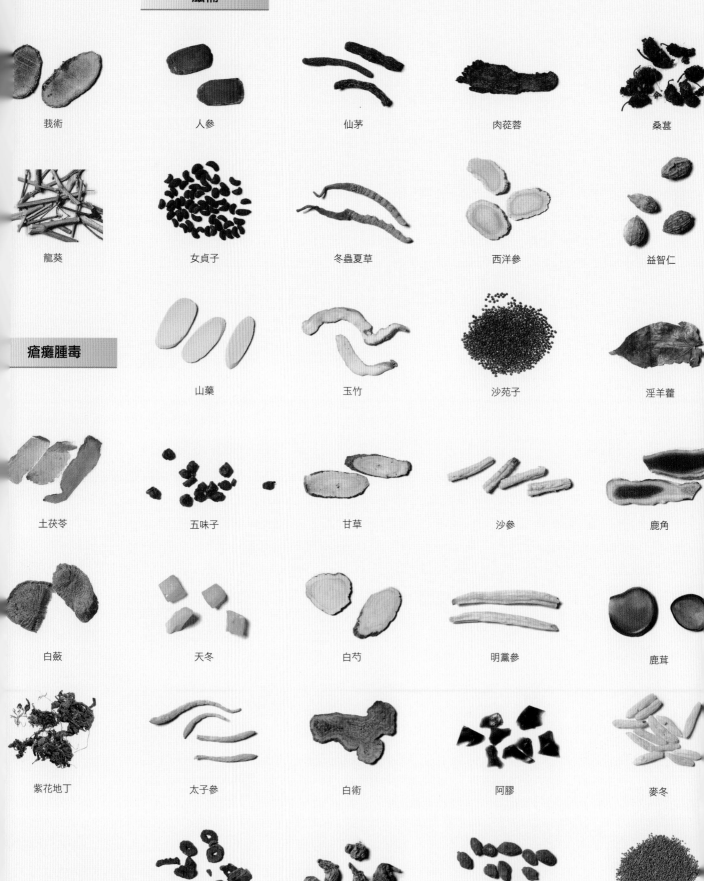

滋補

莪術　　人參　　仙茅　　肉蓯蓉　　桑葚

龍葵　　女貞子　　冬蟲夏草　　西洋參　　益智仁

瘡癰腫毒

山藥　　玉竹　　沙苑子　　淫羊藿

土茯苓　　五味子　　甘草　　沙參　　鹿角

白薇　　天冬　　白芍　　明黨參　　鹿茸

紫花地丁　　太子參　　白術　　阿膠　　麥冬

巴戟天　　石斛　　枸杞子　　菟絲子

祛寒	理氣			腫瘤

肉桂

大腹皮

青木香

橘皮

七葉一枝

吳茱萸

川楝子

青皮

璐璐通

三棱

附子

化橘紅

香附

鎮痛

山慈姑

紅豆蔻

木香

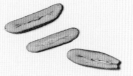

枳殼

延胡索

半枝蓮

高良薑

甘鬆

枳實

白花蛇草

蓽拔

佛手

烏藥

敗將草

沈香

梅花

蛇莓

預防病毒煮水方：板蘭根一兩、蒲公英一兩、菊花三錢、銀花三錢、麥冬三錢。

我另外認識一位朱世宗伯伯，我們家跟他是世交；他與兒子朱樺都是台灣非常了不起的中醫。朱伯伯很年輕時就發現自己的肺部長東西，但他用中國醫學的傳統辦法，一方面與之和平共處，一方面以毒攻毒，自己開藥方調理，至今已安然度過好幾十年。──中醫對於身體內長東西的態度，「拿掉」固然有其必要性，但真正要面對的，還是著重於體質的調整。

十幾年前仁喜有一天突然肚子劇痛，去醫院檢查斷定是盲腸炎，上午看的醫生，立刻安排下午住院開刀。去辦住院手續之前，我們先去找朱伯伯，他是蘇州人，說話很輕柔有禮，像蘇州彈詞一樣好聽的聲音，給仁喜把把脈，叫他把腳伸直看看。結果朱伯伯斷定不是盲腸炎。他說：「以脈象看，加上你的腿還伸得直，這不是盲腸炎。小老弟，我們自己人說說，動刀總是傷，很多時候這種病人被拉去開刀，打開來盲腸可能還是最好的哩！」朱伯伯用他那懸腕的書法開了個方子，一帖三十元，仁喜吃完就痊癒了。

從這些經驗裡，我理解有病要看西醫，但也一定要參考中醫的診斷。──我們中國人何其幸運，身體有恙能有多一層的醫療依據。

中國醫學博大精深，自古以來就帶給人類豐厚的福澤。《黃帝內經》、《難經》、《神農本草經》、《傷寒雜病論》是四本重要的中醫典籍，沿用至今不知已經歷多少世代的經驗傳承。以前有不少人不信中醫，認為中藥的成分沒有經過科學分析，無法斷定其功效。科技發達之後，很多中藥都經過科學儀器的精確分析，其成分與功效都獲得佐證，再搭配近代西方醫學的數據系統，造福了更多的人類。

中國早年的醫學傳承是師徒制，醫術需要靠經驗與臨床的點滴累積，也許十幾二十年才能出師，那期間還包括更重要的醫德承傳。以前的中醫也比較少分什麼「專科」，因為診脈時是從整體的氣色來看一個人，不只有身體，還看心續、精氣神等；這些都不是西方醫學著重的。

雖然許多中藥的功效都經過科學分析的確認，我卻感覺目前的中醫有式微的跡象，因為現在的中醫教育是大教室上課，較少師徒傳承的學習路程。若以現在的中文能力，要讀得懂那幾部中醫經典文言文的人不多，能心領神會者更少。以西方的教學方式來教中國醫學，一定有很多互不協調之處。譬如病危的人，家屬都送去給西醫急救，中醫體系根本得不到臨床急救的經驗。在這樣的大環境之下，聰明的人要懂得何時找西醫緊急治病，更要去讓中醫找出致病之因，懂得調養與平衡。

中醫的「天人合一」概念，我年輕時都聽聽就算了，後來西藥吃多了產生後遺症，上了點年紀以後才漸漸有所警惕與體會；也因為越活越謙虛，更懂得順應自然的道理了。且看維基百科對中醫學的定義多麼精確扼要：

以陰陽五行作為理論基礎，將人體看成是氣、形、神的統一體，通過望、聞、問、切，四診合參的方法，探求病因、病性、病位、分析病機及人體內五臟六腑、經絡關節、氣血津液的變化、判斷邪正消長，進而得出病名，歸納出證型，以辨證論治原則，制定「汗、吐、下、和、溫、清、補、消」等治法，使用中藥、針灸、推拿、按摩、拔罐、氣功、食療等多

種治療手段，使人體達到陰陽調和而康復。中醫治療的積極面在於希望可以協助恢復人體的陰陽平衡，而消極面則是希望當必須使用藥物來減緩疾病的惡化時，還能兼顧生命與生活的品質。此外，中醫學的最終目標並不僅止於治病，更進一步是幫助人類達到如同在《黃帝內經》中所提出的四種典範人物，即真人、至人、聖人、賢人的境界。

　　我覺得中醫最神奇的就是把脈，只從脈搏的跳動就能知道病人的身體狀態。中醫師看病時，一般不會急著先問病情，而是把脈後才問，然後才說：從你的脈相看來……。古代的中醫幫皇后看病，不能碰觸她的身體，透過皇后手上的一根線的跳動，以懸絲診斷的方式，也能幫她找出病因呢！

　　中醫的傳奇故事很多，但都跟醫生本人的學養與家傳有直接的關係；一位好中醫的養成，需要天時地利人和等多種條件的配合，除了要懂得醫學理論之外，也要懂陰陽學說、五行學說、要修身養性更要博聞強記。辛大夫說，他的外祖父家在旗，是中醫世家，外祖父和舅父都是清朝朝廷的御醫。他自小習字就從抄寫藥方開始，專心一意長年累月的抄，因而詳記了龐大的處方與實證的邏輯，從家庭的薰陶上得到很多對病情直覺的判斷力。他十三歲就被送到陸軍總醫院當兵，某日主任身體不適，他從主任臉上看出他的病，壯著膽子幫他開了一付藥方，真的幫主任的病治好了。同隊的一個袍澤，因為天生睫毛內翻倒睫，也就是睫毛往內長，必須去開刀，十幾歲的辛大夫告訴他可以用針灸治好；「反正你橫著也要去開刀，不如我幫你先針灸看看，不見好再去開刀。」他那一針下去，病患眼部瘀血腫大，一時也不能去開刀，但是瘀血散去後，眼睫毛往下長的毛病居然好了！主任看他有醫學慧根，幫他向上級爭取去學正科西醫。因此他有中醫世家的血液與薰陶，又通過西醫的輔助學習，啟發了對中醫獨到的認識與信心。

　　中醫把人體視為一個宇宙，每個人都是獨立的個體，有他生長的環境，習俗，吃東西的方法。先要尊重這一個體的獨立性，再診斷其中不平衡而致病的原因與現象。所以醫治的不只是發生的現象，更重要的是整體的調養。因此中醫「天人合一」的精神也非常重視飲食，有「不知食宜者，不足以全生」之說。

　　中醫對於何時用藥也非常獨到，且用的是冬病夏治之法；譬如冬天會發作的過敏性氣喘，夏天即開始預防，利用一年中最熱，人體陽氣最旺之時扶助正氣，預防冬天時發作。另外如結合中醫醫學與傳統療法，以「三伏貼」的藥材貼敷於背部的大椎、肺俞、脾俞、定喘、膏肓等穴位，也可以防止此病復發的機率。

　　「三伏日」是指夏至以後的第三個庚日、第四個庚日和立秋以後的第一個庚日；是一年之中最炎熱的三天。「三伏貼」是自清代留下來的針對過敏性氣喘、鼻炎、異位性皮膚炎與感冒等疾病的治療法。清代《張氏醫通》記載如下：

　　諸氣門下·喘。冷哮灸肺俞、膏肓、天突有未有不應。夏月三伏中用白芥子塗法往往獲效。方用白芥子淨末一兩、延胡索一兩，甘遂、細辛各半兩，共為細末入麝香半錢，杵勻，薑汁調塗肺俞、膏肓、百勞等穴。塗後麻冒疼痛，切勿便去，候三柱香足，方可去之。十日後塗一次，如此三次病根去矣！

| 瀉藥 | 鎮靜催眠 | | 澀精縮尿 | 驅腸蟲 |

大黃

合歡皮

龍骨

金櫻子

使君子

芒硝

夜交藤

龍齒

海螵蛸

苦參

火麻仁

珍珠

靈芝

覆盆子

蛇床子

瓜蔞仁

琥珀

貫眾

番瀉葉

磁石

雷丸

蘆薈

遠志

檳榔

鬱李仁

酸棗仁

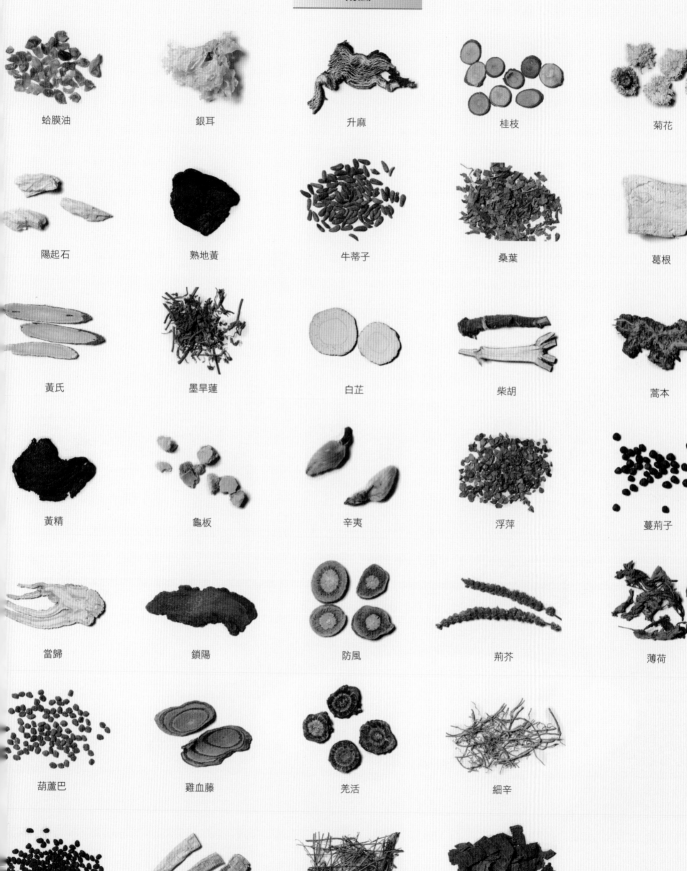

蛤膜油	銀耳	升麻	桂枝	菊花
陽起石	熟地黃	牛蒡子	桑葉	葛根
黃氏	墨旱蓮	白芷	柴胡	蒿本
黃精	龜板	辛夷	浮萍	蔓荊子
當歸	鎖陽	防風	荊芥	薄荷
葫蘆巴	雞血藤	羌活	細辛	
補骨脂	黨參	香薷	紫蘇	

一般人也都知道，冬天時要補虛或是慢性病的調理，則請中醫依照自己的身體狀況開一種「膏子藥」，就是把對身體好的上百種藥材一起煎煮，藥汁則反覆的熬煉濃縮後，變成稠稠的膏狀，每天用湯匙舀一匙泡熱水喝，這是冬天常見的保養方法。此外，中藥還會以數種藥材研末成「丹」；加入蜂蜜做成對滋補潤腸的「蜜丸」；與麵粉調成糊狀，不刺激腸胃的「糊」；粉末混合而成汁乾燥粉末的「散」的形式。

　　中藥的好處是藥材取之於自然，比較不必擔心殘留體內的後遺症問題。我在夏天介紹了草藥，很多人會問，草藥與中藥如何區分？草藥是一般人就他所在的地區，就地取材採集的原生植物藥材，因為被中醫發覺有效，也就採為治療之用。所以中藥包含了草藥，但除了草藥與其植物藥材，中藥還包括昆蟲、動物與礦物等藥材；同時還有加工、煉製、炮製、濃縮、組合過的合成藥材或中程藥材。

　　中藥的藥材，東漢的《神農本草經》中記載了三六五種，明代醫家李時珍所輯的《本草綱目》已增至一八九二種。到清朝的《本草綱目拾遺》則增至二六〇八種。

　　關於昆蟲與礦物的藥材，一般較為少見，有些人會覺得怪嚇唬人的，據說用得正確時，效果很明顯。不過藥方中如有礦物藥材，則該嚴格遵守醫生教導的煎煮方法，通常都是先敲碎，再用紗布包裹。可能要比其他藥材先煎，或是要煎很久才能把成分煎出來。

　　此外，有些中國人在食材與醫療材的取得上，心態過於自私，實在令人氣憤與心痛。近年來環保專家一再提醒我們，地球上的許多生物已因人類過度捕捉而瀕臨滅絕，人類不能因為要取得藥物而繼續捕捉牠們；或以不當的手法取得牠們的器官，甚至慢速置動物於死地。我們這一代已覺知這種行為的不當，應當以身作則，負起責任加以譴責，務必杜絕這種粗暴的惡習。

　　煎煮中藥需有耐心，解表藥多用武火，補虛藥多用文火。還需懂得藥材的性質，浸泡與沸騰的時間，不能讓水分蒸發太多，煎煮的鍋子也不能用金屬鍋。以前我遵照醫生的教導煎藥，總是不小心忘記時間而把水分煎乾。後來市面出現一款「啞巴媳婦」的陶瓷煎鍋，才解決了我的問題。這個名字對女性非常不敬，但也十分傳神的說明了煎煮中藥的難度。幸好現在的中藥店大多可以代煎中藥，解決了很多人的難題。

　　有關中藥的分類，我以**傷風、咽喉腫痛、袪寒藥、開竅藥、風濕、瀉藥、驅腸蟲、心血管、降血脂、冠心病、降血壓、鎮靜催眠、止汗藥、止瀉藥、腫瘤、活血化瘀、止血藥、利尿、抗瘧、澀精縮尿、鎮痛、降血糖、消炎、瘡癰腫毒、化痰、止咳、理氣、助消化、芳香化濕、滋補**等名目加以區分，拍照呈現，但並不表示其中的藥材只有這單一的藥性分類法。譬如感冒，中醫的分類就有很多種。中國醫學開藥方的學問又有君臣佐使的用藥規律，必須認識疾病共性的辯證方法，依照陰、陽、表、裡、寒、熱、虛、實八個辨證的綱領，結合望、聞、問、切四診診斷而開立藥方，而不少中藥材的藥性又是多重的，所以不是我們隨便自行抓藥就可以治病。生病用藥前，一定要先請中醫師把脈診斷才能達到功效。

　　中醫的歷史悠遠，經驗廣泛，是一種生命至高的哲學態度，不能硬跟一切求效率、數據與證明的醫學態度相比。身為中國人，一定要懂得陰陽平衡與天人合一這個崇高的中醫理論，並在生活中加以廣泛的運用。

穀物類

食物	計量單位	熱量(卡)	醣類(g)
格蘭諾拉燕麥捲	1杯	541	67
黑米	1杯	232	50
麵條	1杯	200	37
通心粉	1杯	190	39
義大利細麵條	1杯	155	32
義式米手	1杯	133	32
燕麥粥	1杯	130	23
白米飯	1杯	121	29
艷皮李子(40%)	1杯	105	28
奶油巧克力爆米花	1杯	25	5
咚糕	1塊	2430	242
法國麵包	1條	1315	251
義大利麵包	1條	1250	256
白麵包	1條	1225	229
葡萄乾麵包	1條	1190	243
麥方麵包	1條	1790	236
裸麥麵包	1條	1100	236
天使蛋糕	1個	1645	377
丹麥油酥圓餅	1個	275	30
果凍甜甜圈	1個	283	28
糖霜甜甜圈	1個	243	27
糖心貝果	1個	165	28
臺式…6"	1個	159	28
蛋糕甜甜圈	1個	125	16
熱狗漢堡	1個	119	21
熱鬆餅	1個	105	13
奶昔烘餅	1個	102	16
薄煎餅5"	1個	88	12
臺式麥子三玉麵包6"	1個	47	8
蘋果凍	1杯	350	51
南瓜派	1杯	275	32
比薩餅14"	1塊	185	27
麥片蘇打鹹餅	1片	13	2

脂肪和油

食物	計量單位	熱量(卡)	醣類(g)
豬油	1杯	1850	0
蔬菜油	1杯	1770	0
人造奶油	1杯	1630	微量
牛油	1杯	1620	2
蛋黃醬	1湯匙	100	微量
千島醬	1湯匙	80	3
牛乳酪醬	1湯匙	77	1
義婆醬	1湯匙	54	1

乳製品

食物	計量單位	熱量(卡)	醣類(g)
奶油乳酪[霜淇淋]	1杯	325	11
香草冰淇淋	1杯	269	32
全脂乳	1杯	160	12
全脂優格	1杯	150	12
脫脂乳	1杯	90	12
切達乳酪	100g	399	微量
乳化的乳酪製品	100g	106	3

蛋類

食物	計量單位	熱量(卡)	醣類(g)
荷包蛋	1個	110	1
炒蛋	1個	111	1
生蛋	1個	80	1

堅果果仁

食物	計量單位	熱量(卡)	醣類(g)
帶殼杏仁	1杯	850	28
烤花生	1杯	840	27
烤胡桃	1杯	790	19
烤腰果	1杯	785	41
山核桃	1杯	740	16

家禽肉類

食物	計量單位	熱量(卡)	醣類(g)
培根	1片	45	1
瘦的烤牛肉	100g	388	0
炸肉香腸	100g	330	10
牛肉香腸	100g	328	2
帶骨小羊排	100g	294	0
瘦火腿	100g	288	0
漢堡肉	100g	288	0
燻烤豬火腿肉	100g	288	0
炸雞胸肉排	100g	272	9
炸雞胸肉	100g	262	9
瘦肉香腸	100g	261	7
牛小肝	100g	238	5
燻豬肉派	100g	236	19
瘦的烤豬肉	100g	235	0
炸小牛肉	100g	218	0
烤火雞肉	100g	183	0
烤火雞肉	100g	155	0
烤雞肉	100g	135	0

魚類

食物	計量單位	熱量(卡)	醣類(g)
炸魚肉條	1條	49	2
魚子醬	10g	26	3.3
炸明蝦	100g	159	16
罐頭鮭魚	100g	141	0
煙燻鯡魚	100g	121	微量
罐頭蝦肉	100g	118	1
罐頭鮪肉	100g	100	1
水煮金槍魚罐頭	100g	94	0
生鮭肉	100g	80	0
生蛤肉	100g	76	2
蒸大蟹蝦肉、龍蝦肉	100g	77	0

湯（罐頭、濃縮）

食物	計量單位	熱量(卡)	醣類(g)
新英裕蘭蛤蜊濃湯	1杯	130	77
番茄湯	1杯	88	16
愛谷蒜味咖哩湯	1杯	81	12
牛肉蔬菜湯	1杯	78	13
蔬菜湯	1杯	78	7
雞麵湯	1杯	62	8

糖和甜食

食物	計量單位	熱量(卡)	醣類(g)
蜜糖	1杯	820	212
顆粒狀的糖	1杯	770	199
啤果	1湯匙	65	17
果凍	1湯匙	50	13
牛奶巧克力糖果	100g	517	56
奶油巧克力糖醬	100g	441	77
奶油巧克力軟糖	100g	406	74

其他雜項

食物	計量單位	熱量(卡)	醣類(g)
12.2%濃糖的香檳	1杯	204	9.6
沙拉醬	1湯匙	23	1
番茄醬	1湯匙	15	4
芥末醬	1湯匙	15	1
烤肉醬	1湯匙	14	1
玉米片	1片	7	1
含咖啡的飲料	100g	247	微量
啤酒	100g	44	4
可樂飲料	100g	43	11
薑啤酒	100g	34	9

血液檢查

CHESEROLOGY–BLOOD BANK (血清檢查)

STAT Add 20%

項目	NORMAL	RESULTS	TESTS	NORMAL	RESULTS	ROOM NO.	SAMPLE COLLECTOR	PHYSICIAN	TECH.
血型		1	□ VDRL (RPR)/150	NEGATIVE	備末				
血型			□ TPHA(350)	NEGATIVE	備末				
血型		TR	□ WINDAL TEST(350)		備末	011	HBs Ag(250)	NEGATIVE	日型軒夫
血型			□ TYPHO'O'(?)		備末	S22	ANTI HBc(320)		日型軒夫
血型			□ TYPHO'D'(?)			□ EAg(400)			日型軒夫
			□ PARATYPHOID7'A'		副備末	□ ANTI-HBc IgG(420)			B型軒夫
溶血液			□ PARATYPHOID7'B'		副備末	□ ANTI-HBc IgM(600)			O型軒夫
(抽血)	1/2	7	□ COLD Agg(350)	<7/6		002 □ IgM(500)	2~2/6(U/m)		
<166		S21	□ G6PD Screening(350)		冒血症	006 □ IgG(370)	300~1800mg%		
<0.8		05	□ ANA(400)		自體免疫疾病	007 □ IgA(370)	60~250mg%		
			□ C3(370)	100~190mg%		□ ANTI-HAV IgG(450)			A型軒夫
		005	□ C4(420)	29~47mg%		□ ANTI-HAV IgM(600)			A型軒夫
<9.9			□ β-HCg(600)			□ ANTI-HCV IgG(500)			C型軒夫
(急性傷害)			□ HIV(630)		AIDS	□ Mycoplasma Ag(400)			番血
			□ CHLAMYDIA Ag(500)		患處檢查	□ TORCH(800)			
			□ CHLAMYDIA Ab(900)		患處檢查	□ CHARGE NT$			

HEMATOLOGY (血液學檢查)

□ 自費 □ 合署 □ STAT(急作) □ ROUTINE(普通)

TEST	NORMAL	RESULTS	TESES	NORMAL	RESULTS	ROOM NO.	PHYSICIAN	TECH.
1 C.B.C.(300)	2,3,4,5,20		6 DIFFERENTIALS(120)		抽己補	TESTS	NORMAL	RESULTS
C.B.C.+DIFF(360)			LYMPHOCYTES	20~45%	白血球分類			
5 W.B.C.(66)*	3,800~10,000	血血球	MONOCYTES	2~10%	白血球分類	11 PROTHROMBIN TIME(250)		凝血纖血
2 R.B.C.(66)*	4.0~6.0 MILLION/100CC	紅血球	EOSINOPHILS	1~6%	白血球分類	PATIENT	12~15 SEC.	凝血纖血
4 HEMOGLOBIN(70)*	M 13~18-GMS F 17~16 GMS	紅血素	BASOPHILS	0~7%	白血球分類	CONTROL		凝血纖血
3 HEMATOCRIT(70)*	M 40-52 F36-46	血比溶	SEGMENTES	40~75%	白血球分類	12 P.T.T.PATIENT(268)	30~45 SEC.	凝血纖血
6 INDICES(30)*			STABS	5~10%	白血球分類	CONTROL		凝血纖血
MCV(50)	85~100	白血球大小變性	METAMYELOCYTE	0	白血球分類	17 RBC FRAGILITY(400)		紅血球特殊及可變性
MCH(50)	27~34		MYELOCYTS	0	白血球分類	INITIAL	0.44%	紅血球特殊及可變性
MCHC(50)	32~36		PROMYELOCYTE	0		COMPLETE	0.34%	
13 PLATELET COUNT(50)	NG,000~450,000	血小板	BLASTS	0		16 MORPHOLOGY(100)		紅血球特殊及可變性
8 BLEEDING TIME(60)	1~3 MIN	刺指血液檢	ATY.LYM.		白血球分類	HYPOCHROMASIA		紅血球特殊及可變性
8 CLOTTING TIME(60)	3~6 MIN	刺指血液檢	NRBC		白血球分類	ANISOCYTOSIS		紅血球特殊及可變性
14 SED.RATE(100)	M 0-10 F 0-20	抽血	CORRECTED WBC		白血球分類	POIKILOCYTOSIS		紅血球特殊及可變性
15 RETIC.COUNT(100)	NEW BORN 2~6% ADULT 0.5~2.5%	血液檢	ABSOLUTE NEUTRC.(200)					
16 L.E. PREP.(250)	NEGATIVE	抽血凝膠液	FDP(800)	<10ug/ml	凝血	STAT Adj 20%	CHARGE NT$	
17 EDE.COUNT(200)	150~300/CC	抽尿檢	63 MALARIA(250)		抽點			

食物營養表

礦物質

礦物質	作用功能	攝取來源	攝取不足的症狀
鈣	骨骼、牙齒與結構、神經、肌肉功能	奶、奶製品、柑橘類飲水系、沙丁魚、綠色葉類蔬菜	軟骨病、佝僂病、阻礙生長、蛀齒不全、骨質疏鬆症
鉻	腸馬素類脂	美國乳酪、啤酒、亭蘭、酵母菌、堅果類、穀類、黑胡椒	成人突發糖尿病、床褥疹
銅	血紅素製造類脂、膠原質	綠色蔬菜、肝臟、海鮮	貧血症、生長育遲緩
氟化物	強壯牙齒和骨質	加了氟化物的水、茶、海鮮	蛀牙
碘	甲狀腺激素的基本要素	海鮮、加碘食鹽、乳製品	甲狀腺腫
鐵	血紅素部分	肝臟、牡蠣、紅肉、蛋、馬鈴薯	貧血症、疲勞、唇炎
鎂	新陳代謝類脂	綠色葉類蔬菜(生菜)、花椰菜、花菜甘藍、整果類、甜菜、馬鈴薯	心律不整
鈉	平衡體內水份	鹽、醬油、蘇打粉水、加工食品	肌肉痙攣、痙攣、(經期)經痛
鉀	神經功能	水果乾、新鮮蔬菜、香瓜、柑橘類飲水系	心律不整
鋅	新陳代謝類脂	肉類、帶殼海鮮、奶、豆類、穀類	改善創傷復健治療、改善性徵的發展

脂溶性維生素

維生素	作用功能	攝取來源	攝取不足的症狀
A	加強夜間視力保護各個組織	綠色蔬菜、黃色和紅色的蔬菜、尤其是胡蘿蔔	夜盲症、眼睛疾病、皮膚病變
D	加強鈣的吸收促進骨骼營養	添加維生素的牛奶、魚、日照、肝臟	軟骨病、佝僂病
E	抗氧化	植物油、所有穀類、蛋黃	貧血症
K	凝血	綠色葉類蔬菜、肝臟	血液凝結功能不良

水溶性維生素

維生素	作用功能	攝取來源	攝取不足的症狀
C	抗氧化、保護結締組織	柑橘類飲水系、馬鈴薯、綠色葉菜類蔬菜	壞血病、牙齒鬆動、血顳出血
B1 硫胺素	醣類代謝輔酶	肉內、穀類、肝臟、乾果類、南瓜	腳氣病、神經系統疾病、心臟疾病
B2, G 硫胺素	醣量和蛋白質代謝輔酶	肝臟、奶、蛋、糖酵母、色食物、花椰菜、花菜甘藍	成長衰退、舌頭以嘴唇痛發炎、皮膚體發炎、視力衰弱
維生素 B6 抗皮炎素 吡哆醇	蛋白質代謝輔酶	加鍋工的穀類食物(麥片粥等)、肝臟、魚、蛋黃類蔬菜、花椰菜、花菜甘藍	皮炎、皮膚炎、神經失調
B12	細胞分裂輔酶	動物蛋白(肉、奶、蛋類等)	貧血症
煙鹼酸	熱量代謝輔酶	肉類、肝臟、酵母菌、蛋、穀類、豆類、馬鈴薯	蜀黍紅斑、糙皮病
葉酸	細胞分裂輔酶	綠色蔬菜、肝臟、穀類	貧血症
泛酸 本多生素	新陳代謝輔酶	肝臟、酵母菌、蛋類、魚	疲勞、頭痛、噁心、作嘔、嘔吐
H 生物素	醣類和脂肪代謝輔酶	肝臟、腎臟、酵母菌、蛋黃、豆類、整果類、堅果類	皮炎、皮膚炎、機能降低、抑鬱

食物熱量表

水果

食物	計量單位	熱量(卡)	醣類(g)
嘜頭甜蘋果醬	1杯	230	61
嘜頭桃子	1杯	200	52
嘜頭黃李子	1杯	200	49
葡萄汁	1杯	165	42
蘋果汁	1杯	120	30
新鮮葡萄柚汁	1杯	100	24
新鮮藍莓	1杯	85	21
新鮮柳橙(美柳汁)	1杯	65	22
新鮮無籽葡萄	1杯	65	15
新鮮檸檬汁	1杯	60	20
新鮮草莓	1杯	55	13
嘜頭番茄汁	1杯	45	10
冰凍純柳橙汁	1罐	360	87
新鮮中型蘋果	1個	120	28
中型香蕉	1個	100	26
新鮮中型梨子	1個	100	25
中型白葡萄柚	1個	90	24
中型柳丁	1個	70	18
新鮮中型柳橙	1個	65	16
新鮮中型桃子	1個	35	10
新鮮中型李子	1個	25	7
新鮮中型檸檬	1個	20	6
新鮮奇異果	1粒	115	27
嘜頭鳳梨片	1大片	90	24
新鮮草莓	1粒	5	1
無籽葡萄乾	100g	282	78
椰棗	100g	223	6
無花果乾	100g	216	70
香蕉	100g	184	68
覆盆莓	100g	25	14
新鮮杏	100g	25	13

寄生蟲

細菌檢查

PARASITOLOGY寄生蟲

BACTERIOLOGY細菌學

CHEMISTRY生化檢查

膽固醇表

膽固醇含量	食物	毫克/100公克
高含量	腦子	>2000
	魚卵、蝦卵、蟹黃	2000
	蛋黃	1500
	蛋	500
	腎臟	375
	牛肝臟(肝)	327
	奶油	300
	鴨肉	280
	黃油	279
	蝦	>200
	鱿魚	150
低含量	小牛肉(腿肉)	140
	小羊、牛肉(不太肥)、雞	125
	奶油(含35%脂肪)	120
	豬油	95
	雞肉(腿肉)	90
	蟹	80
	魚	72
	鴨肉	71
	火腿	70~105
	牛肉、羊肉、雞肉	70
	豬肉(瘦肉)	60
	蛋白質	53
	一般魚類	50~70
	火腿(瘦)	16~26
	牛奶	11
	火腿(脂肪)	8~15
	脫脂奶	0.4
不含	麵包類等(製作時不加奶油、鲜油、蛋等)、五穀類、水果類、蔬菜類、植物性油脂及人造奶油、五穀類及其製品、硬殼果類(核桃)、穀、蛋白、果醬、果凍、花生、花生醬、糖類	
少吃	奶油、鲜油、奶精類、鲜奶油、乳酪、冰淇淋、肥肉、內臟(腰子、腦、肝臟、心臟)、鱿魚、魚子、蛋類、椰果、沙拉醬、椰子油、巧克力、奶油糖	

體檢表

身高	
體重	
AST(同GOT?)	
GOT	GO 轉氨基酶
ALT(同GPT?)	
GPT	GP 轉氨基酶
r-GT	麥夫安眽糖移酶
CHOLESTEROS	膽固醇
HDL-C	高密度脂蛋白
VLDL	
LDL	
LDL-C	低密度脂蛋白
CHOL/HDL	
LDL/HDL	
LP(a)	
T.C/HDL-C	膽固醇總量與高密度之比
TRIGLYCERIDE	三酸甘油酯
TOTAL PROTEIN	血漿蛋白總量
ALBUMIN	血清蛋白
GLOBULIN	球蛋白
URIC ACID	尿酸
	甲狀腺素
GLU-(AC)	血糖

血壓紀錄表

日期	星期
3月16日	MON
3月17日	TUE
3月18日	WED
3月19日	THU
3月20日	FRI
3月21日	SAT
3月22日	SUN
3月23日	MON
3月24日	TUE
3月25日	WED
3月26日	THU
3月27日	FRI
3月28日	SAT
3月29日	SUN
3月30日	MON
3月31日	TUE

我跟孩子們說，以前外公建議我去唸的科系是家政系，他們用誇張的口吻問：「What？有這種科系？需要嗎？！」我告訴他們：「管理一個家，就像經營一個公司，有MBA的課程，目的是要全公司的人貫徹經營的理念，這個道理與理家是一樣的。你以為家庭只為了幾個人花那麼多力氣做什麼？如果你這樣想，就錯了！」正因為是一家人，更該多花一點時間和精神，培養共同的習慣，讓全家人對家庭產生一致的共識，這樣一定會得到一個良好的居家生活品質。我們都喜歡住旅館，為什麼？因為旅館提供一個舒適整齊的空間，所以家庭管理，首先以做到舒適整齊為原則。

而旅館管理學，除了強調「服務的精神」以外，邏輯性的收納與清潔，也是執行徹底的原則。我們公司曾經跟很多有名的旅館合作，當談到空間的動線與收納時，對方都派出總公司「House Keeping Dept」的人，帶來厚厚的執行細節，與設計規畫部門要談好幾天，才能應用到室內設計上。我最喜歡看他們寫出來的規矩，分析下來，也沒甚麼了不起，都是常識與細節，但若能執行徹底，就是管理學了。家庭管理，可以學旅館管理學，建立相互服務的精神，此外，分區域挪出固定的時間整理，執行下去就對了。

家人間服務的定義很簡單，其實就是「順手」的習慣，東西的順手歸位，鞋櫃、流理檯、洗手檯面、馬桶、浴缸等，都是家人共同使用頻繁的區域，順手清潔讓別人使用方便的習慣一定要建立。執行細節的定義就是自己的餐具自己收，個人物品的空間自己控制管理，這個紀律若能保持，一個家看起來就不會亂糟糟的。整理自己個人空間的習慣，一定要早早培養，如果幻想「等我有空再來整理」的心態，也只會一再的堆置罷了。其實這些都是習慣的培養，有謂「行動變成習慣，習慣變成個性，個性變成命運」。我有個朋友的孩子，美國長春藤大學畢業，找到了好工作，朋友去看他回來，我想一定很高興吧！但她說孩子沒有生活的技能，她搖頭的吐出一個字：「亂」！現在的父母，捨不得孩子做家事，習慣沒有即時養成，將來苦的終將是自己的孩子。

面對瑣碎的家務工作，也可以整理出一些實用的資訊，比如利用冰箱的表面，貼製採買的清單，家人可以一起勾選需求，採買將不會落到一個人的肩上。現代社會，出國進出頻繁，一份具有提醒作用的備忘錄、清楚的打包清單，可讓自己做充足的準備。緊急電話單、醫療用藥的紀錄、食物卡洛里的提示、單位的換算表等，也都是不可缺少的資訊，整理出來，提供給大家參考。

貨櫃材積表

20'一般櫃	L	W	H	Cuft3	Cum3
CONTAINER SPC.	20'	8'	8'6"		
CONTAINER	194.1"	78.6"	710.2"	1773	
	5.896m	2.352m	2.393m		33.2

40'一般櫃	L	W	H	Cuft3	Cum3
CONTAINER SPC.	40'	8'	8'6"		
CONTAINER	395.4"	78.6"	710.2"	2390	
	12.025m	2.352m	2.393m		67.68

40'超高櫃	L	W	H	Cuft3	Cum3
CONTAINER SPC.	40'	9'	9'6"		
CONTAINER	395.7"	78.6"	8*10.3"	2696	
	12.031	2.352m	2.7m		76.34

攝氏、華氏溫度對照表

°C	°F	°C	°F	°C	°F
340	644	75	167	18	64.4
330	626	70	158	17	62.6
320	608	65	149	16	60.8
310	590	60	140	15	59
300	572	55	131	14	55.4
290	554	50	122	13	55.4
280	536	45	113	12	53.6
270	518	40	108	11	51.8
260	500	39	102.2	10	50
250	482	38	100.4	9	48.2
240	464	37	98.6	8	46.4
230	446	36	96.8	7	44.6
220	428	35	95	6	42.8
210	410	34	93.2	5	41
200	392	33	91.4	4	39.2
190	374	32	89.6	3	37.4
180	366	31	87.8	2	35.6
170	338	30	86	1	33.8
160	320	29	84.2	0	32
150	302	28	82.4	-1	30.2
140	284	27	80.6	-2	28.4
130	266	26	78.8	-3	26.6
120	248	25	77	-4	24.8
110	212	24	75.2	-5	23
100	212	23	73.4	-6	21.2
95	203	22	71.6	-7	19.4
90	194	21	69.8	-8	77.6
85	185	20	68	-9	15.8
80	176	19	66.2	-10	14

Centigrade = $\frac{5}{9}$ (F-32)　Fahrenheit = $\frac{9}{5}$ C+32

國際標準尺碼對照表

男鞋
日本	24.5	25	25.5	26	26.5	27	27.5
美國	6½	7	7½	8	8½	9	9½
英國	6	6	7	7½	8	8½	9
法國	39	40	41	42	43	44	45
義大利	39	40	41	42	43	44	45

女鞋
日本	22	22.5	23	23.5	24	24.5	25
美國	5	5	5½	6	6½	7	7½
英國	3	3½	4	4½	5	5½	6
法國	34.5	35	35.5	36	36.5	37	37.5
義大利	34	35	36	37	38	39	40

女裝／外套
日本	7	9	11	13	15
美國	4	6	8	10	12
英國	6	8	10	12	14
法國	36	38	40	42	44
義大利	38	40	42	44	46

男性襯衫
日本	36	37	38	39	40	41	42
美國	14	14½	15	15½	16	16½	17
英國	14	14½	15	15½	16	16½	17
法國	36	37	38	39	40	41	42
義大利	36	37	38	39	40	41	42

重要通訊名單

旅行打包表

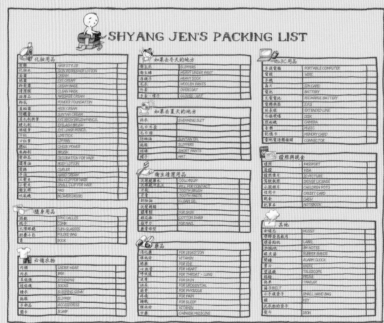

SHYANG JEN'S PACKING LIST

出國旅行備忘錄

身高體重表

身高	體重 19~34歲	體重 35歲以上
142cm	38~50kg	43~54kg
145cm	39~52kg	44~56kg
147cm	41~54kg	46~59kg
150cm	43~56kg	48~60kg
152cm	44~58kg	49~63kg
155cm	46~60kg	50~65kg
157cm	47~62kg	52~67kg
160cm	49~64kg	54~69kg
163cm	50~66kg	55~77kg
165cm	52~68kg	57~73kg
168cm	54~70kg	59~76kg
170cm	55~73kg	60~78kg
173cm	57~74kg	63~81kg
175cm	59~77kg	64~83kg
178cm	60~79kg	66~85kg
180cm	62~81kg	69~88kg
183cm	64~83kg	70~90kg
185cm	65~86kg	72~93kg
188cm	67~88kg	74~95kg
191cm	69~91kg	76~98kg
193cm	71~93kg	78~101kg
196cm	73~96kg	80~103kg

度量衡換算表
Conversion Tables

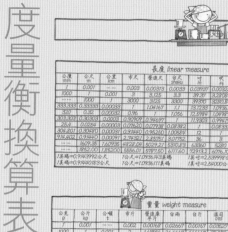

長度 linear measure

公厘 mm	公尺 m	公里 km	市尺	營造尺	台尺 shaku	吋	呎	碼 ml	哩	國際浬
1	0.001		0.003	0.00313	0.0033	0.03937	0.00328	0.00109		
1000	1	0.001	3	3.125	3.3	39.37	3.28084	1.09361	0.00062	0.00054
... ...	1000	1	3000	3125	3300	39370	3281.84	1093.61	0.62139	0.53996
333.333	0.33333	0.00033	1	1.04167	1.1	13.1233	1.09361	0.36454	0.00021	0.00018
320	0.32	0.00032	0.96	1	1.056	12.5984	1.04987	0.34996	0.00020	0.00018
303.303	0.30303	0.0003	0.90909	0.94697	1	11.9303	0.99419	0.33140	0.00020	0.00016
25.4	0.0254	0.00002	0.07620	0.07938	0.08382	1	0.08333	0.02778	0.00002	0.00001
304.801	0.30480	0.0003	0.91440	0.95250	1.00584	12	1	0.33333	0.00019	0.00017
914.402	0.91440	0.00091	2.74321	2.85751	3.01752	36	3	1	0.00057	0.0005
	1609.35	1.60935	4828.04	5029.21	5310.43	63360	5280	1760	1	0.86898
	1852.00	1.85200	5556.01	5787.50	6111.60	72913.2	6076.10	2025.37	1.15016	1

1英碼=0.9143992公尺　1公尺=1.0936143英碼　1吋=2.539999公分　1公厘=6080呎=1.516浬
1美碼=0.9144083公尺　1公尺=1.0936111美碼　1吋=2.54000公分

容量 cubic measure

公撮	公升	營造升	台升	英液量司 Emp-ons	美液量司 us-ons	
1	0.001	0.00097	0.00055	0.03520	0.03382	0.00211
1000	1	0.96675	0.55435	35.1960	33.8148	2.11342
1035.47	1.03647	1	0.57402	36.4444	35.0141	2.18838
1803.91	1.80391	1.74212	1	63.4904	60.9986	3.81242
28.4123	0.02841	0.02744	0.01585	1	0.96075	0.06006
29.5729	0.02957	0.02856	0.01639	1.04086	1	0.06250
473.167	0.47317	0.45696	0.26210	16.6686	16	1
4545.96	4.54596	4.39026	2.52007	160	153.721	9.60752
3636.77	3.63677	3.51220	2.01605	1280	1229.76	76.8602
3536.31	35.2383	34.0313	19.5344	1240.25	1191.57	74.4733

1公升=1.000028立方公吋　1公升=5美液量匙=160英液量匙
1英加侖=5英液量匙=128美液量匙

重量 weight measure

公克 g	公斤 kg	公噸	市斤	營造斤	台兩	台斤	英啢 ons	磅	美噸	粗噸
1	0.001		0.002	0.00168	0.02667	0.00167	0.03527	0.0022		
1000	1	0.001	2	1.67566	26.6667	1.66667	35.274	2.20462	0.00099	0.00110
... ...	1000	1	2000	1675.56	2666.7	3627.40	35274	2204.62	1.10231	1.02381
500	0.5	0.0005	1	0.83778	13.3333	0.83333	17.6370	1.10231	0.00049	0.00055
0.59682	0.0006		1.19363	1	15.9151	0.7744	21.0521	1.31575	0.00060	0.00060
	0.0375	0.0000375	0.075	0.06231	1	0.0625	1.32277	0.08267	0.00004	0.00004
0.6	0.0006	1.2	1.0534	16	21.1644	1.32277	0.00004	0.00004		
0.02835	0.00003	0.0567	0.04692	0.75599	0.04725	1	0.0625	0.00003	0.00003	
0.45359	0.00045	0.90719	0.75599	12.0958	0.75599	16	1	0.00045	0.00040	
907.185	907.185	0.90719	1814.37	1702.45	27094.6	1693.41	35840	2240	1	1.12
	1016.05	1.01605	203.209	1702.45	27094.6	1693.41	35840	2240	0.892286	1

1英碼=0.45359245公斤　1台兩=12兩&連公1.822857哩　1兩=0.2公克
1美碼=0.45359242777公斤　1日台=1000g　助=6.25g＝100台兩　1哩冷=0.0648公克

地積(面積) square measure

平方公尺 m2	公畝 a	公頃 ha	公里2 km2	市畝	台甲	公頃
1	0.01			0.0015	0.00103	0.30250
1000	1		0.15	0.16276	30.250	
10000	100	1	0.01	15	16.276	3025.0
		10000	100	1500	1627.6	302500
666.666	6.66667	0.006667	0.000667	1	0.9216	1.08507
674.400	6.44400	0.06144	0.000621	0.9216	1	185.566
3.30579	0.03306	0.00033		0.00496	0.00538	1
99.1736	0.99174	0.00992	0.00099	0.148%	0.16142	50
95.9917	96.9917	0.09692	0.00099	14.5489	75.3998	
4046.85	40.4685	0.40468	0.004047	6.07027	6.58666	1224.17
4046.87	40.4687	0.40467	0.004047	6.07081	6.58671	1224.18

1平方哩=2.58999平方公里=640美畝
1台灣甲=2934坪
1日町=10段=100日歇=3000日坪

採購表

蔬菜類
白菜類 / 高麗菜 / 菜花 / 白蘿蔔 / 紅菜菜 / 芥菜 / 紅蘿蔔 / 暖冬瓜 / 薑 / 番茄 / 地瓜 / 手瓜 / 茄子 / 沙拉小黃瓜 / 蔥 / 青江菜 / 綠小黃菜 / 葫蘆 / 菠菜 / 比利時白菜 / 小松菜及白蘿蔔 / 韭菜 / 白豆葉菜 / 高麗菜 / 黃豆菜 / 小黃瓜 / 莴苣 / 洋蔥 / 牛蒡 / 菜豆 / 澤菜 / 蠶豆 / 椒豆芽 / 田葉菜 / 茉莉九層塔 / 大芥菜 / 茼蒿茶茶 / 白菜 / 玉菜菜 / 空心菜 / 紅蘿蔔 / 包心菜 / 蕉萵 / 芽苗 / 洞萵 / 蒜苗 / 苦瓜 / 竹筍 / 食蔬 / 蘆荀 / 水蓮 / 行明菜 / 小蘿蔔 / 芹菜 / 紅蘿蔔 / 茶菜 / 香菜 / 喇叭 / 蘿蔔 / 嫩薑 / 檸檬葉菜 / 青荀 / 紅白蔥 / 白蔥 / 毛豆 / 菜莖 / 蒜頭 / 香辛菜 / 白蘿蔔 / 甜菜菜 / 鹽餅

肉類
雞絞肉 / 牛腱肉 / 絞豬肉 / 牛腩 / 豬骨頭(煮湯) / 黑脂肉(切片或切絲) / 冷絞肉(泥) / 火腿絞肉(片) / 火腿條(肉切) / 小排骨肉(薑泥肉) / 大絞肉肉 / 雞腿肉 / 腿肉片 / 漢堡牛肉 / 漢堡雞肉 / 魚火腿肉 / 菜肉 / 培根肉 / 大陸火腿

雞鴨
土雞 / 雞肝 / 全雞 / 水雞 / 六小腿城 / 雞腿肉

海鮮類
蝦仁 / 蝦(帶殼) / 蝦捲 / 蝦仁 / 蟹 / 魚 / 草魚片 / 紅龍蝦 / 小魚 / 魚條 / 烏魚 / 河蝦 / 螺 / 鮪魚

豆類
豆腐 / 炸豆腐 / 豆干 / 腐竹 / 百葉 / 新丁 / 小納豆 / 味增 / 枝子

乾料類
玉米粉 / 醬油 / 糖 / 醬醋 / 太白粉 / 花生油 / 老薑 / 海苔 / 蕃茄 / 乾魷魚 / 蝦米 / 生薑 / 乾辣椒 / 八角 / 利竹筍 / 紫菜 / 冬菇 / 香菇 / 竹笋片 / 蝦米 / 香菜 / 菜頭 / 竹筍 / 百頁乳丙 / 辣椒粉 / 胡椒粉 / 五香粉 / 肉桂粉 / 無鹽平油

調味品
沙茶醬 / 水飴 / 生油 / 蒜茶醬 / 蔥茸 / 辣椒油 / 辣椒醬 / 沙薑油 / 辣椒醬 / 油膏 / 辣油 / 黑胡椒醬 / 芝麻油 / 黃豆醬 / 葡萄醬 / 蕃茄醬 / 白醋 / 沙茶油

主食雜糧
貢丸 / 澄麵 / 蓬萊米 / 在來米 / 麵粉 / 可可粉 / 洋菜粉 / 西谷米 / 叻沙片 / 七里香 / 蓮藕粉

冰類別相品
新宇川 / 大冰球 / 最大利雪糕 / 香蕉冰 / 冷凍湯圓 / 餃子丁 / 起司 / 蛋 / 乳酪

冷凍食品
冷凍蝦仁 / 冷凍花枝 / 冷凍蟹 / 冷凍肉丁

果菜類
芹菜 / 番薯 / 山芋 / 蘿蔔 / 菜豆 / 甜菜 / 甘蔗

主食雜糧
章魚 / 透抽 / 花枝丸 / 螺肉 / 魚漿 / 麵線 / 米苔目 / 烏龍麵 / 大利麵

TO DO LIST

(任務清單) _____
(計畫) _____
(採購工作) _____
(文件) _____
(後續工作) _____

宴會安排表

時間安排 / 參加人數

客人姓名 / 電話 / 地址 / 備註 / □ 已通知 □ 已回覆

菜單名單

客人姓名 / 電話 / 地址 / 備註 / □ 已通知 □ 已回覆

菜單計畫
主食 / 副食1 / 副食2 / 副食3 / 副食4 / 湯/飲料 / 裝飾品

購物採買清單

1	10
2	11
3	12
4	13
5	14
6	15
7	14
8	15
9	16

費用 _____

其他 _____

我們的三部合唱

姚姚．JJ．小元

姚姚：首先要恭喜親愛的媽媽，終於完成了《傳家——中國人的生活智慧》這套大書。對我們三個孩子來說，這套涵括中國精緻文化與生活智慧的實用百科，實在是您送給我們最隆重的禮物。

近幾年來，每次跟朋友說我媽正在編撰一本有關中華文化的書，最後都會加上一句：「她實在很瘋狂！」請不要誤會這句話，我的意思並不是說她不自量力；相反的，我的語氣帶著自豪，因為只有充滿才能、效率而且專注的人，才會去追逐這種「介紹中華文化」的偉大夢想。

我是媽媽的大孩子，從小就常聽她說起各種夢想，而且總是想盡辦法要讓夢想成真。除了這套書，媽媽還有很多夢想要完成，編撰這套《傳家》，無疑是到目前為止最龐大的夢想；其中包含了她的雄心壯志與責任感，想為自己的孩子和後代子孫保留中華文化的美好傳統。

我想，她會花五年的時間完成這個夢想，跟我們從小接受西方教育也許有點關係。至今我還記得很清楚，二十年前為了我的就學問題，爸爸媽媽曾經徹夜未眠的一再討論，最後決定讓我就讀台北美國學校。即使二十年後我已在美國讀完大學，他們仍然不時討論那個決定的利弊。媽媽這套書，正好可讓我們彌補美式教育在中國文化價值觀上的不足。真的很感謝媽媽。

JJ：我也深有同感。美式教育雖然提供我們許多中式教育無法比擬的好處和機會，但在中國文化的學習方面，確實比較不足。譬如在我們的家族聚會裡，我偶爾一不小心就會說出一句所謂的「美式國語」；不是需要夾雜一些英語來幫助溝通，就是無法用國語正確的稱呼我們的「叔叔」。在西方文化裡，家族成員之間只使用「uncle」、「aunt」、「cousin」這幾個簡單的稱謂，但在中華文化裡，家族成員之間的稱謂卻細分得很清楚，我覺得實在複雜，從來不曾弄懂過。每次我們姚氏家族團聚時，總會顯露出我們在這方面的學習相當失敗；譬如與「二叔」（父親的弟弟）打招呼時，從來不曾以正確的稱謂來問候「二叔」。讓我們更覺尷尬的是，「二叔」有一對雙胞胎兒子，年紀雖然只有八歲，卻都能正確地稱呼我們的父母親。有一次最好笑，我們的弟弟小元竟然直呼「二叔」的姓名，這在中華文化裡是一項禁忌，是不尊重長輩的不良標誌。我記得很清楚，當小元直呼「二叔」的全名時，所有在場的人都笑彎了腰，我轉身看媽媽，發現她的表情非常尷尬，眼睛裡流露一絲失望的神情呢。

姚姚：也許因為從小接受西方教育，我發現我們經常與家人起衝突，特別是跟媽媽對嗆。她出身於非常傳統的中國家庭，我們幾個孩子則滿腦子美國價值觀，經常因為與她觀點不同而發生爭執。好在我們家還不至於像電影《喜福會》那樣發生第三文化危機，我也從來沒有被家庭威權強迫的感覺，不需要做什麼特別的情緒發洩，但大家經常意見不同，必須好好的溝通協調，有時候還真的有點棘手呢。還好，我們一家人都能坦誠的相互學習，達成共識。

不過，也因為我們沒有接觸更多的中國傳統、智慧、價值觀，媽媽免不了會覺得失望，甚至偶爾認為我們是漂流的浮根，遠離了自己的文化根源。對於我們疏忽倫常，不注意長幼輩份，自私而且我行我素等等，她也經常感到沮喪，認為這都是美式教育最糟糕的副產品。

坦白說，還沒到美國讀大學之前，我根本不覺得有必要深入了解中華文化。因為那時正處於叛逆傾向最強烈的年齡，我對中華文化所強調的謙虛和孝順尤其惱火，覺得它們阻礙了我的社交活動。當時的我還認為，西方的價值觀已經足夠讓我過著幸福快樂的生活；現在回想起來，真是天真幼稚的想法呀。但是到美國上大學後，我從種族文化的實際接觸裡，慢慢發現中華文化的特質，開始欣賞中華文化的傳統和智慧，覺得這是美國價值觀和美式生活最欠缺的東西。

　　JJ：我知道，我們的媽媽直到今天仍在懷疑，如果當年把孩子送去接受中國教育，情況會不會好一點？所以她一直努力提醒我們，不讓我們忘記自己的中國根源。我在美國學校就學期間，她還送我到本地的中文補習班上課，使用台灣的教科書學習中文的聽、說、讀、寫；因此我從美國學校高中畢業時也勉強通過了小學程度的中文學習，足以跟任何人做有效的溝通。雖然這樣，我總覺得有些中華文化令人困惑，有時甚至高深莫測。我必須很尷尬地承認，直到今天我仍然搞不懂應該在什麼節慶吃什麼樣的食物，才能符合中國的節氣和禮儀。

　　姚姚：我們雖然學會國語，還是無法用國語充分的表達自己的思想，這個尷尬現象不斷提醒我們已經背離文化根源的事實。隨著中國崛起於世界舞台，中文變得越來越重要，這讓只有國小六年級中文程度的我格外感到不安。媽媽確實具有遠見，我們就讀美國學校期間就讓我們每周接受兩次中文輔導課，還在家裡到處佈置中文教材——譬如，在餐桌旁的白板上張貼「成語」，在我們書房牆壁上黏貼中國歷史大事年表，在我們的書架擺上細心分類過的圖書。最近幾年，我終於慢慢了解媽媽的安排多麼煞費苦心。她絕不浪費一分一秒，老是在催我們「快點吸收」，表達她要給我們最好教養的決心。當然，這一切都源於她的愛心。儘管我們為此經常開她玩笑，一直沒有給她足夠的讚賞，但她可一點也不在乎。正因為她這強大的決心和愛心，《傳家》才會出現如此驚人的四大冊。其中的內容，包含了所有現代華人生活各方面的寶貴資料，譬如「成語詞典」，是她精心蒐集、編輯而成；「格言」含有中華民族數千年的語言智慧；「圖表」整理了小說、戲劇、詩詞等最重要的文學作品；「中國人的禮節」則完整的解釋與生活有關的各種重要信息；她還把所有理財的資訊變成可轉動式的圖表，二十個我們的味覺也變成轉動式的圖表，要我們靈活運用；「信函」裡有我特別感到親切的中文書信寫作組織結構圖，因為媽媽曾經以它教導我們如何寫好中文書信。但因中文基礎不夠好，我還是經常無法寫好給外婆或阿公的信。最糗的一次是我去比利時首都布魯塞爾做暑期工作，寄了一張風景明信片給外婆；我們平常都稱她「奶奶」，所以我在明信片上的收信人就直接以中文寫上「奶奶」兩字，因為我認為英文書信可以這樣寫，中文書信應該也行得通。沒想到明信片寄出幾天後，接到媽媽的電話，說我變成了外婆所住的那棟公寓裡的大笑話，因為我在明信片寫的正式收件人不是外婆的名字「顧正秋」而是「奶奶」！媽媽在電話裡焦慮的說：「寫信給別人，收信人當然要寫對方的姓名啊，難道我沒有教過你嗎？」——嗯，說不定這一項她真的忘了教我哩！

參考書目與資料收集

100道超簡單開胃醬料

101種常用食材健康圖典

101種蔥薑蒜神奇妙用

105道中式醬料

2步驟燉補超簡單

20分鐘作新鮮果醬

40道酸甜料理超級下飯

45種每天必吃路邊攤餅

50種香料作料理

了凡四訓直解

人

人之初

人生的起點與終點

人氣牛排醬DIY

人體學習手冊

小言黃帝內經與生命科學

上海老味道

上海菜

川菜

千家詩詳析

Fleur-台灣園藝花卉集錦

Fleur-蔬菜的花

Fleur-蕈類專輯

Fleur-雞冠花

中式烹調

中式烹調師實用手冊

中國古代文學名著

中國古典名著精華

中國名詩人選集

中國俗文學

中國國劇臉譜大全

中國烹飪工藝學

中國造型

中國童話

中國當代十大詩人選集

中國醫藥食補養生大典

中醫中藥青草藥

中醫眼科學

中醫藥材常用指南

中藥方劑常用圖典

中藥材食療事典

中藥材速查輕圖典

午夜歌手

北平菜食譜

本草備要表解速讀

本草綱目

民間醋的製作

台灣小吃DIY

台灣古早味走賣

台灣民間文化藝術

台灣生活日記

台灣好蔬菜

台灣農民曆

台灣蔬果生活曆

四川名小吃典故與製作

四川菜

四季養生素食

正宗台菜料理

白話黃曆

古今麻衣相學

古本戲曲劇目提要

打個蛋作35種料理

用蔬菜做甜點又健康又好吃

名產伴手DIY

休戀逝水

回顧-顧正秋的國劇藝術

吉祥如意

成都美食地理

小元：媽媽雖然工作一直很忙，但始終把我們的教育擺在第一。雖然爸媽把我們三個孩子送進國際學校，研讀的基本上是美式課程，但媽媽從來不曾忘記教育我們中華文化，而且不盲目、不填鴨，總是中西兼顧的把兩種文化擺在一起做比較。在家裡，所有東西都標註中、英文。我們還很小的時候，她就以西方的教育方式，逐句教導我們《三字經》裡的東方哲學，也把東、西方歷史依照時序並排，列出其文明發展的進程。她的教育目標，一直都是希望我們能欣賞和保存寶貴的文化，並且能適應快速變遷的世界局勢。這套書正是她多年辛勤努力的豐碩成果，一套令人難以置信的偉大工程。

在這套書的「夏季」部分，特別吸引我的是解說農曆「二十四節氣」的專章，因為那最能展現她的工作方法和態度。她不但詳細說明每個節氣會出現什麼樣的自然現象、適宜的服裝穿著，並且搭配了與節氣相合的諺語。她還使用大間距和豐富的色彩繪製農民曆，讓原本高深莫測的曆法變得和藹可親。這種前所未見的做法相當具體而有效，也展示了她獨特的觀點和教育期望。「夏季」還有一篇〈二十四節氣〉，從一位母親的觀點指出，我們今天所面對的環境問題，都導因於科技文明的過度開發，這不僅顯示她相當關心當前的環境議題，也期望提醒我們，人類的行為不能太魯莽，不能違反自然節氣的運行。

姚姚：這部分我也很感動，她真的是用心良苦！

JJ：這套書的書名叫《傳家》，從字面上來看，有「上一代交棒給下一代」的意思，是媽媽對中華文化危機的一種回應。她憑藉著自己的能力和堅忍不拔的毅力，硬是將中華文化的種種面向編寫成四巨冊，因為絕大多數人都只接觸到中華文化的一部分，她則是希望保存所有美麗的中華文化，讓人們能多欣賞並增進了解。為此她曾經花了數百小時到處旅行，進行文化採風與研究，以求做出前人不曾完成的成績。我最佩服的是她對細節的堅持，對幽默的掌握，譬如詳細描述中式佳餚的烹煮方法與過程，優雅的中國服飾的演變與造型，有機蔬菜的種植與天災……，每一項她都親自學習，不厭其煩的一再實踐，下了這麼深厚的苦功，就是希望透過這套書籍的出版，灌輸我們更多中華文化的核心價值。譬如為了幫我們解決前面說的家族稱謂問題，她發揮愛心與創造力，製作了一張大海報，上面不但繪有族譜，並將大家庭所有的成員一一畫上去，在每個人的旁邊註明適當的稱謂，甚至在每一成員的底下整理出適合說和不適合說的語彙。我敢說這應該是有史以來第一次有人將複雜的中國家族稱謂成功繪製成這麼簡單、易懂、易用的圖表。我覺得她書中的這項創新元素，不僅有益於美國的華裔人口，對很多本國人應該也有所助益。這張圖表的誕生，結合了媽媽的創造力與教育子女的慾望，那令人難以置信的創新和助益，也應該會在任何華人社區的教育系統裡變成有用的教育資源。

在她這套書裡，族譜圖當然只是其中一個例子，她寫作的最重要元素是著眼於如何教育

下一代去認識中國傳統，認識戰爭所造成的時代動盪，希望以後不要重蹈覆轍。她也講述外公、外婆、阿公與天上阿嬤的生命歷練，藉著一則又一則的真實故事，讓我們了解他們如何克服生活的艱難，學習他們的堅強與智慧。能有這麼一位致力於灌輸我們自己文化和傳統的母親，讓我感到非常幸運而自豪。

小元： 即使這麼說，我都還覺得太過低估媽媽所下的功夫和努力。我感到最引以為傲的，莫過於她承擔責任的勇氣。因為有那樣一往直前的勇氣，她才能花那麼長的時間四處查訪，蒐集資料，負責盡職的抽絲剝繭，鑑定出與今日環境仍然相關、值得保留的中華文化，而且巨細靡遺的加以分門別類，編成這套方便查閱的百科全書。她積極擁抱不斷演變的世界，將數千年來的中國人生活做一番大整理，既要保存老祖先的價值觀，也要提供現代人一種有意義的生活方式。這種努力當然非常宏偉，沒有一往直前的勇氣，怎能完成這個融匯古今的大工程？

我覺得歷史是對過去的記錄；文化關注的是不斷演變的現在；未來則是過去和現在的組合。媽媽為這套書投注這麼多心血，其意義不僅止於教育她的子女，而且具有更高層次的意義和貢獻；那就是它同時也像是催化劑一樣，足以促進文化傳承的演變。

在結婚生子養育自己的小孩之前，我恐怕很難體會媽媽在我們的教育和文化認同上所投注的心血。不過在這十八年的成長過程中，我已經體會到自己的生命根源和生活重心都源於中華文化；對於媽媽，我也有不斷的新發現和新讚賞。身為她的小孩，我感到非常驕傲。有這麼一位文化底子深厚又講求實用的母親，我覺得自己非常榮幸而且一直在享受著特權。

姚姚： 感謝您，媽媽。我對自己這麼晚才開竅，到這時候才表達我對您的讚賞和感謝，覺得非常羞愧和虧欠。謹以我謙虛的心和新長出來的好奇心，等待汲取我們傳統文化的智慧，從中學習與融合，以便像您一樣的勇敢，才能面對未來生活的種種挑戰。

JJ： 對於媽媽完成這套書，我真的感激莫名，無法以言語形容。我相信，這整套書對於在美國出生的華人孩子尤其有非常大的助益，因為我曾經遭遇過的身分和文化危機的問題，也經常發生在他們身上。

這套書當然也提供人們理解和接受中華文化的另一種選擇。而且，真正的中華文化是如此博大精深，絕不是俗氣的、西洋化的中華文化所能相比。媽媽對中華文化的了解和欣賞，再加上她對子女毫無保留的愛，將幫助我們正確定義自己的身分，促進我們心智文化的發展與成熟，使我們都能成長為真正的「中國人」。

西元二〇一〇年六月　**姚姚‧JJ‧小元**

一、本書第23、24、26、29、30、31頁

　　文案撰寫：楊昇儒

二、本書第48、49頁

　　文案撰寫：李應平

三、本書第162～167頁校閱：鍾傳幸教授

四、本書第171～174頁之戲劇總表彙整：

　　姚任祥　林宜熹　陳怡茜　鍾傳幸教授　王安祈教授

五、本書第179～182頁之詩詞總表彙整：

　　姚任祥　陳碧蘭　許貞瑋　季季　陳怡茜

六、本書第184～185頁之格言彙整：姚任祥　陳碧蘭　陳怡茜

七、本書第221～222頁之芽菜總表彙整：姚任祥　鄭虹伶

八、本書第227～230頁之醬料彙整：姚任祥　鄭虹伶　陳怡茜

九、本書第243～246、251～254頁之中藥材彙整：

　　姚任祥　賴怡姍　高德生

十、本書第259～262頁之資料彙整：

　　姚任祥　鄭虹伶　陳怡茜　許貞瑋　洪麗雅

國家圖書館出版品預行編目(CIP)資料

傳家. 秋 / 姚任祥作. -- 二版. --臺北市 ： 信
誼基金會, 2013.05
面； 公分
ISBN 978-986-161-458-8(精裝)

1.風俗 2.中國

538.82   102001553

著作權人　財團法人大元教育基金會

傳家網址　www.artofchineseliving.com

編　　著　姚任祥

作　　者　姚任祥

文字整校　季　季

攝　　影　劉振祥　姚任祥

執行主編　劉玉貞

插圖繪畫　葉子明

美術設計　段世瑜　陳怡茜　方雅鈴

美術顧問　霍榮齡

場景佈置　姚任祥

傳家團隊　方雅鈴　田瑾文　林宜熹　許貞瑋　葉翠茹
　　　　　陳怡茜　陳碧蘭　蔡孝君　賴怡姍

法律顧問　常在國際法律事務所　林秋琴律師

出版發行　信誼基金會

總 代 理　上誼文化實業股份有限公司

地　　址　台北市重慶南路二段七十五號

電　　話　(02) 2391-3384 (代表號)

網　　址　www.hsin-yi.org.tw

客戶服務　service@hsin-yi.org.tw

郵撥帳號　10424361

戶　　名　上誼文化實業股份有限公司

出版日期　2013年5月

版(刷)次　二版一刷

I S B N　978-986-161-458-8

印　　刷　沈氏藝術印刷股份有限公司